에스페란토와 관련된 초기 질의응답

에스페란토 문답집

Lingvaj Respondoj
(Plena Kolekto)

L. L. ZAMENHOF
루도비코 라자로 자멘호프 지음

Traduko kaj Klarigo : D-ro BAK Giwan

문학박사 박기완 번역·해설

에스페란토 문답집

인   쇄 : 2024년 1월 10일 초판 1쇄
발   행 : 2024년 1월 16일 초판 1쇄
지은이 : 루도비코 라자로 자멘호프
옮기고 해설한 이 : 박기완(Amondo)
펴낸이 : 오태영(Mateno)
출판사 : 진달래
신고 번호 : 제25100-2020-000085호
신고 일자 : 2020.10.29
주   소 : 서울시 구로구 부일로 985, 101호
전   화 : 02-2688-1561
팩   스 : 0504-200-1561
이메일 : 5morning@naver.com
인쇄소 : TECH D & P(마포구)

값 : 20,000원
ISBN : 979-11-93760-00-0(03890)

에스페란토와 관련된 초기 질의응답

에스페란토 문답집
Lingvaj Respondoj
(Plena Kolekto)

L. L. ZAMENHOF
루도비코 라자로 자멘호프 지음

Traduko kaj Klarigo : D-ro BAK Giwan
문학박사 박기완 번역·해설

진달래 출판사
(Eldonejo Azalea)

D^{ro} L. L. ZAMENHOF

LINGVAJ RESPONDOJ

(PLENA KOLEKTO)

APERINTAJ EN

LA ESPERANTISTO (1889-1893)
LA REVUO (1906-1908)
La OFICIALA GAZETO (1911-1912)
kaj aliaj gazetoj, libroj, leteroj, k.t.p.

LETERO PRI LA DEVENO DE ESPERANTO

TRIA ELDONO

PARIS

ESPERANTISTA CENTRA LIBREJO

11, Rue de Sèvres (6e)

1936

차 례

번역·해설자 서문

1887년 여름, 에스페란토가 세상에 처음 나왔을 때, 그때는 말 그대로 처음이었다. 그래서 그 어떤 기준도 명확하지 않았고, 따를 만한 본보기도 없었다. 모든 것이 새로운 것이었다. 그런 경우를 우리가 쉽게 추측할 수 있을까?

그런 난감한 처지에서 에스페란토의 창안자 자멘호프 박사는 고군분투를 한 것이다. 그리고 새로운 국제어 에스페란토를 처음 배우기 시작한 사람들은 이런저런 의문점이 한두 가지가 아니었을 것이다. 그들은 과연 누구에게 이것을 물어 볼 수 있었을까? 모두 자멘호프 박사에게 직접 물어 볼 수밖에 없었다. 그래서 초기에 자멘호프 박사에게 온 이런 질문의 편지가 아주 많았다. 그는 여러 가지 어려운 환경 가운데에서도 시간을 쪼개어 그 모든 편지에 정성을 다하여 또 자세하게 답변을 하였는데, 그의 답변들은 정말 대단한 것이었다. 명쾌하고도 쉬웠으며 재미있고도 확실한 것이었다. 그리고 후에 이 답변들이 모두 모여서 한 권의 책으로 세상에 나오게 되었다.

이것은 에스페란토의 〈제1서〉와 〈제2서〉에 이은 〈제3서〉라 해도 틀린 말은 아닐 것이다. 이 책으로 초기 에스페란티스토들은 여러 가지 언어적인 의문점에 대해 시원한 답을 들었을 것이다. 그것도 창안자로부터 직접.

오래전 이 책을 접한 이후 나는 오랫동안 언젠가는 이 책을 번역하고 해설도 덧붙여야 하겠다는 생각을 해왔다. 나의 박사학위 논문이 바로 "한국말과 에스페란토의 형태 대조 연구" 이기 때문이다. 이제 〈제1서〉, 〈제2서〉에 이어 이 〈제3서〉까지 번역과 해설을 마치고 책으로 펴내게 되었으니 감개가 무량하다. 아무쪼록 이 책이 한국의 모든 에스페란토 학습자들에게 도움이 되기를 진심으로 바란다. 나에게도 아주 큰 도움이 되었듯이...

그리고 이 일의 중요성을 잘 알고 책으로 펴내 준 에스페란토 전문 출판사 〈진달래 출판사〉에 진심으로 감사한다.

2024년 1월 박기완 (Amondo)

Antaŭparolo de la tradukinto-klariginto

En la somero de la jaro 1887, kiam Esperanto aperis en la mondo por la unua fojo, ĉio estis la unua fojo. Ekzistis neniu klara normo, nek imitindaj ekzemploj. Ĉio estis nova. Ĉu ni povas facile imagi tian situacion?

En tiu senhelpa situacio la aŭtoro de Esperanto, d-ro Zamenhof penadis sola por trabati la vojon. Kaj la komencantoj de la nova lingvo internacia, Esperanto, verŝajne havis diversajn demandojn pri ĝi. Al kiu ili povus turni la demandojn? Ili ĉiuj devis demandi rekte al d-ro Zamenhof. Kaj tial en la komenco venis tre multaj demandoj al li pri la nova lingvo internacia. Li, malgraŭ tre malfavora situacio tiama, respondis al la demandoj tre sincere kaj detale. Liaj respondoj estis tre klaraj kaj facilaj, tre interesaj kaj certaj. Poste publikiĝis la demandoj kaj la respondoj en la formo de unu libro.

Mi ŝatus nomi ĝin <Tria Libro> sekve de la <Unua Libro> kaj la <Dua Libro> de Esperanto. Per tiu ĉi libro la esperantistoj en la komenca periodo povus kontente solvi ĉiujn demandojn pri la lingvo, rekte helpite de la aŭtoro mem.

Antaŭlonge kiam mi unuafoje legis la libron, mi enkore decidis traduki kaj klarigi ĝin iam en la estonteco. Kaj mi daŭre pensadis pri tio, ĉar mia doktora disertacio estas ĝuste la "Studo pri morfologia kontrasto inter la korea kaj Esperanto". Nun mi finis la laboron post la jam finitaj tradukoj kaj klarigoj de la <Unua Libro> kaj la <Dua Libro>. Mi tre ĝojas kaj sentas kormalpezon pro la publikiĝo de la libro, kaj tutkore esperas, ke ĝi estos helpo por ĉiuj koreaj Esperanto-lernantoj, same kiel ĝi tiel estis por mi antaŭlonge.

Kaj mi kore dankas la Esperanto-profesian eldonejon "Eldonejo Azalea", kiu bone komprenis la gravecon de la libro kaj jen eldonas ĝin.

2024, Januaro
Tradukinto-klariginto
d-ro BAK Giwan (Amondo)

[ANTAŬPAROLO]
[서문]

Jam de la unua tempo de la lingvo Esperanto la Esperantistoj ofte petis de D^{ro} L. L. Zamenhof klarigojn pri diversaj lingvaj demandoj, kaj ĉiam la kreinto de nia lingvo plej afable donadis tiujn klarigojn publike.

Dum tri periodoj aperis lingvaj respondoj : unue, en la jam ne riceveblaj numeroj de *La Esperantisto* (1889-1893), due en *La Revuo* (1906-1908), kaj trie en la *Oficiala Gazeto* (1911-1912). Kelkaj respondoj aperis ankaŭ de tempo al tempo en aliaj gazetoj kaj en libroj.

> / peti de iu ion 누구로부터 무엇을 청하다 / plej afable 가장 친절하게, 아주 친절하게 / la jam ne riceveblaj 더 이상 받아 볼 수 없는 /

에스페란토의 초창기부터 에스페란티스토들은 자멘호프 박사에게 여러 가지 언어문제에 대한 설명을 부탁하였고, 우리 언어의 창안자인 그는 아주 친절하게 그 설명들을 공개적으로 발표해 주었습니다.

세 번의 기간 동안 이 답변들이 발표되었습니다 : 첫 번째는 지금은 구독할 수 없는 *La Esperantisto* (1889-1893)에서, 두 번째는 *La Revuo* (1906-1908)에서, 그리고 세 번째는 *Oficiala Gazeto* (1911-1912)에서였습니다. 몇몇 답변들은 다른 잡지와 책들에서도 때때로 발표되기도 했습니다.

La lingvaj respondoj el la unua periodo estis represitaj en la *Oficiala Gazeto* (1911-1912), kaj poste, kun tiuj de la tria periodo, en aparta volumo sub la titolo *Lingvaj Respondoj* (*nova serio*), Esperantista Centra Oficejo, 1913; la lingvaj respondoj el la dua periodo estis represitaj en aparta volumo: *Lingvaj Respondoj aperintaj en La Revuo*, Hachette, 1910.

> / el la unua periodo 첫 번째 기간의, en 대신 de를 써도 됨 / kun tiuj de la tria periodo 그 세 번째 기간의 답변들을 가지고는 /

첫 번째 기간의 답변들은 *Oficiala Gazeto* (1911-1912)에 재인쇄가 되었으며, 세 번째 기간의 답변들을 가지고는 Esperantista Centra Oficejo에서 1913년에 *Lingvaj Respondoj (nova serio)*라는 이름으로 따로 책을 내었고, 두 번째 기간의 답변들은 1910년에 Hachette 출판사에서 *Lingvaj Respondoj aperintaj en La Revuo*라는 이름으로 따로 책을 내었습니다.

Ambaŭ volumoj estas jam elvenditaj, kaj tial ni decidis publikigi en unu volumo plenan kolekton de tiuj respondoj, kaj tiuj aliloke aperintaj (el kiuj la plimulto estas verkitaj de D^ro Zamenhof mem, kaj la ceteraj de aliaj personoj, al kiuj D^ro Zamenhof donis la koncernajn informojn).

Ni klasifikis ilin laŭ la gramatika ordo, kaj sub ĉiu respondo ni donis montron pri ĝia deveno. La jena volumo estas do kolekto de *ĉiuj* lingvaj respondoj de mia karmemora Majstro.

> / elvenditaj 절판된 / en unu volumo 한 권의 책으로 / karmemora 주로 고인의 이름 앞에 쓰는 말, "친애하는" 정도의 말 /

그 두 권의 책은 이미 절판되었습니다. 그래서 우리는 모든 답변들을 모으고, 또 다른 곳에서 발표된 것들도 모아서 (대부분은 자멘호프 박사가 직접 쓴 것이며, 다른 것은 자멘호프 박사가 관련 정보를 준 몇몇 다른 사람들이 쓴 것임) 한 권의 책으로 출판하기로 결정하였습니다.

우리는 그것들을 문법적인 차례로 정리하였고 각 답변 아래에는 그것의 출처를 밝혔습니다. 그래서 이 책은 친애하는 제 스승님의 언어문제에 대한 모든 답변들의 전부입니다.

Ni devas esprimi grandan dankon al S^{ro} William Bailey, kiu zorge korektis ne sole la erarojn de ĉi tiu libro, sed ankaŭ, post komparo kun la originaloj mem, la erarojn, kiuj troviĝas en la volumoj jam eldonitaj, kaj al D^{ro} Pierre Corret, kiu bonvolis havigi al ni kelkajn tre interesajn «respondojn», kiujn li posedis kaj kiuj aperas unuafoje en la tria eldono de ĉi tiu libro.

LA ESPERANTISTA CENTRA LIBREJO.

/ post komparo kun la originaloj mem 원본과 직접 대조를 해 본 후에 / havigi al ~에게 무엇을 주다 /

우리는 William Bailey 씨에게 깊은 감사를 드립니다. 그는 이 책의 교정을 보아 주었을 뿐만 아니라, 이미 출판된 다른 책들에서 발견된 잘못들도 원본과의 직접 대조를 통하여 수정해 주기도 했습니다. 그리고 Pierre Corret 박사께도 감사를 드립니다. 그는 자신이 가지고 있던 몇몇 아주 흥미로운 답변들을 우리에게 주었는데, 그것은 이 책의 제3판에 처음으로 공개가 되는 것입니다.

에스페란티스토 중앙 책방

[Antaŭparolo al la Lingvaj Respondoj]
aperintaj en «LA REVUO» (1910)
<La Revuo>에 발표된 <Lingvaj Respondoj>의 서문 (1910)

Komencante de Decembro 1906, / mi, / per La Revuo, / *de tempo al tempo* donadis al diversaj demandantoj / respondojn pri diversaj lingvaj demandoj. Tiuj Respondoj havis karakteron pure privatan, / *tiel same kiel* la respondoj, / kiujn en diversaj gazetoj donas aliaj kompetentaj *Esperantistoj.* Sed kiam mi vidis, / ke multaj personoj *vidas en miaj Respondoj* / *kvazaŭ ian «oficialan decidon»* pri tiu aŭ alia demando, / kaj miaj Respondoj sekve povus malhelpi / la tute liberan evoluadon de nia lingvo / aŭ malhelpe *entrudiĝi* en la kampon, / kiu devas aparteni plene al nia Akademio, / mi ĉesis publikigi la Respondojn.

/ privata 사적인; persona 개인적인 persone 개인적으로, 직접, 몸소 / *Esperantistoj* 이 당시에는 Esperantisto, Esperanto 등의 용어가 일반화 되지 않았음 / entrudi 강제로 끼어들다; trudi 강제로 무엇을 시키다 *ne trudu, kion devus mi rifuzi!* [z]; netrudiĝema 남에게 뭘 자꾸만 요구하지 않는, 남의 일에 간섭을 잘 안 하는 *Mi ŝatas netrudiĝemajn homojn.* /

1906년 12월부터 시작하여 저는 <La Revuo>에 여러 가지 언어 문제에 대한 답변들을 가끔 발표해 왔습니다. 그 답변들은 여러 잡지에 발표된 다른 권위 있는 에스페란티스토들의 답변과 마찬가지로 아주 사적인 성격의 것이었습니다. 그러나 많은 사람들이 저의 그 답변이 마치 이런저런 문제에 대한 어떤 <공식적인 결정>이나 되는 것처럼 생각하는 걸 보고, 또 저의 답변들이 우리 언어의 자유로운 발전을 방해하고 또한 에스페란토 학술원에만 속하는 영역에 부정적으로 끼어들 수 있다는 생각에, 저는 그 답변 발표를 멈추었습니다.

Tamen ĉar certa nombro *de* miaj Respondoj jam estas publikigita kaj ĉar oni eble povus trovi en ili ian utilan konsilon, tial mi opinias, ke ne malutilos, se ili estos reeldonitaj kune en formo de aparta broŝuro. Sed mi denove atentigas la legantojn, ke miaj Respondoj devas esti rigardataj kiel opinioj kaj konsiloj absolute privataj; fari oficialan decidon pri *tiu aŭ alia* duba lingva demando havas la rajton nur nia Akademio, post voĉdona interkonsiliĝo kun la tuta Lingva Komitato.

/ Certa nombro *de*는 certa nombro *da*의 실수인 듯; nombro de ~의 숫자, granda nombro da 많은 수의 ~ / ne malutilos, (eĉ) se ~한다고 해도 (~한다면) 나쁠 것은 없을 것이다 / fari는 rajton을 꾸밈; nur nia Akademio havas la rajton fari oficialan decidon pri *tiu aŭ alia* duba lingva demando로 써도 됨 /

그러나 제 답변들의 상당수가 벌써 공개적으로 발표가 되었고, 또 사람들이 그것을 어느 정도 유익한 조언이라고 생각하기 때문에, 저는 그것들이 하나의 책자 형태로 다시 출판된다 해도 나쁠 것은 없으리라 생각합니다. 그러나 저는 다시 한번 독자 여러분께 주의를 당부합니다. 저의 답변들은 절대적으로 저의 사적인 의견과 조언으로만 받아들여져야 합니다. 이런저런 의심스러운 언어 문제에 대한 공식적인 결정의 권한은 오로지 우리의 학술원에만 있습니다. 언어위원회 전체 투표로 합의가 이루어졌을 때 말입니다.

Oni tamen ne *malkomprenu* min. Mi tute ne apartenas al tiuj personoj, / kiuj dezirus, / ke la Akademio donadu al ni / *kiom eble pli* da decidoj. En lingvaj demandoj / ĉiu *superflua* «decido» katenas, / kaj ni devas esti kun ĝi / tre singardaj; «decidojn» oni devas fari / nur en okazoj de efektiva kaj senduba neceseco!

/ malkompreni = miskompreni / Mi tute ne apartenas al tiuj personoj, kiuj ~ 저는 ~한 사람이 아닙니다 / *kiom eble pli* 가 능한 한 더; kiel eble plej ~ 가능한 한 최대한으로 (줄여서 "kep"로 쓰기도 함) / kateni (타) 수갑을 채우다, 구속하다, 얽 매다, 저해하다; 여기서는 목적어가 생략되었음 / 여기 쓰인 kun은 뒤의 singardaj와 연결되는 것임 / senduba 의심없는, 꼭 ~한 /

그러나 여러분, 저를 오해하지는 마십시오. 저는 학술원이 가 능한 한 많은 결정을 내려주길 바라는 그런 사람은 아닙니다. 언어적인 문제에 있어서는 모든 지나친 결정은 우리를 옭아낼 뿐입니다. 그러니 우리 모두는 그러한 일에 아주 신중해야 합 니다. 결정이란 것은 정말 실제적으로 꼭 필요한 경우에만 이 루어져야 합니다!

자멘호프

LINGVAJ RESPONDOJ

(Plena Kolekto)

[Alfabeto]
[글자]

Pri la uzado de «h» anstataŭ supersigno

삿갓부호 대신 <h>를 쓰는 문제

La uzado de ch k.t.p. anstataŭ ĉ k.t.p. estas enkondukita nur por la presejoj, kiuj ne havas ankoraŭ literojn kun signetoj, sed en skribado mi konsilas al vi ĉiam uzi pli bone ĉ anstataŭ ch, ĉar la uzado de unu litero por unu sono estas multe pli logika ol la uzado de du literoj. Vi diras, ke la signetoj superliteraj estas maloportunaj en la skribado; sed la alfabeto pure latina havas ja ankaŭ kelkajn literojn kun signetoj superliniaj (i, j, t), kaj la plej granda parto de la lingvoj kiuj uzas la alfabeton latinan havas ankoraŭ amason da aliaj literoj kun signetoj superliniaj kaj subliniaj.

/ estas enkondukita nur por ~을 위해서만 도입되었다 / konsilas al vi ĉiam uzi 항상 ~을 쓰기를 권고합니다, al vi 대신 vin을 써도 됨 /

"ĉ" 등을 쓰는 대신 "ch" 등을 쓰는 것은 오직 그런 부호를 가지지 못한 인쇄소들을 위해 도입된 것입니다. 그러나 일반적인 글쓰기에서는 언제나 ch 대신 ĉ를 쓰기를 권장합니다. 왜냐하면 한 소리를 위해 하나의 글자를 쓰는 것이 두 개의 글자를 쓰는 것보다 훨씬 더 논리적이기 때문입니다. 글쓰기에 있어 그 윗부호가 어려움이 있다고 그대는 말하고 있는데요, 그러나 라틴어 글자 자체도 몇 글자는 그러한 윗부호를 가지고 있습니다

(i, j, t). 그리고 이러한 라틴 글자를 사용하는 많은 말들에서도 위에나 아래에 다른 부호들을 붙여서 사용하는 말들이 많이 있습니다.

Certe ia akademio aŭ kongreso penos iam *elpensi* pli oportunajn skribajn formojn por kelkaj literoj (ĉar ne sole la literoj kun signetoj sed ankaŭ multaj aliaj literoj havas formon tre maloportunan); sed tio ĉi estas jam tute alia demando, kiu la lingvon mem tute ne tuŝas: ĝi estas ne *demando* de lingvo, sed nur demando de oportuneco de la skribado.

La Esperantisto, 1889, p.15.

> / ia 어떤, 어느; 영어의 부정관사와 같은 역할을 함 / *demando* 질문, -의 문제 /

분명히 언젠가는 학술원이나 대회 같은 곳에서 몇몇 글자들의 필기 형태를 더 편하게 하려는 노력이 나타날 것입니다. (왜냐하면 윗부호가 붙은 글자뿐 아니라 다른 여러 글자들도 불편한 형태를 가지고 있기 때문입니다.) 그러나 이것은 언어 그 자체의 문제는 아닙니다. 그것은 오로지 글쓰기의 편리성에 관한 문제일 뿐입니다.

Multaj plendas, ke la skribado per ĉ, ĝ, ĥ, ĵ, ŝ, kaj ŭ estas por ili neoportuna kaj malhelpas ilin ankaŭ en la presado de verketoj en iliaj lokoj, kie la presejoj ne havas la literojn kun signetoj. Ni ripetas tial tion, kio estis jam dirita en la «Aldono al la Dua Libro»: anstataŭ la signeto superlitera oni povas kuraĝe uzadi la literon h kaj anstataŭ ŭ — simplan u.

La Esperantisto, 1890, p.32.

> / plendi 불평하다; pledi 변호하다 /

많은 사람들이 "ĉ ĝ ĥ ĵ ŝ ŭ"로써 글을 쓰는 것이 아주 불편하고 또 그러한 부호들을 갖추지 못한 인쇄소에서 책을 인쇄하기도 아주 불편하다고 불만을 표합니다. 그래서 이미 <제2서 부록>에서 말씀을 드린 바가 있습니다만 다시 한 번 말씀을 드립니다. 윗부호 대신 누구나 "h"자를 쓸 수 있으며, "ŭ" 대신에는 그냥 "u"를 쓸 수 있습니다.

Sinjoro F.V. Lorenc konsilas, ke la presejoj, kiuj ne havas la signetojn superliterajn, uzu anstataŭ ili kaj anstataŭ h — apostrofon returnitan post la litero; ekzemple «ac'eti» anstataŭ «aĉeti» aŭ «acheti». De nia flanko ni devas nur peti, ke se oni volos uzi tiun ĉi konsilon, oni ne forgesu klarigi en la komenco de la presata verko la signifon de tiu ĉi *returnita* apostrofo.

La Esperantisto, 1890, p. 54-55.

> / apostrofo returnita 뒤집힌 생략부호 / De nia flanko 우리 측으로서는, 우리로서는 /

F.V. Lorenc 씨는 윗부호가 없는 인쇄소에서는 그 윗부호 대신에, 또 'h' 대신에, 해당 글자 뒤에 뒤집은 생략부호 <'>를 쓰라고 권유합니다. 예를 들어 <aĉeti>나 <acheti> 대신 <ac'eti>라고 말이지요. 우리의 입장에서 부탁 드리고 싶은 것은, 만약 그렇게 한다면 그 책자 첫머리에서 그 뒤집은 생략부호에 대한 설명을 꼭 해 주십사 하는 것입니다.

Vane vi timas, ke ni volas enkonduki novan ortografion (h anstataŭ signeto superlitera). La fina leĝo por nia ortografio estos: «por unu sono unu litero»; kaj kiam ni nur povos, ni ĉiam uzados ĉ anstataŭ ch (*povas nur esti, ke* iom poste, por pli oportunigi la skribadon, ni donos al tiu ĉi litero pli simplan formon). La skribado de unu sono per du literoj estas tute ne logika kaj neniam povus esti aprobata; sed ni ĝin uzas nur kiel necesan *unuatempan* rimedon por doni al ĉiuj presejoj kaj al la telegrafo la eblon labori *jam* nun en nia lingvo.

저희가 새로운 철자법을 도입할까 봐 걱정하실 필요는 없습니다. (윗부호 대신 h를 도입하는 것) 에스페란토 철자법에 관한 최종 원칙은 <한 글자 한 소리>입니다. 그래서 할 수만 있다면 우리는 항상 ch 대신 ĉ를 쓸 것입니다. (다만 언젠가 글쓰기를 더 편하게 하기 위해 우리는 그 글자를 좀 더 간단하게 만들 수는 있겠지요) 한 소리를 두 글자로 나타내는 것은 절대 논리적이지도 않고 정당화 될 수 없습니다. 그러나 모든 인쇄소들과 전신기에서 에스페란토를 지금 당장 사용할 수 있도록 하기 위해서는 어쩔 수 없이 초창기 방법으로 그것을 사용할 수밖에 없는 것입니다.

Sed kiam iom post iom la plej granda parto de la presejoj kaj telegrafejoj *proviziĝos je* nia alfabeto, tiam la uzado de superflua h estos absolute ĉesigita. Ne la ĉ estas transira ŝtupo al ch, sed en la ch ni proponis transiran ŝtupon al ĉ, kiam ni vidis, ke la absoluta enkonduko de ĉ estas ankoraŭ teĥnike ne oportuna.

그러나 나중에 많은 인쇄소와 전신국에서 에스페란토 글자를 확보하게 된다면 더 이상 그 불필요한 h는 사용하지 않게 될 것입니다. ĉ가 ch로 가는 중간단계가 아니라 오히려 ch를 ĉ에 이르기 위한 중간단계로 제안했을 뿐입니다. 왜냐하면 ĉ를 전면적으로 사용하기에는 아직 기술적인 불편함이 있기 때문입니다.

Tute vere vi diras, ke la presejoj kaj telegrafoj devas sin konformigi al la lingvo, kiun ili uzas, kaj ne la lingvo al ili; sed nia lingvo estas ankoraŭ juna kaj nepotenca kaj devas *sin fleksi, se ĝi ne volas perei.* Ne estas ankoraŭ tempo diri fiere al ĉiuj presistoj: «Se vi ne volas vin *konformigi al* ni, ni vin ne bezonas»! La unuatempa permeso presi per h estas necesa rimedo por ne fari ofte la presadon de ia verko tute ne ebla aŭ tro multekosta; sed kiu nur havas la eblon presi per signetoj superliteraj, tiu ĉiam devas ĝin fari.

La Esperantisto, 1891, p. 15.

/ sin konformigi al ~에 자신을 맞추다 / devas *sin fleksi, se ĝi ne volas perei* 부러지지 (없어지지) 않으려면 구부려야 한다 / necesa rimedo 필요한 조치, 수단 /

인쇄소나 전신기가 그들이 사용하는 언어에 맞추어야지 반대로 그 어떤 언어가 그들에게 맞출 수는 없다고 하는 그대의 생각은 옳습니다. 그러나 에스페란토는 아직 어리고 힘이 없습니다. 그래서 사라지지 않으려면 자신을 굽힐 수밖에 없습니다. 모든 인쇄소를 향하여 "만약 당신이 우리에게 맞추지 않으면 우리는 당신이 필요없다!"라고 자신있게 외칠 때는 아직 되지 못했습니다. 초창기에 h를 사용하여 인쇄하는 것을 허용하는 것은 에스페란토 책자의 인쇄가 불가능해지거나 또는 너무 비싸지지 않도록 하기 위한 필요불가결한 조치인 것입니다.

La literojn de nia alfabeto mi proponas nomi en la sekvanta maniero: a, bo, co, ĉo, do, e, fo, go, ĝo, ho, ĥo, i, jo, ĵo, ko, lo, mo, no, o, po, ro, so, ŝo, to, u, ŭo, vo, zo.

/ La literojn de nia alfabeto 이것은 뒤의 동사 nomi의 목적어 /

에스페란토 글자의 이름은 다음과 같이 읽기를 제안합니다: a, bo, co, ĉo, do, e, fo, go, ĝo, ho, ĥo, i, jo, ĵo, ko, lo, mo, no, o, po, ro, so, ŝo, to, u, ŭo, vo, zo.

Pri sensupersigna skribado
윗부호 없이 글을 쓰는 문제

La fundamentaj reguloj de nia lingvo permesas presi «h» anstataŭ supersigno; sed *kio* estas permesata por presado, *tio* ankaŭ estas permesata por skribado. *Tiel same, kiel* neniu povas protesti, se vi skribos ekzemple per artifikaj gotaj literoj anstataŭ per literoj ordinaraj, aŭ per literoj presaj anstataŭ skribaj, *tiel same ankaŭ* neniu povas protesti, se vi skribos per «h» anstataŭ supersignoj.

/ kio ... tio ~한 것은 ~하기도 하다 / gotaj literoj 고딕 문자 / *Tiel same, kiel* ~한 것처럼 그렇게 똑같이 / *tiel same ankaŭ* 뒤에 나오는 이 부분은 없어도 될 것임 /

에스페란토의 기본 규정에 의하면 윗부호 대신 <h>를 쓸 수 있습니다. 그리고 인쇄를 위해서 허용된 것은 글쓰기를 위해서도 허용되는 것입니다. 그래서 마치 그대가 보통 글씨체로 쓰지 않고 예술적인 고딕체로 쓴다거나 또는 필기체로 쓰지 않고 인쇄체로 쓴다 해도 그것을 아무도 말릴 수 없듯이, 윗부호 대신 <h>를 쓴다고 아무도 그대를 말릴 수는 없는 것입니다.

Sed *la demando estas, ĉu* viaj korespondantoj estos kontentaj, se, skribante al ili, vi uzos la pli artifikan manieron kun «h» anstataŭ la pli simpla kun supersignoj. Tio ĉi sekve estas ne demando de permeso aŭ malpermeso, sed simple *demando de gusto*. Sed, se vi deziras anstataŭigi la supersignon en «ĉ» kaj «ŝ», vi nepre devas anstataŭigi ĝin ankaŭ en «ĵ», «ĥ» kaj «ĝ», ĉar ĉiu el *la* ambaŭ skribmanieroj *aparte* estas permesita en nia lingvo, sed uzado de ia skribmaniero miksita estus jam arbitraĵo kaj *kondukus al* ĥaoso.

> / *la demando estas, ĉu* ~하느냐가 문제이다 / *demando de gusto* 입맛(취향)의 문제 / *la* ambaŭ 이때 관사는 사용하지 않는 게 더 좋음 / *aparte* 개별적으로, 여기서는 "한 묶음씩"의 뜻 / *kondukus al* ĥaoso ~(우리를) 혼란으로 이끌 것이다, konduki는 타동사이지만 여기에서처럼 목적어(iun)를 생략한 채 쓰이기도 함 /

그러나 문제는 그대가 편지를 쓸 때 간단한 윗부호를 쓰는 대신 <h>를 써서 더 기교를 부린다고 했을 때 상대방이 과연 만족해 할 것인가가 문제인 것입니다. 그러므로 이것은 허용의 문제라 기보다는 취향의 문제입니다. 그러나 만약 그대가 <ĉ>와 <ŝ> 의 윗부호를 그렇게 바꾼다면 <ĵ>, <ĥ>, <ĝ> 역시 반드시 그 렇게 바꾸어야 할 겁니다. 왜냐하면 그 두 가지 필기법은 각각 독립적으로 허용되어 있기 때문입니다. 만약 그 두 가지를 섞어 서 사용한다면 그것은 이미 "제멋대로"의 방법이 될 것이고, 결 국 에스페란토의 필기법은 혼란에 빠지게 될 것이기 때문입니 다.

— Se vi volas skribi per «h» anstataŭ supersignoj, vi povas tion fari, ne bezonante demandi ies permeson; sed se vi volas uzi skribmanieron miksitan, aŭ — *tiom pli* — se vi volas uzi sisteme la tute novajn literojn «y» kaj «w», anstataŭ «j» kaj «ŭ» (mi ne parolas pri specialaj teknikaj okazoj, kiam tio eble estas necesa) vi devas — se vi deziras esti lojala Esperantisto kaj ne enkonduki anarĥion en nian aferon — akiri por tio la permeson de la «Lingva Komitato». *Formulu* klare vian deziron kaj prezentu ĝin al la voĉdonado de la Lingva Komitato, kaj se via propono estos akceptita per plimulto da voĉoj, ĝi fariĝos permeso oficiala.

/ demandi ies permeson 누구의 허가를 물어보다 / *tiom pli* 그 이상으로, 더더군다나, 게다가 / enkonduki anarĥion en nian aferon 우리의 일을 무정부 상태로 만들다 / *formuli* 형식에 맞는, 격식을 갖춘 문서, 공식 문서를 만들다 / per plimulto da voĉoj 과반수의 득표로 /

— 만약 그대가 윗부호 대신 \<h\>를 쓰고 싶다면 누구에게 물어볼 필요도 없이 그렇게 할 수 있습니다. 그러나 만약 그대가 섞어 쓰는 방법을 택하고 싶거나 또는 그 이상으로 완전 새로운 글자를, 예를 들어 \<j\> 대신 \<y\>나, \<ŭ\> 대신 \<w\>를 체계적으로 사용하고 싶다면 (혹시 기술적인 문제로 인해 꼭 그렇게 해야만 할 필요가 있는지는 모르겠습니다만) \<언어위원회\>의 허락을 얻어야만 할 것입니다. 그래야만 충성스러운 에스페란티스토가 될 수 있으며 우리의 일에 무정부주의적인 혼란을 야기하지 않게 될 것입니다. 그대가 원하는 바를 분명하게 문서화하여 그것을 언어위원회에 제출하여 표결에 부치기를 바랍니다. 만약 그것이 과반의 표를 얻으면 그것은 공식적인 허용이 될 것입니다.

Sed *memoru, ke* pro la bono de nia afero la Lingva Komitato devas esti tre singarda kaj akcepti nur tion, kion ĝi trovas tute sendanĝera, efektive grava kaj sendube utila; tial se la Komitato malakceptos vian proponon, *submetu vin* discipline *al* ĝia decido kaj ne agu simile al tiuj personoj, kiuj, ne ricevinte aprobon de la Komitato, krias, *ke* la Komitato nenion taŭgas, *ke* ĝi ne estas aŭtoritata, *ke* ĝi nenion faras, k.t.p.

/ *submeti sin* discipline *al* ~에 겸허하게, 규율에 맞게 복종하다, 따르다 / krias, *ke* 이하에 ke가 세 번 나옴, ~라고 외치다 /

그러나 기억하실 것은, 언어위원회는 에스페란토의 유익을 위하여 아주 조심할 것이며 또한 분명하게 해가 되지 않으며 실제적으로 중요하고 틀림없이 유익한 것이라고 판단되는 것만을 채택하게 될 것이라는 사실입니다. 그래서 만약 언어위원회가 그대의 제안을 받아들이지 않는다 할지라도 그대는 겸허하게 그 결정을 따라 주시기를 바랍니다. 어떤 사람들은 언어위원회가 자기의 제안을 받아들여 주지 않는다 하여 언어위원회는 쓸모가 없고 권위도 없으며 아무것도 하는 게 없다는 등 외치고 다니는 사람들도 있습니다.

Principe la Lingva Komitato havas la rajton permesi en la lingvoĉion, kion ĝi trovos necesa; mi neniam prezentos ian malhelpon, kaj ĉiun mature pripensitan kaj orde voĉdonitan decidon de la Komitato mi akceptos *sendispute*. Sed mi opinias, ke la vera celo de la Lingva Komitato tute ne *konsistas en* ia facilanima eksperimentado sen grava neceseco; ju malpli ni okupos niajn kapojn per diversaj «plibonigoj» kaj ju pli ni simple propagandos kaj riĉigos la lingvon, *des pli bone estos*.

Respondo 45, *La Revuo*, 1908, Aŭgusto

/ *Sendispute* 두말 않고, 논쟁 없이, 반대 없이 / *konsistas en* ~에 있다 / ju malpli ... kaj ju pli ..., *des pli bone estos.* 덜 ~하고 또 더 ~할수록 더 좋을 것입니다 /

— 원칙적으로 언어위원회는 에스페란토에 필요하다고 판단되는 것은 모두 허용할 권한을 가지고 있습니다. 저는 절대 그 어떤 방해도 하지 않을 것입니다. 그리고 언어위원회가 깊이 생각하고 정상적인 투표절차에 따라 선택한 결정은 절대 반대

하지 않고 받아들일 것입니다. 그러나 언어위원회의 진정한 목적은 그 어떤 중요한 필요성도 없이 그저 실험적인 모험을 하는 데에 있는 건 절대 아니라고 저는 생각합니다. 우리가 여러 가지 <개선점>에 집중하기보다는 에스페란토를 어떻게 하면 좀 더 홍보하며 또 (언어적으로) 풍부하게 할 것인가 하는 문제에 집중하는 것이 훨씬 더 좋은 일이 될 것입니다.

[Elparolado]
[발음]

Elparolado de «ŭ» kaj «j»
<ŭ>와 <j>의 발음

En la sono 'aŭ' la 'a' kaj la 'ŭ' devas esti aŭdataj klare *ĉiu aparte*, sed ili faras unu silabon, ĉar efektive la litero ŭ ne estas vokalo. Tiel ekzemple la vorto laŭdi devas esti elparolata laŭ-di.

La Esperantisto, 1889, p. 23.

> / *ĉiu aparte* 각각 따로따로, 개별적으로 / silabo 음절, 한 번의 숨으로 소리 내는 덩어리 / 여기서 자멘호프는 ŭ가 모음이 아니라고만 말한다 /

<보충 설명>

/ 한국어에서는 ŭa ŭe ŭi ŭo ja je jo ju uj 같은 소리들은 하나의 이중모음(겹홀소리)으로 취급한다; aŭ eŭ oŭ aj ej oj 같은 소리들은 한국어에는 없다 /

'aŭ'의 발음에 있어 'a'와 'ŭ'는 분명하게 독립적으로 소리가 나야 합니다. 그러나 그것은 한 음절입니다. 왜냐하면 글자 ŭ는 모음이 아니기 때문입니다. 그래서 예를 들어 laŭdi라는 단어는 laŭ-di로 발음이 되어야 합니다.

Pri la literoj «u» kaj «ŭ», «i» kaj «j»
글자 <u>, <ŭ>, <i>, <j>에 대하여

Kelkaj amikoj ne bone komprenas kaj ne regule uzas la literojn u, ŭ, i kaj j. Laŭ ilia opinio (esprimita eĉ en kelkaj lernolibroj) la literoj u kaj i kune kun antaŭirantaj vokaloj faras «duoblan vokalon»; ili sekve *elparolas* au kiel aŭ, ei kiel ej k.t.p. Tio ĉi estas eraro. En nia lingvo ne ekzistas duoblaj vokaloj, sed ĉiu litero estas elparolata ĉiam egale kaj ĉiam aparte. Sekve oni devas legi «ba-lá-u, tra-ú-lo, tro-ú-zi, de-í-ri, kré-i, hero-í-no» kaj ne «bá-laŭ, tráŭ-lo, tróŭ-zi, déj-ri, kréj, herój-no» (kiel faras multaj germanoj, havantaj tiun ĉi kutimon en sia lingvo). La literoj u kaj i devas ĉiam esti elparolataj klare kaj aparte, kiel ĉiu alia litero.

/ duobla vokalo 이중모음 /

<보충 설명>

/ 자멘호프는 에스페란토에는 이중모음이 없다고 말함. 그러나 이것은 글자 중심으로 설명하는 것임. 발음 중심으로 설명하면, aj ej oj uj aŭ eŭ ja je jo ju 등은 이중모음임. 즉, 한 음절로 소리내는 모음임 / 반모음(diftongo): 과도음(過渡音), 활음 / 이중모음: <모음+반모음> 혹은 <반모음+모음> /

몇몇 친구들은 <u>, <ŭ>, <i>, <j>를 잘 이해하지 못하고 또 규칙적으로 잘 쓰지도 못합니다. 그들은 (몇몇 교과서에서 표현했듯이) u와 i가 앞에 있는 모음과 함께 <이중모음>을 만든다고 생각합니다. 따라서 au를 aŭ처럼, ei를 ej처럼 발음합니다. 그것은 잘못입니다. 에스페란토에서는 이중모음이 없고 모든 글자는 항상 동등하게 개별적으로 발음되어야 합니다. 따라서 다음과 같이 발음해야 합니다: <ba-lá-u, tra-ú-lo, tro-ú-zi, de-í-ri, kré-i, hero-í-no>. 절대 < bá-laŭ, tráŭ-lo, tróŭ-zi, déj-ri, kréj, herój-no>같이 발음해서는 안 됩니다 (독일인들은 자국어의 영향을 받아 많이들 이렇게 하고 있습니다). 글자 u와 i는 다른 모든 글자와 마찬가지로 항상 분명하게 개별적으로 발음되어야 합니다.

Sed ekster u kaj i en nia lingvo ekzistas ankoraŭ la literoj ŭ kaj j, kies elparolado estas simila al la elparolado de u kaj i, sed pli mallonga kaj ne prezentanta silabon (kiel konsonanto); se ili staras post vokalo, ili estas elparolataj kun ĝi en unu silabo kaj tial faras impreson de duobla vokalo. La literoj ŭ kaj j ĉiam ankaŭ estas elparolataj aparte, sed ili ĉiam estas konsonantoj, *tute egale, ĉu* ili staras antaŭ vokalo aŭ post vokalo.

> / ne prezentanta silabon 음절을 형성하지 못하는 / *tute egale, ĉu ... aŭ...* ~이든 ~이든 똑같이 /

<보충 설명>

/ 여기서 자멘호프는 이것들이 자음이라고 말함, 음운론적으로 보자면 이것들은 반모음임이 분명함 (duonvokalo, diftongo) /

그러나 u와 i 외에 에스페란토에는 ŭ와 j도 존재합니다. 그 발음이 앞의 것들과 비슷하지요. 그러나 그것들보다는 짧고 하나의 음절을 만들지 못합니다. (이건 자음과 같습니다.) 그것들이 모음 뒤에 오면 그 모음과 함께 하나의 음절이 되어 마치 이중모음과 같은 인상을 줍니다. ŭ와 j는 언제나 각각 독자적으로 소리가 나야 합니다. 그리고 그것은 모음 앞에 있거나 뒤에 있거나 상관없이 항상 자음입니다.

Sekve oni devas legi «ja-ro, jus-ta, kra-jo-no, fraŭ-lo, Eŭro-po, foj-no, paj-lo» kaj ne «i-a-ro, i-us-ta, kra-i-o-no, fra-ulo, E-u-ro-po, fo-i-no, pa-i-lo».

Se ni la germanajn vortojn Saite, Traube volus skribi per ortografio Esperanta, ni devus skribi Zajte, Traŭbe. La vorto *laŭta* ekzemple estas dusilaba kaj ne trisilaba, sed ne pro la kaŭzo ke aŭ estas kvazaŭ duobla vokalo, sed nur ĉar ŭ estas konsonanto (dum u estas vokalo).

La Esperantisto, 1893, p. 15

/ ... aŭ estas kvazaŭ duobla vokalo, sed nur ĉar ŭ estas konsonanto ... aŭ가 이중모음이라서가 아니라, ŭ가 자음이기 때문입니다; 당시 자멘호프는 음운론적으로는 맞지 않은 설명을 했음 /

<보충 설명>

/ 당시 동시대를 살던 스위스의 언어학자 Ferdinand de Saussure(1857~1913)가 시작한 구조주의 언어학은 20세기 중반에 확립되었음 /

따라서 < i-a-ro, i-us-ta, kra-i-o-no, fra-ulo, E-u-ro-po, fo-i-no, pa-i-lo>로 발음해서는 안 되고, < ja-ro, jus-ta, kra-jo-no, fraŭ-lo, Eŭro-po, foj-no, paj-lo>로 발음해야만 합니다.

만약 독일어 단어 Saite(끈), Traube(포도)를 에스페란토 철자법에 맞게 표기하자면 Zajte, Traŭbe로 해야 할 것입니다. 예를 들어 laŭta라는 단어는 두 음절이지 결코 세 음절이 아닙니다. 그러나 그것은 aŭ가 이중모음이라서가 아니라, ŭ가 자음이라서 그런 겁니다. (그러나 u는 모음입니다.)

Pri elparolado en teorio kaj en praktiko
발음의 이론적인 면과 실제적인 면

Kiel en ĉiuj lingvoj, *tiel ankaŭ* en Esperanto la sono «j» ordinare moligas la konsonanton, kiu staras antaŭ ĝi; oni sekve ne devas miri, ke ekzemple en la vorto «panjo» la plimulto de *la Esperantistoj* elparolas la «nj» kiel unu molan sonon (simile al la franca «gn») : *Tiel same* oni ne miru, ke en praktiko oni ordinare antaŭ «g» aŭ «k» elparolas la sonon «n» naze, aŭ ke antaŭ vokalo oni elparolas la «i» ordinare kiel «ij».

> / la sono «j» ordinare moligas la konsonanton, kiu staras antaŭ ĝi 보통 <j>는 앞에 오는 자음을 연하게 만든다; 음운론적으로 보면 이것은 구개음화 현상이다 / elparolas la sonon «n» naze <n> 소리를 콧소리로 발음한다; 음운론적으로 보면 이것은 비음화 현상이다. 한국어에서는 자음접변으로 설명함 / antaŭ vokalo oni elparolas la «i» ordinare kiel «ij». 모음 앞에 오는 <i>를 보통 <ij>처럼 발음한다 /

다른 모든 언어와 마찬가지로 에스페란토에서도 <j>라는 소리는 그 앞의 자음을 좀 연하게 합니다. 그래서 <panjo>라는 말에서 많은 에스페란티스토들이 그 <nj>를 '연한 소리'로 발음한다고 해서 놀랄 필요는 없습니다. (이건 프랑스 말의 <gn>와 비슷합니다.) 그와 마찬가지로 실제 발음에서 <g>와 <k> 앞의 <n>를 콧소리로 발음하는 것도 놀랄 필요가 없습니다. 그리고 모음 앞의 <i>를 <ij>처럼 발음하는 것도 마찬가지입니다.

Batali kontraŭ tia natura emo en la elparolado ŝajnas al mi afero tute sencela kaj senbezona, ĉar tia elparolado (kiu estas iom pli eleganta, ol la elparolado pure teoria) donas nenian malkompreniĝon aŭ praktikan maloportunaĵon; sed rekomendi tian elparoladon (aŭ nomi ĝin «la sole ĝusta») ni ankaŭ ne devas, ĉar laŭ la teoria vidpunkto (kiu en Esperanto ofte povas esti ne severe observata, sed neniam povas esti rigardata kiel «erara») ni devas elparoli ĉiun sonon severe aparte; sekve se ni deziras paroli severe regule, ni devas elparoli «pan-jo», «san-go», «mi-a».

Respondo 56, *La Oficiala Gazeto*, IV, 1911, p.222

> / laŭ la teoria vidpunkto 이론적 관점에서 보자면 / ŝajnas al mi

> afero tute sencela kaj senbezona 제게는 아주 불필요하고 의미도 없는 일이라 생각됩니다 / ofte povas esti ne severe observata 종종 그렇게 엄격하게 지켜지지 않아도 좋습니다 /

그런 자연스러운 발음의 문제에 대해 왈가왈부하는 것은 제 생각으로는 불필요하고 의미도 없는 일입니다. 왜냐하면 그런 발음은 (순전히 이론적인 발음보다는 훨씬 더 우아한 발음입니다) 아무런 오해도 불러일으키지 않고 또 실제로 불편하지도 않기 때문입니다. 그러나 그러한 발음을 추천하지는 (또는 <유일하게 옳은> 발음이라고 하지는) 말아야 합니다. 왜냐하면 이론적 측면에서는 (이 이론적 측면이라는 것은 종종 에스페란토에서 그렇게 엄격하게 지켜지지 않을 수도 있지만, 그렇다고 또 틀렸다고 할 수도 없는 것입니다) 우리는 모든 소리를 각각 독립적으로 발음해야 하기 때문입니다. 따라서 만약 우리가 아주 엄격하게 규정에 맞추어 발음을 한다면 <pan-jo>, <san-go>, <mi-a>라고 발음해야 할 것입니다.

Pri la reguloj de la akcento
악센트 규정

... *Egale kiel* la sekvado de gustoj personaj aŭ naciaj, estas senfrukta kaj danĝera, *ankaŭ* la sekvado de teoriaj principoj, se ni ne demandas nin, kian praktikan signifon ili havas. La defendantoj de tiaj teoriaj principoj ofte *memorigas* la instruitulon, kiu, vidante ke el la tuta bestaro nenia speco da bestoj manĝas bakitan panon, venis al la logika konvinko, ke ĝi ne estas sana kaj bongusta, kaj komencis sin nutradi je kampaj herboj kaj kruda viando.

| *Egale kiel ... ankaŭ* ... ~와 똑같이 그렇게 ~ 역시 / defendanto 변호하는 사람 / *memorigas* 기억나게 하다, 상기시키다 / nenia speco da bestoj 어떠한 종류의 짐승도 ~않는다, 여기서는 da 대신 de를 쓰는 게 더 좋을 듯 / konvinko 확신 / sin nutradi je ~로써 영양공급을 하다, ~을 먹다, 여기선 je 대신 per를 써도 됨 /

... 각 민족이나 개인의 취향을 좇는 것이 의미 없고 위험한 일이듯이 이론적인 원칙을 좇는 것 역시 그렇습니다. 다만 문제는 그 원칙이 어떤 실제적인 의미가 있는가 하는 것입니다. 그러한 이론적인 원칙을 주장하는 사람들을 보면, 마치 어떤 지식인이 모든 동물들 가운데 그 어느 동물도 구운 빵을 먹지 않는다는 사실을 발견하고는 그 구운 빵이 건강에 좋지 않고 또 맛이 없어서 그럴 것이라는 결론에 도달해서 자신은 오직 들의 풀과 생고기만을 먹기 시작한 것이나 마찬가지가 아닌가 하는 생각이 듭니다.

Teoriaj proponoj, ofte eksterordinare strangaj kaj havantaj nenian eĉ plej malgrandan praktikan fundamenton, estis faritaj al ni *en granda amaso*. Sed, *ne parolante pri ĉiu el ili*, ni prenos por ekzemplo nur unu, kiu apartenas ŝajne al la plej bonaj kaj pravaj kaj trovis multajn aprobantojn. Ni parolas pri la regulo de la akcento.

Sinjoro de Wahl en tre bona artikolo montris, *ke* la ŝanĝoj, kiujn diversaj vortoj ricevis, transirante el unu lingvo en alian, neniam tuŝas la akcenton, *ke* volonte estas *forglutataj* tutaj silaboj, por nur ne ŝanĝi la akcenton, *ke* sekve la akcento en diversaj niaj vortoj, kiel ekzemple «nacio», «titolo» k.c. estas kontraŭnatura;

> / *en granda amaso* 아주 많이 / *ne parolante pri* ~에 대해서는 말하지 않더라도 / nur unu, kiu ~한 오직 하나만, 관계대명사 kiu의 동사가 2개 나온다 (apartenas, trovis) /montris, *ke* ~라는 걸 지적했다, 아래에 ke가 3번 나옴 /

우리에게 제출된 아주 많은 이론적인 제안들을 보면 그것들은 대체로 아주 이상하고 또 그 어떤 실제적인 근거도 전혀 없는 것이 대부분입니다. 그 제안들 모두를 다 말씀드릴 수는 없습니다만, 그 중에서 많은 사람들이 동의하고 또 가장 좋은 것 같고 또 옳은 것 같은 제안 하나를 보겠습니다. 바로 악센트에 관한 제안입니다.

de Wahl 씨는 어느 훌륭한 글에서 말하길, 많은 언어들 사이에 서로 빌려 쓰는 단어들의 경우 절대 그 악센트만은 변화하지 않는다는 걸 지적하고 있습니다. 그래서 그 악센트를 그대로 유지하기 위해 많은 음절들을 그냥 소리내지 않고 넘어간다는 겁니다. 따라서 에스페란토의 여러 단어들, 예를 들어 <nacio>, <titolo> 같은 것들은 자연적이지 않다고 말하고 있습니다.

kaj sinjoro Runstedt eĉ rakontas pri unu persono, kiun la akcentoj en «anímo», «proksíme» k. c. *fortimigis de* nia lingvo, kvankam *per si mem* la lingvo al li tre plaĉis. Kiel ajn bela tiu ĉi opinio ŝajnas en la teorio, ĝi tamen post pli atenta pripenso baldaŭ montriĝus al ĉiu kiel bela … sofismo.

Ni rigardu atente, *en kio propre kuŝas la kulpo* de la konstanta akcento, kaj kia grava kaŭzo devigas nin aŭ doni malfacilan kaj konfuzan malregulecon al la akcento, aŭforigi silabojnen diversaj vortoj, por ke la akcento fariĝu «pli natura».

| *per si mem* 그 자체로, 이것은 la lingvo에 걸림 / post pli atenta pripenso 조금만 더 조심해서 생각해 보면 / *en kio propre kuŝas la kulpo* de ~의 잘못이 도대체 뭐란 말인가? / konstanta akcento 고정된 악센트, 에스페란토에서처럼 어느 음절 위에 고정된 악센트 / devigas nin aŭ –i … aŭ –i … 우리로 하여금 ~하게 하고 또 ~ 하게 한다 /

그리고 Runstedt 씨가 말하길 어떤 사람은 에스페란토 자체는 아주 마음에 들지만 <anímo>, <proksíme> 등의 악센트가 그를 에스페란토에서 멀어지게 했다는 것입니다. 이론적으로는 이러한 생각이 아무리 좋아 보일지 몰라도, 조금만 생각해 본다면 그건 그저 일종의 궤변일 뿐이라는 걸 알 수 있을 겁니다.

도대체 고정된 악센트가 뭐가 잘못된 것인지 한번 생각해 봅시다. 그리고 그것이 우리에게 뭐 그리 큰 어려움과 혼란스러운 불규칙성을 가져다 주는지 한번 생각해 봅시다. 또 뭣 때문에 우리가 악센트를 <좀 더 자연스럽게> 만들려고 여러 단어에서 음절을 없애버려야 하는지 한번 생각해 봅시다.

Ĉu vortoj kiel ekzemple «proks*i*ma», «t*i*tolo» estas pli malfacile ellerneblaj kaj memoreblaj, ol «t*i*tolo», «pr*o*ksima»? Ne, neniu dubos, ke ellerni unu akcenton por ĉiuj vortoj estas *mil fojojn* pli facile, ol memori por ĉiu vorto apartan akcenton.

(Demandu la alinaciulojn, kiuj lernas la lingvon rusan, kaj ili diros al vi, kiom da grandegaj malfacilaĵoj *prezentas al* ili la ellernado kaj regula uzado de la rusa akcento!) Ĉu la diritaj vortoj estas malfacile elparoleblaj? Ĉu ili estas malbonsonaj?

> / neniu dubos, ke 아무도 ~을 의심하지 않는다, 의심의 여지가 없다 / estas *mil fojojn* pli facile 천 배나 더 쉽다, *mil fojojn = je mil fojoj* / regula uzado 규칙에 맞는 사용, 제대로 사용함 /

<proks*i*ma>, <t*i*tolo> 같은 단어들이 <t*i*tolo>, <pr*o*ksima> 같은 단어들보다 더 어렵고 또 외우기도 더 힘들다는 겁니까? 아닙니다. 모든 단어에 항상 고정된 위치에 놓이는 악센트가 그렇지 않고 각각의 단어에 전혀 다른 위치에 놓이는 악센트보다 천 배는 더 쉬울 것이라는 건 아무도 의심할 수 없을 것입니다.

(러시아어를 배우는 다른 민족의 학습자들에게 한번 물어 보세요. 그들은 틀림없이 러시아어의 악센트를 배우고 그것을 잘 쓰는 것이 얼마나 어려운지 말을 해 줄 것입니다.) 위에서 말한 그 단어들이 그렇게 발음하기 어려운가요? 그렇게 소리가 아름답지 못한가요?

Ĉu ili prezentas eble ian alian maloportunaĵon? Ne! sendube ne! ĉiu scias, ke la akcento sur la antaŭlasta silabo estas ĉiam la plej bone elparolebla kaj la plej bonsona. Dumla malreguligo de la akcento estus ligita kun tro grandaj kaj tro videblaj maloportunaĵoj, vi en nia nuna konstanta akcento ne trovos eĉ la plej malgrandan maloportunaĵon, se vi eĉ serĉos tutan vivon! Kial do, oni *povas demandi,* propono tiel senfundamenta povis plaĉi al kelkaj el niaj amikoj? La respondo estas tre simpla: la propono tuŝis kordon konatande ni ĉiuj sed de ni mem ĝis hodiaŭ ne rimarkitan; kaj se homo ekaŭdas ion konatan, li ofte *kontraŭvole,* sen konscio kaj sen analizo, ekkrias: «Jes, jes, bone!».

/ tutan vivon 평생(을) = dum tuta vivo / , oni *povas demandi,* 이것은 삽입구, "우리는 질문해 볼 수 있다" / kordo (악기) 코드 / *kontraŭvole* 의지에 반하여, 무의식적으로 /

혹시 뭐 다른 면에서 불편한 점이 있는가요? 아니요! 절대 그럴 리가 없습니다! 모든 사람들이 다 잘 압니다. 끝에서 둘째 음절에 놓이는 악센트가 언제나 아주 발음하기 좋고 또 아름답게 들린다는 사실을 말이지요. 불규칙적인 악센트가 큰 불편함을 가져다 주는 반면 에스페란토의 그 고정된 악센트에서는 그 어떤 작은 불편함도 발견할 수 없을 겁니다. 여러분이 평생을 찾아본다고 해도 말이지요! 그러면 도대체 왜 그런 전혀 근거 없는 제안이 그렇게 많은 사람들의 지지를 받았을까요? 대답은 간단합니다. 그 제안은 우리 모두가 스스로 주의 깊게 생각해 보지도 않고 그저 경험적으로 이미 다 알고 있다고 생각하는 바로 그 문제를 건드렸기 때문입니다. 사람들은 자기 자신이 이미 경험적으로 알고 있는 그 무엇인가를 듣게 되면 자기 의지와는 상관없이 무의식적으로 그리고 깊이 생각도 해 보지 않고 그냥 바로 <그래, 그래, 좋아!>라고 외치게 되는 것입니다.

Ni analizu *pli proksime* la motivojn, kiuj ŝajne *parolas por la propono.* La konato de sinjoro R. ne volis lerni nian lingvon, ĉar *kutiminte je* la elparolado de la latina «proximus», «animus», li ne povis akcepti la vortojn «proksima», «animo». Sed ne malfacile estas vidi la tutan sensignifecon de tiu ĉi motivo. Ĉu la latina vorto «maximus» estas motivo kontraŭ la franca vorto «maxime»? Ĉu la simpla fakto, ke ia vorto havas ian difinitan formon en unu lingvo, prezentas ian eĉ plej malgrandan kaŭzon, por ke tiu ĉi vorto en alia lingvo ne havu alian formon? Se hodiaŭ iu postulas, ke anstataŭ «fac*i*la», ni diru «f*a*cila», li morgaŭ kun tia sama rajto postulos, ke anstataŭ «facila» ni diru «facilis», ĉar la formo «facila» al lia orelo estas fremda!

/ *pli proksime* 더 가까이에서, 더 자세히 / la motivojn, kiuj ŝajne *parolas por la propono* 그런 제안을 위하여 말하는 듯한 동기들을, 그런 제안의 동기인 듯한 것들 / ne malfacile estas vidi la tutan sensignifecon de ~의 의미 없음을 보는 것은 어렵지 않다 / ia 영어의 부정관사처럼 쓰임, "그 어떤, 그 어느" / difinita formo 한정된 (정해진, 이미 굳어진) 형태 / por ke … -u … ~하도록 /

사람들이 왜 그런 제안을 하는지 그 동기를 좀더 자세히 분석해 봅시다. R 씨가 아는 그 사람은 이미 라틴어 단어 <proximus>, <animus>에 익숙해 있었기 때문에 <proksima>, <animo>는 도저히 받아들일 수가 없었던 것이며, 그래서 에스페란토를 배우려고 하지 않았습니다. 그러나 이런 동기라는 것은 전혀 말이 되지 않는다는 걸 우리는 쉽게 알 수 있습니다. 그러면 라틴어 단어 <maximus>가 프랑스어 단어 <maxime>를 배척하는 동기가 될 수 있단 말입니까? 어떤 한 언어에서 그 어떤 단어가 어떤 일정한 형태를 가지고 있다는 그 단순한 사실이 그 단어가 다른 언어에서는 절대 다른 형태를 가져서는 안 된다는 이유가 조금이라도 될 수 있나요? 오늘 만약 어떤 사람이 <fac*i*la> 대신 <f*a*cila>라고 발음하자고 요구한다면, 내일은 또 그 똑같은 권리를 내세우며 <facila>는 그의 귀에 어색하게 들리니까 그 대신 <facilis>라고 하자고

요구할 것입니다!

Kaj kun tia sama rajto oni postmorgaŭ postulos, ke ni al ĉiuj vortoj en nia lingvo donu tiujn formojn, kiujn oni trovas en la lingvo ekzemple latina, t. e. ke ni tute detruu la lingvon internacian kaj anstataŭigu ĝin per ia alia jam ekzistanta lingvo, ĉar … (nenia alia kaŭzo) … la formoj de tiu aŭ alia lingvo al sinjoro X. aŭ Y. estas konataj kaj la formoj de nia lingvo al li ne estas ankoraŭ konataj! Ĉiu lingvo havas siajn leĝojn, kaj se la leĝoj *per si mem* estas bonaj, estus ridinde deziri ilin ŝanĝi nur tial, ke alia lingvo havas aliajn leĝojn.

/ t. e. = tio estas 즉, 이것은 / anstataŭigi ĝin per ~로써 그것을 대체하다 / … al sinjoro X. aŭ Y. estas konataj …가 X나 Y 씨 에게는 알려져 있다 / estus ridinde deziri ~하고자 하는 것은 우스운 일일 것이다 /

그리고 그 똑같은 권리로써 또 모레는 에스페란토의 모든 단어를, 예를 들어 라틴어처럼 그렇게 이런저런 형태로 만들자고 요구할 것입니다. 그건 결국 이 국제어를 완전히 망가뜨리고 기존의 그 어느 언어로 대체하자는 말밖에 되지 않을 것입니다. 왜냐하면 … (다른 이유를 찾을 수가 없어요) … X나 Y라는 사람은 이런저런 언어의 형태들은 이미 알고 있지만 이 에스페란토의 형태들은 그가 아직 모르니까요! 모든 언어는 규칙이 있습니다. 그리고 그 규칙이 그 자체로 좋다면 그만이지, 다른 언어에는 다른 규칙이 있으니 그 규칙을 바꾸자고 주장하는 것은 정말 우스운 일인 겁니다.

Ĉu ni povas diri, ke la germana vorto «Geographie» estas malbona kaj *tranĉas la orelon*, ĉar la Rusoj elparolas tiun ĉi saman vorton «geografia»? Al la konato de sinjoro R.la vorto «proksima» en la unua momento malplaĉis, ĉar li alvenis al tiu ĉi sama vorto de nia lingvo kun kutimoj latinaj; ĉio dependas de la kutimo, kaj nun, kiam ni *kutimis je* la leĝoj de nia lingvo, ni povas certigi, ke se iu antaŭ ni elparolas la nomon de nia lingvo «internacia» anstataŭ «internacia», ĝi *tranĉas nian orelon* tiel terure, kiel se iu *tiris karbon sur vitro*.

> / *tranĉas la orelon* 귀를 아프게 한다, 귀에 거슬린다 / alvenis al ~에 도착했다, 접근했다 / *kutimis je* ~에 습관이 들었다, ~에 익숙해져 있다, "kutimiĝis al"이라 해도 됨 / *tiri karbon sur vitro* 유리 위에 석탄을 끌다, 귀에 거슬리는 소리를 내다 /

혹시 독일어 단어 <Geographie>가 듣기 싫고 귀에 거슬리나요? 단지 러시아인들이 그것을 <geografia>라고 발음한다는 이유 때문에요? R 씨가 아는 그 사람이 라틴어에 오래 익숙해 있었기 때문에 <proksima>라는 단어가 처음에는 귀에 거슬렸다면 그건 모든 건 습관 들이기 나름 때문입니다. 그리고 우리는 지금 이미 에스페란토의 규칙에 익숙해져 있기 때문에 우리도 똑같은 말을 할 수 있는 겁니다. 만약 그 어떤 사람이 <internacia> 대신 <internacia>라 한다면 그것 역시마치 유리에 석탄을 긁어 대듯이 우리의 귀를 거슬리게 한다고 말입니다.

La kutimo ofte ludas gravan rolon en la vivo; *eble ni devas kalkuliĝi kun ĝi?* Se ni povus tion fari sen ia malutilo, jes, kial do ne kalkuliĝi? Sed se por parton da homoj liberigi de alkutimiĝo je unu tre facila regulo («akcento ĉiam sur la antaŭlasta silabo») ni bezonus multe pli grandan parton da aliaj homoj devigi lerni kaj memori multajn regulojn (sen ia regulo memori apartan akcenton por ĉiu aparta vorto), — *kion ni tiam devas preferi?*

/ *devas kalkuliĝi kun ĝi* 그것을 고려해야 한다 / parto da homoj 일부의 사람 / iun liberigi de 누구를 ~로부터 자유롭게 해주다 (면제해 주다) /

<보충 설명>

/ kalkuli 수를 세다, 계산하다, 고려하다 (계산에 넣다), ~를 믿다, ~을 고려하여 신중을 기하다 (kalkuli (=kalkuliĝi) kun ~) ; *li scipovas kalkuli nur ĝis dek*; *kalkuli sian monon* (la monerojn); *kalkuli kiel devon* [Z]; *kalkuli iun profiton kiel nenion* [Z]; *por tion akiri, ni povas kalkuli nur je niaj dek fingroj* [Z]; *li estas tia malamiko, kun kiu ni devas kalkuli* /

습관이란 무서운 겁니다. 그렇다고 그걸 다 고려해 주어야만 할까요? 그렇게 해도 아무 해가 없다면 그렇게 할 수 있지요. 고려해 주지 않을 이유가 없지요. 그러나 몇몇 사람을 아주 쉬운 하나의 규칙에 습관 들이는 걸 면하게 해 주려고 그 대신 훨씬 많은 사람들로 하여금 수많은 규칙들을 외우게 해야 한다면 (아무 규칙도 없이 모든 단어에 제각각의 악센트를 외워야 한다면) — 그렇다면 우리는 과연 어느 걸 선택해야 할까요?

Ni forte dubas, ĉu troviĝos iu, kiu konsilus solvi la demandon *alie ol* ni ĝin solvis! Por ne devigi la lernantojn memori apartajn akcentojn por ĉiu vorto, oni eble konsilos al ni *transformi* grandan parton da vortoj en nia lingvo *tiel, ke* ili konsentigu en si la regulon pri la akcento konstanta kun la akcento kutima (ekzemple. «titlo» anstataŭ «titolo», «amo» aŭ «ano» anstataŭ «animo», «proksa» aŭ «proma» aŭ «propa» anstataŭ «proksima» k. c.); sed ne parolante jam pri la malbonsoneco, malklaraĵoj, k.t.p., *kiuj tiam naskiĝus*, kaj supozante, ke eĉ la lingvo mem nenion *de* tio *suferus*, ni forte dubas, ĉu iu serioze konsilus enkonduki tian grandan rompadon en nian aferon… sen ia eĉ la plej malgranda kaŭzo!

> / *alie ol* ~와 달리 / *tiel, ke* ...-*u* 그렇게 해서 ~하도록 / ne parolante jam pri ~에 대해선 말하지 않더라도 / kaj supozante, ke ~를 가정하더라도 / nenion *de* tio *suferus* 그것으로부터 (때문에) 조금도 해를 입지 않을 것이다 /

우리와는 다른 해결책을 제시할 사람이 있을지 모르겠습니다. 믿을 수가 없습니다. 학습자로 하여금 모든 단어마다 각각 달라진 악센트를 외우지 않아도 되도록 해주기 위해서 에스페란토의 많은 단어들을 기존의 악센트에 맞추어 변형시킬 것을 제안할 사람도 있을 수 있겠지요. (그래서 <titolo> 대신 <titlo>라 하고,또는 <animo> 대신 <amo>나 <ano>로 하고, 또 <proksima> 대신 <proksa>나 <proma> 또는 <propa>로 하자고 말이지요.) 그러나 그렇게 할 경우 발음도 나빠지고 뜻도 불분명해진다는 건 말하지 않더라도, 또 그럴 경우 에스페란토에는 전혀 해가 될 게 없을 거라고 가정한다 하더라도, 아무이유도 없이 그렇게 에스페란토를 망가뜨릴 제안을 그렇게 심각하게 내놓을 사람이 있을지 모르겠습니다.

Sen ia eĉ la plej malgranda kaŭzo: ĉar ni serĉis kaj serĉis kaj ne povis trovi en la konstanta antaŭlasta akcento ian eĉ la plej malgrandan maloportunecon por la memoro, nek por la buŝo, nek por la orelo. Kontraŭ nia regulo ekzistas absolute nenio, ekster la tute sensignifa motivo, ke la lingvo X aŭ la lingvo Y tion ĉi ne havas.

> / la konstanta antaŭlasta 맞두새 끝에서 둘째 음절에 놓이는 고정된 악센트 / ekzistas absolute nenio, ekster ~외에는 절대 아

아무 이유도 없이 말입니다. 우리는 아무리 눈을 씻고 찾아봐도, 항상 끝에서 둘째 음절에 악센트가 놓이는 이 규칙에서 그 어떤 일말의 불편함도 찾을 수 없었습니다. 기억하는 데에나 발음을 하는 데에 있어 또는 듣는 데에 있어 그 어디에서도 찾을 수가 없었습니다. 이에 대한 반론은 오로지 이런저런 언어에 그런 규칙이 없다는 것, 그것밖에는 없습니다.

Sed eble kontraŭ nia regulo ekzistas *io tio*, kion oni per vortoj esprimi ne povas, sed kion oni neklare sentas, *kiel ian vokon de naturo?* Ni aŭskultu, kion diras sinjoro de W.: li ne vidas kaj ne montras ian faktan cirkonstancon kontraŭ la akcento en nia lingvo; sed rimarkinte, ke la naturaj lingvoj oferas la sonon kaj formon de la vortoj, por nur konservi la unuatempan akcenton, li vidas en tio ĉi naturan leĝon kaj konsilas al ni sekvi tiun ĉi leĝon, por ke nia lingvo ne estu kontraŭnatura. Je l' unua rigardo povas efektive ŝajni, ke ni *pekas kontraŭ* la natura leĝo; sed ni rigardu pli atente, *en kio konsistas* tiu ĉi «leĝo», kaj kia puno atendas la rompanton de ĝi.

/ *io tio*, kion ~한 그 무엇인가 / *kiel ian vokon de naturo* 마치 그 어떤 자연의 요구인 것처럼, 여기 목적격이 쓰인 것은 sentas의 목적어이며, 또 관계사 kion과 동격이기 때문 / la unuatempan akcenton 처음의, 원래의 악센트를 / vidas en tio ĉi naturan leĝon 이것 안에서 자연법칙을 본다, 이것이 자연법칙이라고 생각한다 / povasefektive ŝajni, ke 실제로 ~처럼 보일 수 있다 / *en kio konsistas* ~이 도대체 뭔가? /

그러나 어쩌면 사람들이 글로써 분명하게 표현할 수는 없지만 그러나 뭔가 이상한 느낌이 든다는 반론은 있을 수 있겠지요.

마치 그 어떤 자연의 요구 같은 것 말입니다. 그러면 de W. 씨가 하는 말을 한번 들어 봅시다: 그는 에스페란토 악센트 규칙에 반대할 그 어떤 분명한 근거를 찾지 못하고는 오직 하는 말이 여러 자연어들은 그 원래의 악센트를 지키기 위해 여러 단어에서 소리와 형태를 희생시키고 있기 때문에 그것이 바로 자연의 법칙이라고 주장하는 겁니다. 그리고는 에스페란 토도 이 자연의 법칙에서 벗어나지 않으려면 이 법칙을 따라야 한다고 말하고 있는 겁니다. 언뜻 보면 에스페란토가 마치 그 어떤 자연의 법칙을 위반이나 하고 있는 듯이 보일 겁니다. 그러나 좀 깊이 생각해 봅시다. 도대체 그 <법칙>이라는 게 뭡니까? 그리고 그걸 위반한다고 해서 무슨 엄중한 벌이 우리를 기다리고 있기나 한나는 섭니까?

Malsupre ni montros, ke tio, kion oni prenis por natura leĝo de ĉiuj lingvoj, estas nur okaza apartenaĵo de kelkaj lingvoj; sed ni supozu *por momento*, ke tio ĉi efektive estasleĝo, kiu ekzistas en ĉiuj lingvoj; *kio do sekvas de ĝi?* Se ia regulo efektive ekzistas en ĉiuj lingvoj kaj ni ne komprenas la kaŭzon kaj la celon de tiu ĉi regulo, kio do devigas nin ankaŭ blinde akcepti tiun ĉi regulon, se ĝi estas por ni maloportuna?

/ tio, kion oni prenis por natura leĝo 사람들이 자연의 법칙이라고 말하는 그것 / okaza apartenaĵo de kelkaj lingvoj 우연히 몇몇 언어에만 해당하는 것 / *kio do sekvasde ĝi?* 그 결과가 무엇일까요? / kio do devigas nin … -i 무엇이 우리로 하여금 ~하도록 하는가? / se ĝi estas = eĉ se ĝi estas /

사람들이 자연의 법칙이라고 말하는 그것이 사실은 모든 언어에 해당하는 것이 아니라 우연히 몇몇 언어에만 해당하는 것임을 아래에서 밝히겠습니다. 그러나 우선 잠깐 그것이 실제로 모든 언어에 해당하는 법칙이라고 한번 가정해 봅시다. 그렇다면 어떻게 될까요? 만약 어떤 규칙이 모든 언어에 다 있다 칩시다. 그러나 그 규칙이 왜 생겼는지 그리고 또 무엇을 위해 생겼는지 우리가 알 수 없다고 한다면, 무엇이 과연 우리로 하여금 그 불편함에도 불구하고 맹목적으로 그 규칙을 받아들여야만 한다고 강제할 수 있단 말입니까?

Ĉiuj riveroj en la mondo havas fluon tre kurban kaj tre neregulan; sed se iu, kun instrumentoj en la mano, arte fosante kanalon, volus sekvi tiun ĉi «leĝon naturan», — ĉu vi laŭdus lin, aŭ ĉu vi eĉ iom povus lin *pravigi*? Ĉiuj lingvoj naturaj havas grandan amason da malregulaĵoj kaj malfacilaĵoj, — ĉu ni ankaŭ devas sekvi tiun ĉi «leĝon naturan» kaj intence fari nian lingvon malregula kaj malfacila?

> / arte 인공적으로, 인위적으로 / *pravigi* 옳다고 하다, 정당화하다 / intence 의식적으로, 의도적으로, 고의로 /

세상의 모든 강이 다 휘어져 있고 또 불규칙적으로 흐른다고 하여 각종 도구를 가지고 운하를 건설하는 사람이 이 <자연법칙>을 따르려고 한다면, 당신은 그 사람을 칭찬하겠습니까? 그 행동을 조금이라도 정당화할 수 있겠습니까? 모든 자연어에는 무수히 많은 불규칙과 어려운 점들이 있습니다. 그렇다고 우리도 그 <자연법칙>을 따르고 또 일부러 에스페란토를 불규칙하고 어렵게 만들어야 하겠습니까?

Eĉ se ni tute ne scius la esencon de la akcento, eĉ tiam estus *la plej nature*, se anstataŭ tro filozofie fosi en teorioj ni dirus al ni praktike: la ceteraj lingvoj havas akcenton malregulan kaj malfacilan, kiun ili jam ŝanĝi ne povas; ni havas ankoraŭ liberan elekton kaj povas sen la plej malgranda malutilo havi akcenton facilan kaj regulan; sekve ni devas elekti la lastan, tute ne rompante al ni la kapon, pro kia kaŭzo la lingvoj kreitaj blinde tiun ĉi oportunaĵon ne havas; ĉar estus ridinde imiti kun malutilo al ni mem iajn misteraĵojn, *se* ni ne komprenas ilian sencon kaj celon.

/ estus *la plej nature*, se ~한다면 그게 가장 자연스러운 것이다, 여기서 관사 la는 없는 게 옳다 / ne rompante al ni la kapon 우리의 머리를 쥐어짜지 않으면서 / , prokia kaŭzo 무슨 이유 때문인지 (몰라도), 이 문장은 그 앞의 문장과 연결되지 않은 별개의 문장으로 이해하는 게 좋겠음 / ĉar 여기 ĉar가 쓰인 이유는 앞에서 후자 (편한 쪽)를 택한 이유를 설명하기 때문 / *se = eĉ se* /

우리가 악센트에 대해 본질적인 것은 잘 모른다 칩시다. 그렇다 할지라도 너무 철학적으로 이론만 들이파는 대신 우리는 현실적으로 이렇게 말할 수 있지 않겠습니까? "다른 모든 언어는 불규칙적이고 어려운 악센트를 가지고 있으며 그것은 이미 도저히 바꿀 수가 없다. 그러나 우리는 언어 자체에는 전혀 해를 끼치지 않고 아주 쉽고 규칙적인 악센트를 취할 자유가 있다. 따라서 우리는 이제 더 이상 머리를 쥐어짤 필요 없이 이 쉬운 편을 택해야 한다. 어떤 이유에서인진 몰라도 맹목적으로 만들어진 모든 자연어에는 이런 편리함이 없다. 우리가 그 의미와 목적도 이해하지 못하면서 무조건 손해를 감수하면서까지 그 어떤 신비한 것을 따르는 것은 정말 우스운 짓이기 때문이다."

Sed se ni rigardos pli profunde, ni baldaŭ vidos, ke la «leĝo de la akcento» eĉ ne estas ia misteraĵo, kaj tio, en kio ni serĉis ian leĝon naturan, estas simpla okazaĵo, kiu kun la esenco kaj spirito de la lingvoj havas nenion komunan. La lingvo de ĉiu nacio kreiĝis tiam, kiam la nacio ne sciis ankoraŭ skribi kaj la lingvo transiradis de unu homo al alia nur per la orelo; la orelo de *Johano aŭ Petro* ofte ne bone aŭdadis, *la memoro senkontrola ne bone tenadis*, kaj tiel la vortoj renversiĝadis kaj akceptadis diversajn sovaĝajn formojn;

/ havas nenion komunan 전혀 관계가 없다 / *Johano aŭ Petro* "갑돌이와 갑순이" / *la memoro senkontrola ne bone tenadis* 통제할 수 없는 기억력은 잘 지탱되지 않았다, 기억력이 좋지 않았다; 여기 쓰인 tenadis는 teniĝis로 쓰이는 게 옳다 / sovaĝa 야생적인, 세련되지 못한, 제멋대로의 /

그러나 조금 더 깊이 생각해 보면, 그 <악센트 규칙>이라는 것이 뭐 그리 신비한 것도 아니라는 걸 알게 될 겁니다. 그리고 우리가 어떤 자연의 법칙을 찾아내 보려고 했던 그것이 사실은 언어의 본질이나 정신과는 아무 관련이 없는 것임을 알게 될 것입니다. 모든 민족어는 사람들이 글을 쓸 줄도 모르던 시대에 만들어졌으며 그때에는 말이란 그저 이 사람에게서 저 사람에게로 귀를 통해서만 전달되던 것이었습니다. 갑돌이나 갑순이의 귀는 종종 잘 들리지 않았고 기억력도 그리 좋지 않았습니다. 그래서 말은 계속 뒤집어졌고 제멋대로의 형태를 가지게 된 겁니다.

kontroli la vortojn per skribado oni ne povis, kaj tiel la plej puraj kaj senŝanĝaj restis nur tiuj silaboj, kiujn oni bone aŭdis, t. e. la silaboj akcentitaj. Jen estas la tuta mistera *kaŭzo, kial* la silaboj akcentitaj ofte restadis senŝanĝaj, dum la tuta cetera parto de l' vorto ŝanĝiĝadis *el simpla senhelpa neceseco kaj ne el ia lingva leĝeco.*

/ la *kaŭzo, kial* ... 왜 ~인지 그 이유, kial-절은 kaŭzo를 설명하는 종속의문절 / *el simpla senhelpa neceseco* 그저 단순히 어쩔

말을 글로써 잡아주지 못했던 것입니다. 그래서 사람들이 가장 잘 알아들을 수 있었던 음절들만 변화 없이 그대로 남을 수 있었던 겁니다. 그것이 바로 악센트를 가진 음절입니다. 이게 바로 그 모든 신비함의 전부입니다. 그래서 다른 모든 음절들은 이런저런 필요에 의해 계속 변해 왔지만 악센트를 가진 음절들은 변화 없이 그대로 남았던 것이지요. 그건 뭐 어떤 언어적인 법칙이라 할 수도 없는 겁니다.

De la momento, kiam ia popolo ricevas skriban literaturon, ni jam tian blindan lingvan akrobataĵon ne renkontas. Sed se ni, havantaj literaturon skriban pli frue ol literaturon buŝan kaj orelan, sciantaj skribi kaj legi kaj povantaj *gardi* la lingvon *de* blinda *malbonorela* renversiĝado, volus intence fari la erarojn, kiujn niaj neinstruitaj antaŭuloj faris el blinda neceseco, — ni estus similaj je tiu naivulo, kiu, havante du bonajn okulojn, intence falis super ŝtono kaj vundis al si la kapon … ĉar li vidis, ke antaŭ li multaj blinduloj falis super tiu ĉi ŝtono, kaj li pensis, ke oni tiel necese devas fari!

/ ni jam 여기 주어로 ni를 쓴 것에 유의 / Sed se ni, …, volus 주어와 동사 사이가 많이 떨어져 있음 / *gardi* la lingvon *de* ~ 로부터 언어를 보호하다 / similaj je 전치사 je 대신 al을 써도 됨 / falis super ŝtono 돌 위에 넘어졌다 / vundis al si la kapon 미리를 다쳤다; *Hamleto vundas Laerton* [Z]; *si vundis al si la fingrojn je rompita glaso* [Z]; *vi vundas* (pentofare) *viajn dorsojn per rimenoj* [Z]; *ili batis k vundis min* [X]; *kiu batas edzinon, tiu vundas sin mem* [Z] /

어떤 민족이 문자를 가지고 기록을 하기 시작했을 때부터 이

제 더 이상 그런 맹목적인 언어적 재주넘기는 필요하지 않게 된 것입니다. 그러나 입말(구전문학)보다도 글말(기록문학)을 오히려 더 일찍 가지게 된 우리가, 그리고 글을 읽고 쓸 줄도 알고 언어를 맹목적인 불규칙변화로부터 보호할 줄도 아는 우리가, 일부러 우리의 무지한 조상들이 맹목적으로 저지른 그 실수를 반복한다면 — 우리는 마치 이런 순진한 사람과도 같지 않을까요? 어떤 사람이 장님들이 어떤 돌에 걸려서 많이 넘어지는 걸 보고는 모든 사람들이 반드시 그렇게 해야만 하는 줄로 생각하고 일부러 그 돌에 걸려 넘어져 머리를 다치는 그런 순진한 사람 같지는 않겠는가 말입니다!

Sekve se ni eĉ en nenia blinde kreita lingvo trovus la *transportadon de l' akcento* de unuatempa silabo sur silabon alian pro konstanteco de l' akcento, tio ĉi neniel devus nin deteni de enkonduki tiun ĉi oportunaĵon en nian artan kaj konscie kreitan lingvon, *tiel same kiel* la malregula konjugado en ĉiuj lingvoj ne sole ne devigas, sed ankaŭ tute ne pravigas nin enkonduki intence malregulan konjugadon en nian lingvon.

/ la *transportado de l' akcento* 악센트의 위치 변경 / deteni de ~으로부터 (~을) 주저하다, 망설이다 / de enkonduki 전치사 de 다음에 동사 부정법을 쓰고 있음에 유의, 이것은 뒤에 나오는 "en nian artan kaj konscie kreitan lingvon"과 연관이 있을 것으로 생각됨; "de enkonduko de tiu ĉi oportunaĵo"라 해도 됨; <참조: LR p. 71, Pri prepozicio antaŭ infinitivo> / *tiel same kiel* ~과 똑같이 / devigas와 pravigas의 목적어는 모두 nin / enkonduki는 목적어 nin의 보어 (목적격보어) /

따라서 맹목적으로 만들어진 그 어떤 언어에서도 (에스페란토처럼) 악센트를 고정화 시키기 위해 (라틴어에 있던) 본래의 악센트 위치를 다른 음절로 옮기는 걸 발견하지 못했다고 해서 우리가 의식적으로 만든 이 인공어 에스페란토에 이 편리함을 도입하는 것을 망설일 수는 없습니다. 이건 마치 모든 언어에 있는 그 불규칙 동사변화 때문에 에스페란토도 불규칙 동사변화를 써야 한다고 할 수 없는 것과 마찬가지이며, 그것은 절대 정당화할 수 없는 일입니다.

Sed por forigi ĉiujn dubojn de la personoj, kiuj, ne konfidante al tio, kion la praktiko al ili montras, teorie timas, ke eble … eble … oni ne scias …oni ne vidis ekzemplojn k.t.p. — ni fine montros ankoraŭ, ke la transportado de l'akcento de unu silabo sur alian ne estas eĉ *ia ennovaĵo* de nia flanko, sed ĝi ekzistas jam en la lingvoj naturaj, kvankamtiuj ĉi tute ne bezonis zorgi pri facileco.

/ "ke eble … eble … oni ne scias … oni ne vidis ekzemplojn k.t.p." 이 부분은 timas의 내용 / *ennovaĵo* 새로 생긴(만든) 것 (arkaismo) /

그러나 눈에 보이는 것을 믿지 못하고 그저 이론적으로만 생각하며 망설이는 사람들의 모든 의구심을 씻어 주기 위해 우리는 마지막으로 보여 주겠습니다. 악센트를 어떤 음절에서 다른 음절로 옮기는 것이 꼭 에스페란토에서만 새로 생긴 일은 아닙니다. 다른 여러 자연어에서도 일어난 일입니다. 물론 그 자연어들에서는 꼭 말을 쉽게 하자고 그렇게 한 것은 아니지만 말이지요.

Apartajn ekzemplojn vi trovos sur ĉiu paŝo en ĉiu lingvo; sed, *por ne malproksime foriri de nia lando*, ni bezonas nur kompari la lingvojn rusan kaj polan, kaj ni vidos, ketute tio sama, kion ni faris en nia lingvo, estis jam antaŭe farita de la naturo mem en la natura lingvo pola. De neniu kaj de nenio devigata, la lingvo pola akceptis konstantan akcenton sur la antaŭlasta silabo, kvankam en aliaj slavaj lingvoj en tiuj ĉi vortoj la akcento estas alia;

/ *por ne malproksime foriri de nia lando* 우리나라에서 멀리 가지 않고 / estis jam antaŭe farita de la naturo mem 오래전부터 자연적으로 그렇게 되어 있었다 / Deneniu kaj de nenio devigata 그 어느 누가, 그 무엇이 강제로 시키지도 않았다 /

그런 예는 모든 언어에 다 있습니다. 바로 우리나라의 말 폴란드어와 러시아어를 비교해 보기만 해도 알 수 있습니다. 에스페란토에서 우리가 정한 그 똑같은 규칙이 바로 자연어 폴란드어에는 예전부터 자연적으로 그렇게 있어 왔습니다. 누가 강제해서도 아니고 그 무엇이 그렇게 만든 것도 아니지만, 폴란드어에서는 다른 슬라브어 계통의 언어들과 달리 악센트가 언제나 맨 끝에서 둘째 음절에 놓입니다.

kaj tion ĉi la lingvo pola faris tute sen ia mallongigado de vortoj, sen ia forĵetado de silaboj k. t. p, sed ĝi simple senceremonie transportis la akcenton de unu silabo sur alian; senia filozofado ĝi metis la akcenton de ĉiu vorto sur la silabon antaŭlastan, tute ne demandante, ĉu tiu silabo estas tia aŭ alia kaj ĉu ĝi havas la forton por porti sur si la akcenton, kaj tute ne timante, ke oni diros, ke ĝi estas kontraŭnatura.

/ simple senceremonie 그 어떤 형식적 절차 없이 단순히 / filozofado 철학적 생각, 이론적 생각; filozofi = filozofii /

그리고 폴란드어는 절대 단어를 짧게 한다거나 어떤 음절을 줄인다거나 하는 일 없이 그대로 잘 하였습니다. 그냥 단순히 강세를 다른 음절로 옮기기만 한 것입니다. 아무 이론적 고민도 없이 그냥 모든 단어의 강세를 끝에서 둘째 음절에 놓은 것입니다. 그 음절이 이런지 저런지, 또는 그 음절이 강세를 가질 만큼 충분히 강한 음절인지 아닌지 따지지도 않고, 또 그렇게 할 때 사람들이 그건 자연법칙에 어긋난다고 비난할지도 모른다고 두려워하지도 않고 그냥 그렇게 한 겁니다.

Kaj tion ĉi la lingvo faris *ne sole* kun la fremdaj,*arte enportitajvortoj* (kiel ekzemple «adwokat», «inzynier», «telegraf», «spirytus», «manuskript», «papier», «tytulu», «artikulu» k.t.p.) *sed ankaŭ* en ĉiuj senesceptevortoj pure slavaj (ekzemple la rusaj «malenki», «vojna», «okno», «ĉelovjek», «ulica» k. c. k. c. k. c. en la tuta lingvo — estas en la lingvo pola «malenki», «wojna», «okno», «czlowiek», «ulica», k. c. k. c. k. c.)

> / *arte enportitaj vortoj* (어떤 필요에 의해) 인위적으로 들여온 단어들 / en ĉiuj senescepte vortoj pure slavaj 예외 없이 모든 순수 러시아어 단어들에 있어, 부사 senescepte가 가운데 끼어 있어 조금 이상하다, slavaj 뒤에 쓰는 것도 좋겠음 / k. c. = kaj ceteraj = k.t.p. /

그리고 폴란드어는 인위적으로 들여온 외래어에서만 그렇게 한 것이 아니라 (예를 들어 <adwokat>, <inzynier>, <telegraf>, <spirytus>, <manuscript>, <papier>, <tytulu>, <artikulu> 등) 예외 없이 모든 슬라브어에 그렇게 한 것입니다. (예를 들어 <malenki>, <vojna>, <okno>, <ĉelovjek>, <ulica> 등의 러시아어 단어들이 <malenki>, <wojna>, <okno>, <czlowiek>, <ulica> 등의 폴란드어 단어로 바뀐 것입니나.)

— *jam ne apartaj disĵetitaj ekzemploj*, sed miloj kaj dekoj da miloj — tuta lingvo! (Se en la tuta lingvo vi en kelkaj tre malmultaj vortoj trovas *deflankiĝon* de tiu ĉi regulo, vi facile rimarkos, ke tiun ĉi deflankiĝon faris ne la popolo, sed la instruituloj, tute sen ia kaŭzo kaj bezono kaj kontraŭ la spirito de la lingvo).

/ *deflankiĝon* de tiu ĉi regulo 이 규칙에서 벗어난 것을 / rimarki 눈여겨보다, 주의하다, 알아채다 /

— 그저 몇몇 단어들만 그렇게 된 게 아닙니다. 수천, 수만의, 아니 모든 말이 다 그렇게 된 것입니다! (만약 전체 어휘 가운데 이 규칙에서 벗어난 단어를 몇 개 발견하게 된다면 그건 일반 대중이 그렇게 한 게 아니라 소위 지식층의 사람들이 아무 이유도, 아무 필요도 없이 전체 언어의 정신에 어긋나게 그렇게 한 것이라는 걸 쉽게 알 수 있을 것입니다.)

Nun al la konkludo. Ke konstanta regulo por la akcento en lingvo lernota estas *mil fojojn* pli bona ol akcento neregula, neniu dubos; se ni povas ĝin fari, ni devas ĝin fari, se eĉ neniu el la blinde kreitaj lingvoj ĝin farus. Se ni al tio ĉi vidas, ke lingvo natura, kiu ja tute ne bezonis zorgi pri facileco, faris tion saman el simpla kaprico kaj tute ne suferas de tio, — tiom pli ni jam ne povas dubi, ke en lingvo arta, por kiu facileco estas tre grava, oni devis sen ia eĉ minuta ŝanceliĝo akcepti la akcenton konstantan, eĉ se la demando estus levita antaŭ la kreiĝo de la lingvo.

/ *mil fojojn* 천배나, je mil fojoj / Ke …, neniu dubos 목적어절이 먼저 나왔음 / Se ni al tio ĉi vidas, ke 만약 우리가 이에 더해서 ~이라는 것을 본다면 / el simpla kaprico 간단한 변덕으로 / ne suferas de tio 그것 때문에 무슨 어려움을 당하지 않는다 / tiom pli 그만큼 더, 더더욱 / sen ia eĉ minuta ŝanceliĝo 한순간의 흔들림도 없이 /eĉ se la demando estus levita antaŭ ~ 전에 그 문제가 대두되었다 하더라도 /

이제 결론을 내리지요. 자신이 배우려고 하는 언어에 있어 악센트가 규칙적인 것이 그렇지 않고 불규칙적인 것에 비해 천배 만배 더 좋다는 것은 아무도 부인할 수 없을 겁니다. 그렇게 할 수만 있다면 그렇게 해야지요. 비록 맹목적으로 만들어진 모든 자연어들 가운데에는 그런 언어가 하나도 없다 할지라도 말이지요. 이에 더해 만약 우리가, 쉬우냐 어려우냐에는 전혀 신경 쓰지도 않는 자연어가 바로 이런 일을 아주 간단히 해결하고 또 그것 때문에 무슨 어려움을 당하는 것도 전혀 없다는 것을 보았다면 (폴란드어의 경우), 쉬워야 한다는 것이 아주 중요한 인공어에 있어서는 더더욱 전혀 망설일 필요없이 우리는 그 규칙적인 악센트를 받아들여야만 했던 것입니다. 설사 그 인공어를 만들기 전에 그 문제가 대두되었다 할지라도 말이지요.

Sed se nun, kiam la lingvo estas jam kreita kaj uzata, ni volus fari en ĝi grandan rompadon por … sen ia kaŭzo kaj celo … doni al ĝi maloportunaĵon anstataŭ oportunaĵo — tio ĉi estus jam facilanimeco nepardonebla! El diversaj faritaj teoriaj proponoj ni analizis nur unu — la ŝajne plej bonan, kaj ni montris, ke tio, kio en la teorio ŝajnas tre bona kaj trovas aprobantojn, en la praktiko ofte havas nenian signifon. El la diritaĵo ni faras la konkludon: proponante aŭ enkondukante (private) ian ŝanĝon en nia lingvo, neniam gvidu vin per konsideradoj teoriaj, kiel ajn belaj ili ŝajnas, sed ĉiam demandu vin, kian praktikan signifon la ŝanĝo havus.

/ facilanimeco nepardonebla 용서할 수 없는 경박함 / la ŝajne plej bonan 보기에 가장 좋은 것 같은 것, 관사 la가 맨 앞에 쓰인 것에 유의 / en la praktiko = praktike 실제에 있어서는 / neniam gvidu vin per 절대 ~로써 행동하지 마세요 /

그러나 지금은 이미 그 언어가 다 만들어졌고 벌써 사용되고 있습니다. 그런데 어떤 사람들은, 아무 이유나 목적도 없이, 그저 편리함보다는 오히려 불편함을 더하기 위해 그 언어를 망가뜨리기를 바라고 있으니…… 이것은 도저히 용납할 수 없는 처사입니다! 지금까지 제출된 여러 가지 이론적인 제안들 가운데 가장 그럴듯해 보이는 것 하나를 분석해서, 이론적으로는 그럴듯해 보이고 또 지지자들도 얻었지만 실제에 있어서는 그것이 아무 의미도 없다는 것을 보여 드렸습니다. 위에서 말씀드린 것을 종합해 보자면, 에스페란토에 어떤 (개인적인) 수정을 제안하거나 도입하려고 할 때에는 항상 이론만 따져서는 안 된다는 것입니다. 그것이 아무리 그럴듯해 보인다 할지라도 말입니다. 언제나 그 수정이 실제에 있어 과연 무슨 의미가 있는가를 스스로에게 한번 물어 보시기를 바랍니다.

Pri la ekzemplo de teoria propono ni tiel multe parolis, ĉar tiu ĉi kategorio da proponoj apartenas al la plej danĝeraj: *en tia afero, kiel la nia*, la homoj plej volonte akceptas proponojn, kiuj havas *fizionomion instruitan*, kaj se oni parolas al la homoj en *instruita formo* kaj en la nomo de leĝoj sciencaj, tiam el 100 personoj 99 ĝin blinde aprobas kaj nur unu demandas sin: «tre bele, sed kian signifon ĝi havas por nia lingvo?»

La Esperantisto, 1891, p. 50

/ *fizionomion instruitan* 학자인 듯한 인상 / *instruita formo* 학자인 듯한 (학술적인 것 같은) 형식으로 / leĝoj sciencaj 과학적 법칙, 학문적 법칙 /

이론적인 제안에 대해 많은 말을 했습니다. 왜냐하면 그런 것이 사실 가장 위험한 부류의 제안이기 때문에 그렇습니다. 이 에스페란토와 같은 일에 있어서는 사람들은 그 어떤 학술적인 인상을 풍기는 제안을 쉽게 받아들입니다. 그리고 만약 학술적인 형식과 학문적인 법칙의 이름을 내세우며 말을 한다면 100명 중 99명은 맹목적으로 그걸 찬성합니다. 오직 한 명만 이렇게 스스로에게 물을 것입니다: "그래 좋다. 그러나 그것이 과연 우리의 언어에 무슨 의미가 있는가?"

| Interpunkcio |
| 구두점 |

Pri la reguloj pri uzado de la interpunkcioj
구두점 사용에 대한 규정

La reguloj pri la uzado de la interpunkcioj estas en nia lingvo pli-malpli *tiaj samaj, kiel* en ĉiuj aliaj lingvoj; sekve ĉiu povas uzadi en Esperanto la interpunkciojn *tiel, kiel* liuzas ilin en sia nacia lingvo. Estas vere, ke en diversaj detaloj la uzado de la interpunkcioj estas malegala en diversaj lingvoj;

/ pli-malpli *tiaj samaj, kiel* 대체로 ~와 같이 그렇게 비슷하다 / *tiel, kiel* ~처럼 그렇게 /

에스페란토의 구두점 사용에 대한 규정은 다른 언어들에서와 마찬가지입니다. 그러니 모두 각자 자기 모국어에서 하듯이 그대로 에스페란토에서도 하면 됩니다. 사실 여러 언어에서 이 구두점 사용은 그렇게 획일적이지 않습니다.

sed ĉar *la objekto* ne estas tre grava, tial ni pensas, ke ne venis ankoraŭ la tempo por difini en nia lingvo severajn regulojn por tiuj ĉi detaloj. En tiuj ĉi dubaj detaloj ĉiu povas uzi en Esperanto la interpunkciojn tiel, kiel li uzas ilinen sia nacia lingvo, kaj nur la uzo iom post iom *ellaboros* por tiuj ĉi negravaj detaloj difinitajn regulojn.

La Esperantisto, 1893, p. 127

/ ne venis ankoraŭ la tempo por ~할 때가 아직 오지 않았다, ~ 하기는 아직 시기상조다 / *ellabori* 만들어내다 /

그러나 이 문제가 그렇게 중요한 것은 아니기 때문에 에스페란토에서 그 자세한 내용에 대해 명확한 규정을 만들 때는 아직 아니라고 봅니다. 모든 사람은 자기 모국어에서 하듯이 그렇게 사용하면 될 것 같습니다. 그리고 그렇게 중요하지 않은 이 문제에 대해서 차츰차츰 에스페란토 사용자들 스스로가 그 규정을 정해 나갈 것으로 생각합니다.

Pri divido de vortoj
단어 분리에 대해

Transportante la vortojn el unu linio en la sekvantan, ni ordinare dividas ilin per iliaj partoj gramatikaj, ĉar ĉiu parto gramatika en nia lingvo prezentas apartan vorton. Tiel ni ekzemple dividas: «Esper-anto», «ricev-ita» k.t.p. Sed tio ĉi tute ne estas deviga regulo; ni faras ĝin nur por ne *rompi* subite *kun* la kutimoj de aliaj lingvoj: efektive tiu ĉi maniero havas nenian celon kaj signifon, ĉar la transportado de la vortoj estas afero pure papera, *havanta nenion komunan kun* la leĝoj de la lingvo;

/ deviga regulo 의무적인, 강제적인 규정(규칙) / nur por ne *rompi* subite *kun* la kutimoj de aliaj lingvoj 오직 다른 언어들의 관습을 갑자기 무너뜨리지 않기 위하여, rompi 다음에 바로 목적격을 써도 됨; <PIV> ★**rompi 7** (elipse) Ĉesigi la rilatojn kun iu: *se li rompus kun Fenicianoj!* [B]; *ĉar povas okazi io, kio devigos min rompi kun Hachette* [Z]; / *havanta nenion komunan kun* ~와는 전혀 관계가 없는 /

글을 쓸 때 한 줄의 끝에서 다른 줄로 이어지는 단어는 그 단어의 문법적 부분에 따라 보통 나누기를 합니다. 왜냐하면 에스페란토에서는 모든 문법적 부분이 독립적인 단어로 취급되기 때문입니다. 그래서 예를 들면, <Esper-anto>, <ricev-ita> 등으로 나누어집니다. 그러나 이것은 절대 강제적인 규정은 아

닙니다. 이건 단지 다른 언어들에서 이미 익숙한 관습을 깨지 않기 위해서 그런 겁니다. 이것은 뭐 그리 특별한 목적이나 의미가 있는 방식은 아닙니다. 왜냐하면 이렇게 단어를 분리하여 적는 것은 단지 종이와 관계된 일이지 언어 자체의 그 어떤 규칙과 관계된 것은 아니기 때문입니다.

ni konsilas al vi *per nenio vin ĝeni* en la dividado de la vortoj kaj fari ĝin tute tiel, kiel en la donita okazo *estos al vi pli oportune*. Eĉ se vi dividos ekzemple «aparteni-s», ni vidus en tio ĉi nenion malregulan, kvankam la aliaj lingvoj (tute sen ia logika kaŭzo) ne permesas tian dividadon.

La Esperantisto, 1893, p. 32

/ ni konsilas al vi *per nenio vin ĝeni* = ni konsilas vin *per nenio vin ĝeni* 아무것으로도 그대 스스로를 귀찮게 하지 말기를 권고합니다, 이렇게 되면 ĝeni는 konsilas vin의 목적어인 vin의 목적격보어, 그리고 *per nenio vin ĝeni*는 ĝeni vin per nenio; "ni konsilas al vi *per nenio vin ĝeni*"에서 konsilas의 목적어를 ĝeni로 볼수도 있음 / en la donita okazo 주어진 경우 (환경)에서 / kiel … *estos al vi pli oportune* 그대에게 더 편리한 대로, 무주어문 /

그대는 그것 때문에 고민할 필요도 없으며, 그때그때 상황에 따라 가장 편한 방식으로 하면 된다는 것을 말씀드리고 싶습니다. 만약 그대가 <aparteni-s>로 분리했다 해도 거기에는 아무 잘못이 없다고 생각합니다. 물론 다른 언어들에 있어서는 (아무 논리적인 이유도 없이) 그런 분리를 허용하지 않습니다만.

[Etimologio, Vortfarado]
[어원, 조어법]

Deveno de la nomo «Esperanto»
<에스페란토>라는 이름의 기원

...La nomo de nia lingvo ne estas *elpensita*, / kaj jen estas ĝia historio: Eldonante la unuan lernolibron de nia lingvo, / mi prenis por mi / la pseŭdonimon «Esperanto»; la lingvo mem havis nenian propran nomon / kaj estis nomata «la lingvo internacia proponita de Esperanto».

/ veni 오다, 도착하다 (iri 가다, 출발하다); (예) Mi iros al vi je la 9a. (나는 9시에 네게로 출발하겠다); Mi venos al vi je la 9a. (나는 9시에 네게 도착하겠다) / deveni 기원하다 ; veni de ~로부터 오다 / pensi 생각하다, elpensi 고안해내다 ; elpensaĵo 고안품 / el-doni 출판하다 / nenia와 neniu의 차이: -a 계열은 "선택"의 뜻이 없고, -u 계열은 "선택"의 뜻이 있음 ; Nenia el ili ... (x) ; Neniu el ili ... (o) /

... 우리의 언어 에스페란토의 이름은 깊이 생각해서 만들어진 것이 아닙니다. 이제 그 기원을 말씀드리겠습니다: 이 언어의 제1서를 발간하면서 저는 저의 필명으로 <Esperanto>를 취했습니다. 그리고 그 언어 자체는 아무 이름도 없었고 그저 <Esperanto에 의해 제안된 국제어>라고만 불렸습니다.

Pro oportuneco oni komencis uzadi la esprimon «lingvo de Esperanto» (die Esperanto-Sprache); aliaj esprimoj, kiujn kelkaj provis uzadi (ekzemple «la lingvo internacia», «la internacia»), montris sin ne oportunaj kaj ne enfortikiĝis, ĉar ili estis ne bone elparoleblaj, ne memoreblaj por la publiko kaj prezentis nenion difinitan (ĉar sub «lingvo internacia» oni povas egale bone kompreni la Volapükon aŭ aliajn proponitajn projektojn).

> / montris sin ne oportunaj 편하지 않다는 것이 드러났다 (-을
> 스스로 드러냈다) ; Li montris sin ne kapabla je tiu laboro 그는
> 그 일에 적합하지 않다는 것이 드러났다 / ne bone elparoleblaj
> 발음이 좋지 않은 / prezentis nenion difinitan 그 어느 구체적인
> (특정한) 것을 나타내지 않았다 / difini 구체화, 특정화시키다
> /

다만 편의성 때문에 사람들은 <Esperanto의 언어>라는 표현을
사용하기 시작했습니다. 그리고 다른 시도들(예를 들자면 <la
lingvo internacia 국제어>, <la internacia 국제어>)은 그렇게 편
리하지 못해서 깊이 뿌리내리지 못했습니다. 왜냐하면 일반
대중에게는 그 발음도 쉽지 않았고 또 그렇게 쉽게 기억할 수
도 없는 것이었기 때문이었습니다. 그리고 또 그것은 그 무언
가 구체적인 (특정한) 것을 나타내지도 못했기 때문이었습니
다. (왜냐하면 <국제어>라는 이름으로 볼라퓌크나 다른 여러
가지 국제어 시안들이 있었기 때문입니다.)

Baldaŭ montriĝis, ke nur la vorto «Esperanto» (sole aŭ kun aliaj
vortoj) klare *diferencigas nian lingvon de aliaj*, kaj multaj amikoj
komencis baldaŭ en siaj leteroj aŭ artikoloj uzadi simple la solan
vorton «Esperanto», ekzemple «la afero Esperanto», «skribi en
Esperanto» k. s. Tiel iom post iom *ellaboriĝis* unuvorta nomo de
nia lingvo. Vidante, ke mia komenca pseŭdonimo transiris al la
afero mem kaj ke ĝi estas tre oportuna, mi baldaŭ tute ĉesis
uzadi mian pseŭdonimon, kaj ĝi restis nur kiel nomo por la afero
mem. La nomo «Esperanto» estas per si mem tute senlogika; sed
en sensignifa kondiĉa nomo kial ni bezonas logikon?

/ montriĝis, ke ~라는 것이 드러났다 / k.s. kaj similaj / ellaboriĝis 만들어졌다 ; ellabori 만들어내다 / ĉesi (자) —하기를 중단하다, 뒤에 동사원형이나 전치사구가 옴 ; *ĉesu honori min per tiu titolo* [Z]; *ne ĉesi kun siaj demandoj* [Z]; *ili ne ĉesos en sia celado* [Z]; / per si mem 스스로, 저절로, 그 자체로, *oni komprenis liajn gestojn per si mem* (propraefike, sen bezono de klarigo); / kondiĉa 조건의, 조건적인, 어떤 조건 아래의 (조건 아래에서 쓰이는, 서로 약속된) /

그리고 서서히 <Esperanto>라는 단어가 (그것 하나로만 또는 다른 말과 더불어) 이 말을 다른 언어들과 구별이 되도록 해 주었습니다. 그리고 곧 많은 에스페란토 친구들이 자신의 편지나 글에서 이 간단한 형태의 말 <Esperanto>를 사용하기 시작했습니다. 예를 들자면, <에스페란토의 일> <에스페란토로 글을 쓰다>처럼 말입니다. 그래서 우리의 국제어에 한마디로 된 이름이 붙게 된 것입니다. 저의 처음의 필명이 이제 이 국제어 자체의 이름으로 쓰이기 시작하고 그리고 또 그것이 편리하다는 것을 알게 되자 저는 더 이상 그것을 저의 필명으로는 사용하지 않았습니다. 그리고 이제 그것은 오직 국제어 그 자체의 이름으로만 남게 되었습니다. <Esperanto>라는 이름은 그 자체로는 아무 논리도 없습니다. 아무 의미도 없고 그저 서로 약속으로 만들어진 이름에 그 어떤 논리를 추구해야 할 까요?

Pri la uzado de formoj simplaj anstataŭ kunmetitaj
합성어 대신 단순어를 쓰는 문제

La vorto «bezonesti» estas kunmetita tute regule, kaj vi povas ĝin uzadi. Sed entute ni konsilas pli uzadi ĉiam formojn simplajn anstataŭ kunmetitaj. Kunmetado de vortoj estas karaktera eco de la lingvo germana, kaj al tiu ĉi lingvo ĝi efektive donas grandan riĉecon de formoj; sed en nia lingvo la vortoj *pleje* estas pli naturaj kaj pli bonsonaj, se ili estas ne kunligataj, sed uzataj aparte.

La Esperantisto, 1891, p. 23

/ 조어법(vortofarado) = 파생법(derivado) + 합성법(kunmetado) / entute 전체적으로, 대체적으로, 종합적으로, 일반적으로 / 여기 쓰인 pli는 pli multe의 뜻 / pleje 가장, 최고로 /

<bezonesti>라는 말은 규칙에 맞게 합성된 말입니다. 그대는 그걸 사용할 수 있습니다. 그러나 대체적으로는 이런 합성어 보다는 단순한 형태로 말을 할 것을 추천합니다. 이렇게 말을 합성하는 것은 독일어의 특성이며, 그리고 사실 그 덕분에 독일어는 형태상으로 큰 풍부함을 얻게 됩니다. 그러나 에스페란토의 모든 단어는 합성되지 않고 단독으로 쓰일 때에 더 자연스러우며 발음도 아름답습니다.

Pri la vortoj kun pseŭdosufiksoj
비공식 접미사의 사용

Kelkaj samideanoj forte malaprobas la uzadon de vortoj kun pseŭdosufiksoj «cio», «toro» k. t. p. (ekzemple: «civilizacio», «redaktoro» k.t.p.); ili diras, ke de tiaj vortoj ni devas preni nur la radikan formon (ekzemple: «civiliz», «redakt») kaj ĉiujn devenajn formojn uzi nur kun sufikso aŭ finiĝo pure Esperanta (ekzemple: «civilizo», «redaktejo», «redaktisto» anstataŭ «civilizacio», «redakcio», «redaktoro»).

/ 접사(afikso) = 접두사(prefikso) + 접미사(sufikso) / devas 에 걸리는 동사원형이 두 개, preni, uzi / ĉiujn devenajn formojn uzi nur kun sufikso aŭ finiĝo → uzi ĉiujn devenajn formojn nur

---

kun sufikso aŭ finiĝo / devenaj formoj 파생형태; derivitaj
formoj / finiĝo=finaĵo 어미 /

몇몇 동지들은 <cio>, <toro> 같은 비공식 접미사의 사용에 대
해 강하게 반대를 합니다. (예를 들자면, <civilizacio>,
<redaktoro> 같은 단어들) 그들은 그러한 단어들에서 오직 그
어근의 형태만 취하고 (예를 들면, <civiliz>, <redakt>) 그 나머
지 조어법적인 형태들은 오로지 에스페란토의 접미사나 어미
들을 사용해야 한다고 말합니다. (예를 들면, <civilizacio>,
<redakcio>,   <redaktoro>   대신   <civilizo»,   <redaktejo>,
<redaktisto>를 써야 한다고 말입니다.)

Kompreneble, se tia vorto kicl ekzemple «redaktejo», estus tute
identa kun la vorto «redakcio» kaj povus ĝin perfekte anstataŭi,
certe neniu el ni plendus, se la vorto «redakcio» baldaŭ
malaperus el nia lingvo; sed se iu diras, ke la formoj
pseŭdosufiksaj estas kontraŭ-Esperantaj, aŭ ke ili prezentas
malaprobindan enkondukon de novaj vortoj, mi opinias, ke li
eraras. Tiaj formoj, kiel ekzemple «redakcio», «civilizacio» estas
nek kontraŭ-Esperantaj, nek novaj, ĉar laŭ la §15 de nia
gramatiko ili plene apartenas al nia lingvo jam de la unua
momento de ĝia naskiĝo.

/ anstataŭi 대체하다, 대신하다 / plendi 불평하다, 불만을 표하
다; pledi 변호하다 / se = eĉ se, se eĉ / prezenti 표현하다, 발
표하다, 소개하다, 드러내다, -이다 / aparteni al –에 속하나 /

물론 <redaktejo> 같은 단어가 <redakcio>와 완전히 같아서 서
로 대체할 수 있는 것이라면 그 <redakcio> 같은 말이 서서히
사라진다 해도 우리 중 그 누구도 그걸 반대할 사람은 없을
것입니다. 그러나 누군가가 그러한 비공식 접미사를 사용하는

것을 에스페란토에 위배되는 일이라고 한다든지 혹은 그것이 찬성할 수 없는 신조어 도입이라고 말한다면 저는 그건 옳지 않다고 생각합니다. <redakcio>, <civilizacio> 같은 말들은 에스페란토에 위배되지도 않을 뿐더러 새로운 신조어도 아닙니다. 왜냐하면 우리의 문법규정 제15조에 의하면 그러한 단어들은 처음부터 완전히 에스페란토에 속한 단어들이기 때문에 그렇습니다.

Ni povas esperi, ke pli aŭ malpli frue la pseŭdosufiksaj vortoj «fremdaj» fariĝos arĥaismoj kaj cedos sian lokon al vortoj «pure esperantaj»; ni povas eĉ konsili tion; sed postuli tion ni ne povas, ĉar la diritaj vortoj *ne sole* havas en nia lingvo (laŭ la §15) plenan rajton de ekzistado, *sed ankoraŭ* dum longa tempo multaj el tiuj pseŭdosufiksaj vortoj estos pli oportunaj, pli naturaj kaj pli kompreneblaj, ol la ilin anstataŭontaj vortoj «pure Esperantaj». Ne venis ankoraŭ la tempo, ke ni estu tro *pedantaj*.

/ pli aŭ malpli frue 조만간 / -ismo 주의, 사상, 관습 (언어, 예술, 행동 등의) ; *anglismo, koreismo, ĵurnalismo* / ne sole (nur) …, sed ankaŭ (eĉ, ankoraŭ) –일 뿐만 아니라, –도 역시 / ol la ilin anstataŭontaj vortoj → ol la vortoj anstataŭontaj ilin /

Cedi (자) –에 굴복하다, *hakilo estas tranĉa, sed la branĉo ne cedas* [Z]; *leono cedas al neniu* [Z]; *al tiu ĉio cedas, kiu monon posedas* [Z]; (타) –을 –에 양보하다, *cedi sian lokon, seĝon* [B], *la tronon* /

Koncedi (타) –을 인정하다, *mi koncedas, ke mia sinteno povas ŝajni mensoga.* /

Pedanto 아주 꼼꼼히 따지는 사람, 철두철미한 사람 (좀 부정적 의미), *ni ne estu tro pedantaj, ni estu toleremaj* [Z] /

Skrupulo 마음에 조금도 거리낌이 없는 상태, 철두철미함, *pro skrupulo li rifuzis la donacon*; senskrupule 함부로 /

우리는 조만간 그러한 비공식 접미사가 쓰인 <외래어>들이 사라지고 <순수 에스페란토적인> 단어들만 살아 남게 되기를 바랄 수도 있고, 또 그렇게 쓰기를 추천할 수도 있습니다. 그러나 그것을 강압적으로 요구할 수는 없습니다. 왜냐하면 그 단어들은 우리의 언어, 에스페란토에서 존재할 완전한 권리가 있을 뿐더러 (기본문법 제15조) 상당 기간 그것들을 대체할 <순수 에스페란토적인> 단어들보다 더 편리하고 더 자연스럽고 또 더 이해가 쉽게 그렇게 사용될 것이기 때문입니다. 우리가 그렇게 완벽함만을 따질 시간은 아직 오지 않은 것 같습니다.

Estas vero, ke sekve de nia toleremeco ni por kelkaj vortoj havos dum kelka tempo formojn duoblajn (ekzemple: «evolucio» kaj «evoluo»); sed ŝajnas al mi, ke estas multe pli bone havi en la unua tempo ian «embarason de riĉeco», ol malutili al si per ia ne sufiĉe matura dekreto, eljetante el la lingvo vortojn, kies *eljetindeco* ne estas ankoraŭ por ni tute certa.

Respondo 55, *La Oficiala Gazeto*, IV, 1911, p. 222

/ Estas vero, ke ~은 사실이다 / toleremeco를 그냥 toleremo로 써도 좋겠음 / estas multe pli bone -i –하는 것이 훨씬 더 좋다 / dekreto 법령, 명령 / eljeti 내버리다 / certa 확실한, 분명한, 그 어떤 (분명한), *mi estas certa pri tiu informo*; *la afero estas tute certa*; *mi revis tiam, ke pasos certa nombro da jaroj k ĉio ŝanĝiĝos* [z] /

우리의 이러한 유보적인 태도로 인해 당분간은 어떤 단어들은 이중적인 형태를 띠게 될지도 모릅니다. (예를 들면,

\<evolucio\>와 \<evoluo\>) 그러나 초기에는 그 어떤 \<풍부함의 혼돈\>이 차라리 나을 것 같습니다. 왜냐하면 만약 우리가 그 어떤 완전하지 못한 원칙주의를 가지고 아직 나쁘다고 분명하게 밝혀지지 않은 많은 단어들을 내어버린다면, 그것이 오히려 에스페란토에 더 큰 해를 끼치게 될 것이기 때문입니다.

Pri la prefikso «re»
접두사 \<re\>에 대하여

Ĉi tiu prefikso montras revenon al la loko aŭ al la stato, de kiu oni iris. Sekve:

1. — Se A donis ion al B, kaj la donita objekto estas denove ĉe A, ni diras, ke B redonis ĝin, A reprenis ĝin, la objekto revenis al A. Spegulo reĵetas la radiojn, kiuj falas sur ĝin. La pilko resaltis de la tero. En ĉi tiuj okazoj 're' montras revenon al la punkto de deiro.

/ iri 가다, 출발하다 / denove 다시 / reĵeti 반사하다, 다시 던지다 / fali 떨어지다, 넘어지다 / deiro (-로 부터의) 출발 /

이 접두사는 우리가 출발했던 장소나 상태로 돌아오는 것을 뜻합니다. 따라서:

1. — 만약 A가 B에게 무엇을 주었고 또 그 준 물건이 다시 A에게 있게 되었다면, 우리는 B가 그것을 redonis 했고 A는 그것을 reprenis 했으며 그 물건은 다시 A에게 revenis 했다고 말합니다. 거울은 그 위에 떨어지는 광선을 reĵetas 합니다. 공은 땅으로부터 resaltis 했습니다. 이러한 경우에 're'는 출발 지점으로 되돌아옴을 뜻합니다.

2. — Se mi faris ion, kaj mi ĝin faras ankoraŭ unu fojon, mi ankaŭ revenas (en mia ago) al la punkto, de kiu mi iris. Sekve

ni diras refari (fari denove tion, kion oni jam faris), rekanti (ripeti kanton), rejuniĝi (fariĝi denove juna), resaniĝi (fariĝi denove sana) k.t.p. En ĉi tiuj lastaj okazoj 're' montras la ripeton. (Ĉi tiu klarigo estas donita de D-ro Zamenhof mem.)

L. de Beaufront, Grammaire et exercices de la langue
internationale Esperanto, p. 109. Tradukis W. Bailey.

/ Se /

1) 종속접속사 : (1) 일반적으로 "가정"을 뜻할 경우에는 동사에 가정의 어미 –us를 씀 (보기: se mi estus sana, mi estus feliĉa ^Z) / (2) 그러나 가정이 아니 고 "조건, 경우"를 뜻할 때에는 동사에 보통의 시제어미를 씀 (보기: se ni vin ne komprenas, kiu do povus vin kompreni? ^Z; se mi povas lin kisi, vi ankaŭ tion povas ^Z; se foriras la katoj, festenas la ratoj ^Z; se li jam venis, petu lin al mi ^Z /

2) 일반(대등)접속사 : 감탄사처럼 쓰임, 이때에는 주절-종속절의 관계가 없음. (보기: ho, se mi havus rifuĝejon! ^Z; ho, se la kato volus vin kapti, vi malbela estaĵo! ^Z) /

2. — 만약 내가 무엇을 행했고 그리고 그것을 내가 다시 한 번 하면, 나는 (나의 행위 안에서) 내가 출발했던 지점으로 역시 되돌아오는 (revenas) 겁니다. 따라서 우리는 refari (이미 한 것을 다시 하다), resaniĝi (다시 건강하게 되다) 등으로 말할 수 있습니다. 이런 경우에는 're'는 반복을 의미합니다. (이 실명은 자멘호프가 한 것임.)

Konatiĝi
알게 되다

Ni uzas ordinare la formon «konatiĝi» (= fariĝi konato kun iu), sed ankaŭ la formo «*koniĝi*» estas tute bona (= fari sin koni ion).

La Esperantisto, 1891, p. 7

Koni 무엇을 기억하고 있다, 경험적으로 알게 되다, 대인관계에서 사람을 알고 되다, "알고 있다". (보기: *mi konas lian nomon* [Z]; *la alta literatura lingvo estas al vi tre malmulte konata* [Z]; *Sinjoro, ĉu vi min konas? — Kiom mi scias, ... ne* [Z]; *mi ne volas plu koni vin* [Z] / **Scii** 무엇을 교육, 학습을 통해, 지식적으로 알게 되다, 정보를 가지고 있다, "알고 있다" (보기: *neniu scias ĉion* [Z]; *se vi scius, kiu li estas* [Z]; *neniu scias lian tombon* [X] /

우리는 보통 'konatiĝi' (= fariĝi konato kun iu; 누구와 함께 아는 사람이 되다, 누구의 지인이 되다)라고 말합니다. 그러나 '*koniĝi*' (= fari sin koni ion; 무엇을 알게 되다) 역시 좋은 표현입니다.

Pri «sidiĝi» kaj «eksidi»

<sidiĝi>와 <eksidi>에 대하여

Vi estas prava: anstataŭ «sidiĝu» estus pli bone diri «sidigu vin» aŭ «eksidu»; tamen ĉar la formo «sidiĝu» jam *de tre longe* estas uzata preskaŭ de ĉiuj Esperantistoj, tial ĝi fariĝis jam «*esperantismo*» kaj nomi ĝin eraro oni jam ne povas.

/ Estus pli bone ~ ~라면 ("~라는 것이" 등) 더 좋겠다 / de longe 오랫동안, de antaŭ longe 오래전부터 / ĉar ~ , tial ~ 이때 tial은 안 써도 됨 / esperantismo 에스페란토의 특색, 에스페란토의 특별한 언어현상; anglismo, koreismo, 등등 / esperantismo "에스페란토주의", 에스페란토를 국제공용어로 쓰

<sidiĝu> 대신 <sidigu vin> 혹은 <eksidu>라고 말해도 괜찮습니다. 그러나 <sidiĝu>라는 형태가 벌써 오래전부터 거의 모든 에스페란티스토들에 의해 사용이 되어 왔기 때문에 그것은 이미 <esperantismo; 에스페란토의 특색>이 되었습니다. 그래서 그것을 틀렸다고 할 수는 없습니다.

Ne sole en naturaj lingvoj, sed ankaŭ en lingvo artefarita ĉio, kio estas uzata de la plimulto da bonaj verkistoj, devas *esti rigardata kiel bona*, se ĝi eĉ ne estas absolute logika; ĉar se ni postulos ĉiam nur logikon absolutan, tiam la libera uzado de lingvo artefarita fariĝos tute ne ebla, ĉar tiam malaperos ĉiu utileco de longa ekzerciĝado kaj en la deka jaro de uzado de la lingvo, kiel en la unua jaro, ĉiu devus konstante tro longe pripensadi kaj *pesadi* ĉiun sian vorton.

<관계대명사로 kio를 쓸 경우>

1) 선행사가 io, tio, ĉio, nenio일 경우, *kio mia, tio bona* [Z]; *ĉio mankas, kio necesus*;

2) 선행사가 앞의 문장 전체일 경우, *li ridas konstante, kio estas netolerebla*;

3) 선행사가 뒤의 문장 전체일 경우, *mi iros ankaŭ sur la kampon, — k kio estas la plej malfacila laboro — mi deprenos ĉiujn stelojn, por ilin poluri* [Z];

4) 선행사가 명사화 된 형용사일 때, *la plej bona, kion oni povas fari, estas* [...] [Z] /

Rigardi 바라보다, -로 간주하다, 등등, 뒤에 kiel을 쓸 수도 있음 / *mi tiam mem rigardis lin kiel frenezulon* [Z]; *la teoria vidpunkto en E. neniam povas esti rigardata kiel erara* [Z]; *ili rigardas sin kiel plej kompetentajn en la afero* [Z]; *oni ne povas rigardi neekzistantaj tiujn faktojn.* / kiel을 쓰지 않을 때에는 목적격을 쓰지 않았음에 주의 /

Plimulto 다음에 da, de, el이 오기도 함, *la plimulto da ili estis forlogitaj* [Z]; *la granda plimulto de la personoj, kiuj batalas por E.* [Z]; *la grandega plimulto el vi aliĝis al nia afero nur tiam* [Z] /

자연어에서뿐만 아니라 인공어(에스페란토)에서도 대부분의 훌륭한 작가들이 사용하는 것은 모두 좋은 것으로 받아들여져야 합니다. 비록 그것이 절대적으로 논리적이지는 않다 하더라도 말입니다. 왜냐하면 만약 우리가 언제나 절대적인 논리만을 요구한다면 그때에는 인공어의 자유로운 사용은 전혀 불가능해 질 것입니다. 왜냐하면 그때에는 오랫동안의 연습(실제 사용)의 유용성이 사라지고, 10년이 지나서도 마치 처음처럼 그렇게 모든 사람들이 계속 자신이 쓰는 모든 단어에 대해 깊이 생각해 보고 또 저울질해 봐야 할 것이기 때문입니다.

Tamen la diferenco inter lingvo natura kaj lingvo artefarita konsistas en tio, ke, dum *en la unua* oni devas uzi nur tiujn formojn, kiujn uzas bonaj verkistoj, kaj uzado de formo pli logika estas malpermesata, — *en lingvo artefarita* ĉiu havas la rajton uzi formon pli logikan, kvankam neniu ĝis nun ĝin uzis, kaj li povas esti konvinkita, ke se lia formo estas efektive bona, *ĝi baldaŭ trovos multajn imitantojn kaj iom post iom elpuŝos la malpli logikan, kvankam ĝis nun pli uzatan formon malnovan.*

Respondo 3, La Revuo, 1906, Decembro

/ konsisti en ~에 있다, Konsisti el ~로 구성되어 있다 / unua

첫째의, 앞의 / *la malpli logikan, kvankam ĝis nun pli uzatan formon malnovan* 이 구성은 이렇게 바꾸어 보면 이해하기 쉬움 : *la malpli logikan, (kvankam) ĝis nun pli uzatan, formon malnovan.* 이것은 다음의 문장과도 같다 : *la malpli logikan, formon malnovan, kvankam ĝis nun pli uzata ĝi estis.* 자멘호프의 문장에는 이런 구성이 종종 나타남 /

Kvankam 종속접속사이지만 이렇게도 쓰임: 1) esti를 생략한 채 *kvankam blinda k maljuna, li en la daŭro de tre mallonga tempo perfekte ellernis E-on* [Z]; 2) 대등접속사처럼 *plenumi laboron agrablan, kvankam malfacilan* [Z]; 3) 형용사와 관련된 요소로(?) *la sorto donis al mi rolon, kvankam tre flatan, tamen samtempe ankaŭ tre ŝarĝan* [Z] /

그러나 자연어와 인공어의 차이는 다음과 같습니다. 자연어에서는 사람들이 훌륭한 작가들이 사용하는 형태만을 사용해야 할 뿐, 더 논리적인 형태의 사용은 금지되어 있는 반면, 인공어에서는 비록 지금까지 아무도 사용하지 않았다 하더라도, 더 논리적인 형태가 있다면, 누구나 그것을 사용할 권리가 있다는 것입니다. 그리고 그 형태가 실제로 좋은 것이라면 그것은 그 논리적이지 못한 다른 형태를 서서히 몰아내고 지지자들을 많이 모을 수 있을 것이라는 확신을 가질 수 있습니다. 그 논리적이지 못한 형태가 비록 지금까지 더 많이 쓰인 오래된 형태라 할지라도 말입니다.

Pri la prefikso «ge»
접두사 <ge>에 대하여

La prefikso «ge» rilatas *ne sole* al du personoj, *sed* ĝi povas rilati ankaŭ al multaj personoj; ĝi signifas simple «de ambaŭ seksoj». Mi persone ĝis nun uzadis tiun ĉi prefikson ĉiam nur por esprimi ian ambaŭseksan familian tutaĵon el personoj starantaj *en la sama linio de parenceco*; tial mi diradis ekzemple «gepatroj», «gemastroj», «gefratoj», «genepoj», «gekuzoj», «getajloroj» (en la senco de *«tajloro kaj lia edzino»*); sed ni neniam esprimis ekzemple / per «getajloroj» la tutan familion de tajloro, ĉar la gefiloj de tajloro ne staras en la sama linio de parenceco kun la tajloro, kaj mi ankaŭ evitadis diri «gesinjoroj» pri personoj, kiuj ne apartenas al unu familio (mi nomadis ilin «sinjoroj kaj sinjorinoj»).

> / Ne nur ~, sed ankaŭ ~ ; ne sole ~, sed eĉ ~ 등등 / persone 개인적으로, 몸소, 직접... ; private 사적으로 / *en la sama linio de parenceco* 친족 중에서 같은 항렬에 속한 /

접두사 <ge>는 두 사람에 대해서만 아니라 여러 사람에 대해서도 쓰일 수 있습니다. 그것은 그저 <양성의>라는 뜻만 가지고 있습니다. 저는 개인적으로 이 접두사를 항상 친족 중에서 같은 세대의 양성 가족을 표현할 때에만 사용하였습니다. 그래서 예를 들면 <gepatroj>, <gemastroj>, <gefratoj>, <genepoj>, <gekuzoj>, <getajloroj> (<tajloro와 그의 아내>라는 뜻에서) 등으로 사용했고, <getajloroj>로써 그 재단사의 온 가족을 표현하지는 않았습니다. 왜냐하면 그 재단사의 자녀들은 그 재단사와 같은 세대에 속하지 않기 때문입니다. 그리고 저는 한 가족에 속하지 않은 사람들에게는 <gesinjoroj>라고 말하지 않았습니다. (그럴 경우 저는 <sinjoroj kaj sinjorinoj>라고 말을 했습니다.)

Tamen mi konfesas, ke mi havis nenian kaŭzon, por uzadi la prefikson «ge» sole en la dirita maniero. Ĉar en la fundamenta (universala) vortaro de nia lingvo «ge» signifas simple «de ambaŭ seksoj», kaj ĉar la uzado de la prefikso en tiu ĉi senco neniam donas malkompreniĝon, tial ni povas tre bone uzi tiun ĉi prefikson en ĉiuj okazoj, kiam ni parolas pri ambaŭ seksoj. Sekve se al personaro, kiu konsistas el ambaŭ seksoj, iu *sin turnas kun la vorto* «gesinjoroj», li faras nenian eraron, kaj eble mi mem ankaŭ de nun iafoje uzados la prefikson en tiu ĉi senco.

Respondo 6, La Revuo, 1901, Februaro

/ havis nenian kaŭzon, por -i -할 이유가 전혀 없었다 / ĉar가 두 번 나오고, 뒤에 tial이 나오는데, 뒤의 tial은 쓰지 않아도 됨, 자멘호프는 이럴 경우 tial을 잘 쓰는 편임 / *sin turnas kun la vorto* ~ ~라는 말로 (상대방에게) 말을 길다 / iafoje uzados 여기선 두 단어가 함께 쓰인 것이 조금 어색함 /

그러나 고백하건대, 그 접두사 <ge>를 꼭 그런 식으로만 쓸 이유는 전혀 없었습니다. 왜냐하면 우리 언어의 기본 사전에 <ge>는 오로지 <양성의>라는 뜻만 있기 때문이며, 또한 그 접두사를 이런 의미로 사용하더라도 전혀 오해가 없기 때문입니다. 그래서 우리는 이 접두사를 어느 경우에든지 양성에 대해서 사용할 때에는 전혀 문제 없이 쓸 수 있습니다. 따라서 남녀 양성으로 이루어진 사람들을 향해서 <gesinjoroj>라는 말을 쓴다 해도 그것은 전혀 틀린 말이 아닙니다. 그리고 저도 이제 앞으로 이 접두사를 이런 의미로 사용하도록 하겠습니다.

Pri la sufikso «aĵ» apud verbaj radikoj
동사 어근에 붙은 접미사 <aĵ>에 대하여

Vi diras, ke kiam verba radiko ricevas la sufikson «aĵ», tiam ni ofte ne scias, ĉu ĝi signifas «io, kio faras» aŭ «io, kio estas farata». Kelkaj Esperantistoj opinias, ke la sufikso povas havi nur unu el la diritaj du sencoj, ekzemple nur la aktivan, / kaj ĉiufoje, kiam ili trovas la diritan sufikson kun la senco pasiva, ili rigardas tion ĉi kiel simplan eraron. Tiu ĉi opinio *tamen* estas neĝusta: «aĵ» per si mem havas nek sencon *ekskluzive* aktivan, nek sencon ekskluzive pasivan, kaj tial ĝi povas esti uzata en ambaŭ sencoj.

/ 종속접속사 kiam 뒤에 나오는 주절에 tiam은 안 써도 됨 / neĝusta를 ne ĝusta로 쓰지 않았음에 주의 / **Rigardi** 바라보다, ~로 간주하다, 등등, 뒤에 kiel을 쓸 수도 있음 / *mi tiam mem rigardis lin kiel frenezulon* [Z]; *la teoria vidpunkto en E. neniam povas esti rigardata kiel erara* [Z]; *ili rigardas sin kiel plej kompetentajn en la afero* [Z]; *oni ne povas rigardi neekzistantaj tiujn faktojn.* / kiel을 쓰지 않을 때에는 목적격을 쓰지 않았음에 주의 /

그대는 동사 어근이 접미사 <aĵ>를 취하면 그때에는 그것이 <어떤 행위를 하는 것>인지 아니면 <어떤 행위를 당하는 것>인지 사람들이 잘 알 수 없다고 합니다. 에스페란티스토 중 어떤 사람들은 접미사는 이런 두 가지 의미 가운데 어느 하나를 가질 수 있다고 말합니다. 예를 들어 능동형이나 수동형의 의미를 말입니다. 그리고 그들은 수동형 의미로 쓰인 접미사를 보면 항상 틀렸다고 합니다. 그러나 이런 의견은 옳은 것이 아닙니다. <aĵ>는 그 자체로는 꼭 능동이나 수동의 의미만을 가졌다고 할 수 없습니다. 그래서 그것은 두 가지 의미로 다 쓰일 수 있습니다.

Severe precizigi la signifon de tiu ĉi sufikso *en la senco aŭ nur aktiva aŭ nur pasiva* — laŭ mia opinio — estas ne konsilinde, ĉar tio ĉi tute senbezone ligus nin kaj devigus nin ofte uzadi tro longajn formojn. Ĝenerale mi devas ripeti ĉi tie tion, kion mi jam kelkajn fojojn esprimis ĉe aliaj okazoj: ni ne devas peni, ke nia lingvo estu tro preciza, ĉar tiam ni nin mem nur *katenus* kaj ofte, por esprimi plej simplan ideon, ni devus uzi vorton deksilaban;

/ precezigi ~ konsilinde 주어가 동사 원형(불변화사)일 때 보어는 형용사가 아닌 부사로 씀 / aŭ가 두 번 나옴 / ligi 묶다, 옭아매다, 제한하다, 연결하다 / **Peni** 애쓰다 *kiu mem ne penas, nenio al li venas* [Z] / **Klopodi** 누구를 위해 힘쓰다(돌보다), 노력하다 *li pensis k klopodis pri la malfeliĉa loĝantaro* [B]; *klopodi pri ĉies favoro estas pleje malsaĝa laboro* [Z] /

이 접미사의 의미를 너무 세밀하게 능동형으로나 수동형으로 제한하면, 제 의견으로는, 그것은 바람직하지 않습니다. 왜냐하면 이것은 전혀 불필요하게 우리를 제한하게 될 것이며, 종종 너무 긴 형태의 단어를 사용하게 만들 것이기 때문입니다. 여기서도 저는 다른 여러 경우에 밝힌 바가 있는 저의 생각을 다시 한 번 말씀드려야 하겠습니다. 우리는 우리의 언어가 너무 치밀해지도록 애쓸 필요는 없습니다. 왜냐하면 그렇게 되면 우리는 종종 스스로를 옭아매게 되고 또 아주 간단한 생각을 표현할 경우에도 열 음절이나 되는 단어를 사용해야만 할 것이기 때문입니다.

ĉiufoje, kiam ni sen timo de malkompreniĝo povas doni al la uzanto liberecon, ni devas tion ĉi fari kaj permesi al li uzi laŭvole diversajn formojn (se ili nur ne estas kontraŭ la leĝoj de nia lingvo aŭ kontraŭ la logiko aŭ komprenebleco), anstataŭ postuli, ke li nepre uzu ĉiam nur unu formon.

/ sen timo de malkompreniĝo 오해의 걱정 없이 / malkompreniĝo는 malkompreno, miskompreno로 써도 되겠음 / tion ĉi fari = fari tion ĉi 자멘호프는 종종 이런 식으로 표현함

오해의 걱정 없이 사용자들에게 자유로움을 줄 수 있을 때에
는 우린 항상 그렇게 해야만 합니다. 그리고 그 사람이 마음
대로 여러 형태의 말을 사용할 수 있도록 해 주어야 합니다.
(그 형태들이 우리 언어의 규칙에 위배되지 않고, 또 논리나
의사소통에 반하지만 않는다면 말이지요.) 그리고 그 사람이
항상 오로지 하나의 형태만을 사용할 것을 요구하지는 말아야
합니다.

En ĉiuj okazoj (tre maloftaj), kiam la simpla uzado de «aĵ»
povas doni ian malkompreniĝon, ni povas ja tre bone helpi al ni
(kiel vi mem tute prave proponis) per la uzado de participo
aktiva aŭ pasiva (ekzemple «ŝmirantaĵo» kaj «ŝmirataĵo», kiuj
ambaŭ prezentas formojn tute regule kreitajn laŭ la leĝoj de nia
lingvo);

/ Participo(분사)는 한국어 문법에는 없는 문법사항. 이것은 에
스페란토에서 동사 어근에 일정한 접미사(ant, at 등)가 붙어
형용사나 부사처럼 쓰이는 것을 말함. 능동형과 수동형이 있
음. 간혹 명사어미나 동사어미를 덧붙여 명사나 동사로 쓰기
도 함. (예: leganto 독자; Tutan tagon li legantas. 그는 하루 종
일 책을 읽고 있는 중이다.) / **Prezenti** 제출하다, 소개하다, 공
연하다, -로 드러나다, -이다 *du kontraŭ unu prezentas armeon*
Z; *vesto homon prezentas* Z; *por ke la religio ne prezentu muron*
inter du homoj, estas necese, ke ili ambaŭ estu toleremaj Z /

그저 간단히 <aĵ>만 써서 오해가 생길 수 있을 때에는 (그대
가 직접 아주 정확하게 제안하였듯이) 언제든지 능동형이나
수동형 분사를 사용하여 도움을 받을 수 있습니다. (예:
<ŝmirantaĵo> (칠하는 것)와 <ŝmirataĵo> (칠이 된 것), 이 둘은

우리 언어의 규칙에 맞게 만들어진 형태들입니다.)

sed ĉar, el 100 verbaj vortoj kun «aĵ», 99 estas tute klaraj, kial do ni devas senbezone kateni nin kaj, precizigante la signifon de «aĵ» nur aktive aŭ nur pasive, konstante esti devigataj uzadi «antaĵo» aŭ «ataĵo» en ĉiuj aliaj okazoj? Por kio uzi ekzemple la longajn formojn «estantaĵo», «kreskantaĵo», aŭ «sendataĵo», «kraĉataĵo», k.t.p., se ni egale klare povas esprimi tion saman per la pli mallongaj «estaĵo», «kreskaĵo», «sendaĵo», «kraĉaĵo» k.t.p., pri kies senco povas ekzisti nenia dubo?

/ senbezone 불필요하게 = sennecese; bezoni (-을 필요로 하다)는 동사가 우선, necesa (-가 필요하다)는 형용사가 우선 ; *Mi bezonas ĝin. Ĝi estas necesa al mi. Mi necesas ĝin.* (X) / por kio = kial ? /

그러나 <aĵ>가 붙은 동사 100개 중 99개는 그 의미가 분명한데, 왜 우리가 필요없이 우리 자신을 옭아매며, 그리고 또 <aĵ>의 뜻을 능동이나 수동의 어느 하나로 제한함으로써 모든 경우에 계속적으로 <antaĵo>나 <ataĵo>로 써야만 한단 말입니까? 의미 전달에 아무런 지장도 없이 훨씬 짧은 형태들 <estaĵo>, <kreskaĵo>, 혹은 <sendaĵo>, <kraĉaĵo>를 쓸 수 있는데도 불구하고, 그보다 훨씬 더 긴 <estantaĵo>, <kreskantaĵo>, 혹은 <sendataĵo>, <kraĉataĵo>를 왜 쓰려고 합니까?

Sekve se vi volas klarigi la signifon de «aĵ» kun verbaj radikoj, tiam anstataŭ diri, ke «aĵ» kun verbo signifas nur «io, kio faras», aŭ nur «io, kio estas farata», mi konsilas al vi diri: «aĵ» kun verbo signifas «ion, kio enhavas en si la ideon de la donita verbo»; ĉu tiu ĉi ideo estas aktiva aŭ pasiva — tion ĉi la sufikso «aĵ» tute ne devas montri al ni, ĉar tion ĉi montras la

senco de la vorto mem aŭ — en okazo de speciala neceseco —
la aldono de la sufikso de aktiveco aŭ pasiveco.

/ 여기 쓰인 tiam은 없어도 됨 / ĉu는 일반의문문을 만들 때에
도 쓰이지만, "-인지 아닌지"와 같은 종속문을 만드는 종속접
속사로도 쓰임 / devi –을 해야 하다, -임에 틀림없다; 부정문
일 때에는 약간 애매해 짐, -지 말아야 하다, -일 필요없다, -
일 수 없다, 등 /

따라서 동사 어근에 쓰인 <aĵ>의 의미를 설명하려고 한다면,
그때에는 "동사에 쓰인 <aĵ>가 <무엇을 하는 무엇> 또는 <무
엇을 당하는 무엇>이라고만 말하지 말고, 다음과 같이 말해
보시길 바랍니다: "동사에 쓰인 <aĵ>는 <그 동사의 개념을 가
진 그 무엇>이다." 이 개념이 능동인지 수동인지 — 그것은
<aĵ>로써는 전혀 알 수 없습니다. 왜냐하면 이것은 그 단어의
의미가 스스로 알려주든지 아니면, 아주 특별한 경우, 능동형
이나 수동형의 접미사가 알려주기 때문입니다.

Tiu ĉi «speciala neceseco» tamen aperas nur tre malofte, ĉar eĉ
ĉe tiuj verboj, kiuj povas doni egale bone aĵon aktivan kaj
pasivan, la senco de la aĵo estas facile komprenebla el la
kunteksto; ekzemple se mi diros «mi donas tion ĉi al vi kiel
garantiaĵon de mia reveno», neniu ja povas dubi, ke ni parolas
ne pri garantiataĵo, sed pri garantiantaĵo. Vian opinion, ke ofte
(kiam povas ekzisti nenia dubo) ni povas eĉ forĵeti la «aĵ» kaj
uzi simple nur la substantivan finiĝon «o», — _mi trovas tute
prava_; sed en la plimulto da okazoj inter «o» kaj «aĵo» estas
granda diferenco.

/ El la kunteksto 문맥(환경)으로부터 / _"mi trovas tute prava"_
에서 trovas의 목적어는 앞에 나온 opinion. 그리고 prava는 목

그러나 이 "특별히 필요한 경우"는 아주 드문 일입니다. 왜냐 하면 능동형과 수동형의 의미를 둘 다 가질 수 있는 동사들에 있어서도 그 문맥을 통해 의미를 쉽게 알 수 있기 때문입니 다. 예를 들어, 만약 제가 "저는 돌아온다는 보증(garantiaĵo)으 로 이것을 당신께 드리겠습니다."라고 말한다면, 아무도 우리 가 garantiantaĵo (능동형, 보증하기 위해 주는 물건)를 말하는 것이지, garantiataĵo (수동형, 보증으로 잡은 물건)를 말하는 건 아니라는 걸 잘 알 테니까요. 그리고 (아무 의심의 여지가 없 을 때) 종종 우리는 그 <aĵ>를 없애고 그냥 명사어미 <o>만 사용해도 좋겠다는 그대의 의견을 — 저는 아주 좋다고 생각 합니다. 그러나 많은 경우에 <o>와 <aĵ> 사이에는 큰 차이가 있습니다.

P. S. — Per stranga renkontiĝo de la cirkonstancoj mi ĵus ricevis leteron, kiu prezentas bonan ilustraĵon al tio, kion mi supre diris pri tro granda logikeco. Mia korespondanto skribas (iom ŝerce), ke la esprimo «Parolo de X en la kunveno Y» estas tute mallogika kaj malpreciza: anstataŭ «parolo» oni devas en tia okazo diri «antaŭpublikparolataĵo». Ĉu vi aprobas tian precizan vorton?

Respondo 11, *La Revuo*, 1907, Aprilo

/ P. S. (postskribo) 추신 / Per stranga renkontiĝo de la cirkonstancoj 우연의 일치로, 우연히(?), koincide / ilustraĵo = ekzemplo 보기, 예 /

추신 : 우연의 일치인지는 몰라도, 제가 위에서 말씀드린, 그 "너무 심한 논리"의 예를 보여 주는 편지를 방금 한 통 받았 습니다. 저의 지인 중 한 분이 (조금 농담조로) <Parolo de X

en la kunveno Y>라는 표현은 전혀 논리적이지 않고 또 정확하지 않다고 말을 하는군요. 그러한 경우에는 <parolo> 대신 <antaŭpublikparolatajo>라고 말을 해야 한다고 합니다. 그대는 그렇게 세밀히 표현된 단어에 찬동하시나요?

Pri la sufikso «ar»
접미사 <ar>에 대하여

Vi diras, ke la sufikson «ar» ni devas uzi nur por esprimi aron da tiaj objektoj, kiuj estas esence ligitaj inter si kaj prezentas ian unuecon, kolektivan objekton (ekzemple «vortaro», «arbaro», «homaro»); sed por ia nombro da samspecaj objektoj, kiuj ne estas esence ligitaj inter si kaj ne prezentas kune ian unu ideon, vi konsilas uzi la esprimon «aron da» (ekzemple: «li ellernis aron da vortoj», «tie kuŝis aro da dehakitaj arboj» k.t.p.). Vian opinion mi trovas ĝusta. — Pri la dua senco de la vorto «aro» (mezuro) volu kompari mian respondon n° 24.

Respondo 33, *La Revuo*, 1908, Majo

/ aro da ~이 많이 모인 것 / ellerni 다 배우다, 마스터하다 / <aro> 자멘호프는 초기에 "아르"(땅 면적 단위, 100m²)라는 뜻으로 이 단어를 사용했음 /

그대는 접미사 <ar>는 서로 긴밀히 연결되어 있고 또 하나의 동질성을 나타내는 집합적인 사물 (예를 들면 <사전>, <숲>, <인류>)을 표현할 때에만 사용해야 하고, 서로 긴밀히 연결되어 있지 않고 또 하나의 동질성을 나타내지 않는 그 어떤 같은 종류의 여러 개의 사물을 표현하기 위해서는 <aro da>라는 표현을 써야 한다고 합니다 (예를 들면: <그는 여러 단어들을 다 배웠다>, <거기 베어낸 나무들이 많이 늘려 있었다> 등등). 저는 그대의 의견이 옳다고 생각합니다. — <aro>(측량 단위)

라는 단어의 둘째 의미에 대해서는 제 답변 제24번을 비교해 보아주시기 바랍니다.

Pri la sufikso «eg»
접미사 <eg>에 대하여

Tute prave vi diras, ke la sufikso «eg» ne povas servi por simpla anstataŭado de la vortoj «granda» aŭ «tre», sed ĝi devas servi por kreado de vortoj novaj kun senco speciala. Tia neĝusta uzado de la sufikso certe ne estas aprobinda, kaj, *kiom oni povas*, oni devas ĝin eviti. Tamen esti tro severaj en ĉi tiu rilato ni ankaŭ ne devas. En multaj okazoj, en kiuj ni povus bone uzi la vortojn «granda» aŭ «tre», ni povas ankaŭ sen peko kontraŭ la spirito de Esperanto uzi la sufikson «eg», ĉar tre ofte la saman ideon unu persono povas prezenti al si kiel ideon simplan en granda mezuro, dum alia persono ĝin prezentas al si kiel ideon specialan.

/ anstataŭado = anstataŭigo / neĝusta : "ne ĝusta"로 쓰지 않았음에 주의 / *kiom oni povas* 가능한 한 /

<보충 설명>

/ 접사(afikso) : 완전히 새로운 낱말을 만듦. (ge, in, ar, eg, mal, ant, at 등등) / 어미(finaĵo) : 새로운 낱말을 만들지 않음, 뜻만 변화 시킴. (-o, -i, -as, -j, -n 등등) /

접미사 <eg>는 단순히 <granda>나 <tre>를 대신하여 쓰여서는 안 되고, 특별한 의미를 가진 완전히 새로운 단어를 만들어 내는 데 쓰여야 한다는 그대의 말은 옳습니다. 그러한 잘못된 접미사의 사용은 절대 찬성할 수 없으며, 또한 가능한 한 우리가 피해야 할 일입니다. 그러나 이와 관련하여 우리가 또 너무 엄격하게 하는 것도 피해야 합니다. <granda>나 <tre>를 사용할 수 있는 많은 경우에 우리는 또한 에스페란토의 정신에 위배되지 않으면서 접미사 <eg>를 쓸 수 있습니다. 왜냐하면 똑같은 개념을 두고도 어떤 사람은 그것을 단순하지만 아주 큰 개념으로 표현할 수도 있고, 또 어떤 사람은 그것을 아주 특별한 개념으로 표현할 수도 있기 때문입니다.

Ekzemple, la vorton «bonega» ni preskaŭ ĉiam povus anstataŭigi per «tre bona», kaj tamen en la samaj okazoj oni ankaŭ povas prezenti al si bonecon eksterordinaran kaj uzi por ĝi vorton apartan tiel same, kiel oni faras preskaŭ en ĉiuj lingvoj. Laŭ mia opinio ni devas esti tre singardaj nur en tiaj okazoj, en kiuj ni povus ricevi *aŭ* senduban, por niaj oreloj malagrablan, eraron kontraŭ la lingvo, *aŭ* tute malĝustan sencon; sed en ĉiuj aliaj okazoj tro granda severeco kaj katenado estas *superflua*. En tiaj okazoj, kie kelka libereco alportas al ni nenian malutilon, kial ni devus senbezone nin malliberigi?

Respondo38, La Revuo, 1908, Majo

/ tiel same, kiel ~ 처럼 (꼭) 그렇게 / por niaj oreloj malagrablan 우리 귀에 거슬리는, malagrablan por niaj oreloj로써도 됨, 그러나 뒤에 나오는 eraron과 자연스럽게 연결되기 위해서는 이렇게 하는 것이 더 좋음, 자멘호프는 종종 이런 문체를 사용함 /

예를 들어 <bonega>라는 단어를 언제나 <tre bona>로 대체할 수 있습니다. 그러나 동시에 그것으로 아주 특별한 "좋음"을 표현할 수도 있지요. 그리고 다른 모든 언어에서처럼 완전히 다른 단어를 쓸 수도 있고요. 제 생각으로는 우리는 그것이 우리 귀에 거슬리거나 또는 아주 분명히 언어적으로(에스페란

토에) 잘못된 것이거나 혹은 아주 틀린 의미를 나타내는 경우에만 주의를 기울일 필요가 있다고 생각합니다. 그 외의 모든 경우에는 너무 엄격하게 우리 자신을 옭아매는 것이 불필요하다고 생각합니다. 어느 정도의 자유로움이 우리에게 아무 해도 되지 않는 그러한 경우에, 왜 필요도 없이 우리 자신을 구속해야 한단 말입니까?

Pri la vorto «ero»
단어 <ero>에 대하여

Efektive estus pli bone, se por la ideo de tempokalkulo ni uzus ian alian vorton anstataŭ «ero», kiu havas jam difinitan signifon en la Universala Vortaro. Sed ĉar la vorto «ero» en la senco de tempokalkulo estas vorto pure internacia, tial laŭ la §15 de nia fundamenta gramatiko ni havas plenan rajton ĝin uzi. Ĉar la «ero» de la Universala Vortaro kaj la «ero» science internacia havas tro malsamajn signifojn, tial ni ne bezonas timi, ke oni ilin iam reciproke konfuzos. Cetere, *se* la vorto «ero» laŭ la §15 de nia gramatiko estas plene permesata, ĝi kompreneble ne estas deviga, kaj ni havas plenan rajton uzi anstataŭ ĝi «tempokalkulo» aŭ ion similan, kion proponos niaj specialistoj.

Respondo 24, *La Revuo*, 1907, Aŭgusto

/ estus pli bone, se ~라면 더 좋겠다 / ni ne bezonas timi, ke ~라고 (~를) 겁낼 것 없다, 걱정할 것 없다 / 여기 쓰인 se는 "eĉ se"와 같음 /

시간단위로 <ero> 대신 다른 단어를 사용하는 것이 사실 더 좋겠습니다. <ero>는 에스페란토 "기본단어장"에서 이미 다른 의미로 사용되고 있기 때문입니다. 그러나 이 시간단위로서의 <ero>는 아주 국제적인 단어이므로 에스페란토 기본문법 제15

항에 따라 우리는 그것을 사용할 수가 있습니다. 기본단어장의 <ero>와 국제적 과학용어 <ero>는 서로 아주 다른 의미가 있기 때문에 우리는 사람들이 그것을 서로 혼동하리라 걱정할 필요는 없습니다. 게다가 그 단어 <ero>가 기본문법 제15항에 의해 허용된다 할지라도, 그게 꼭 의무적인 것은 아닙니다. 그래서 우리는 그것 대신 <tempokalkulo>나 또는 전문가들이 추천하는 다른 비슷한 말을 쓸 권한도 있는 것입니다.

Pri la sufikso «ig» kun verbaj radikoj
동사 어근에 쓰인 접미사 <ig>에 대하여

Oni ofte demandadis sin, ĉu kun la verbaj radikoj «igi» signifas «igi — anta» aŭ «igi — ata». Sed la demando per si mem estas ne ĝusta, ĉar «igi» kun verbo signifas nek «igi — anta», nek «igi — ata», sed nur «igi — i», sekve ĝi povas tre bone esti uzata en ambaŭ sencoj (aktiva kaj pasiva). En la plimulto da okazoj la senco de «ig» en verboj prezentas absolute nenian malklaraĵon; sed en tiuj okazoj, kie malkompreniĝo povas aperi, ni devas ĝin eviti ne per senbezona katenado de la senco de «ig» (kio estus tiel same neoportuna, kiel la katenado de «aĵ», pri kiu mi parolis en la respondo 11), sed per precizigo de nia frazo mem.

/ per si mem 저절로, 스스로 / en tiuj okazoj, kie ~하는 경우에는, kie 대신 kiam을 써도 됨 /

동사 어근에 쓰인 <ig>는 <igi -anta>를 뜻할까요, 혹은 <igi -ata>를 뜻할까요? 그러나 이 질문은 그 자체가 바르지 않습니다. 왜냐하면 동사 어근에 쓰인 <igi>는 <igi –anta>도 뜻하지 않고 <igi -ata>를 뜻하지도 않으니까요. 다만 <igi -i>만을 뜻합니다. 따라서 그것은 능동이나 수동의 두 가지 의미로 잘

쓰일 수 있습니다. 동사 어근에 <ig>가 붙는 대부분의 경우에 그 어떤 불분명함도 없습니다. 만약 그 의미가 불분명한 경우가 있다면, 우리는 그것을 피하기 위해 불필요하게 <ig>의 의미를 제한할 게 아니라 (그것은 제가 11번 답변에서 <aĵ>의 제한에 대해 말한 것과 같이 불편한 것입니다) 그 문장 자체를 좀 더 정확하게 표현하면 됩니다.

Ekzemple, ni ne povas diri «sciigi amikon novaĵon», sed ni povas diri «sciigi amikon pri novaĵo» aŭ «sciigi novaĵon al amiko»; ambaŭ frazoj estas tute regulaj kaj ambaŭ estas tute klaraj, — kial do ni devas demandi nin, kiu el la diritaj frazoj estas la sole bona? En frazo, en kiu la verbo kun «ig» havas du komplementojn, la akuzativo kaj prepozicio montras tute klare la rilaton inter la ambaŭ komplementoj; frazo, kiu havas nur unu komplementon, estas ordinare ankaŭ tute klara, ĉar la forestado de le dua komplemento *per si mem* jam montras la sencon de la frazo (ekzemple, se mi, sen plua precizigo per «al», diros «mi manĝigas mian ĉevalon», neniu dubos pri la Senco de la frazo);

/ regula 규정에 맞는, 문법에 맞는, 규칙적인 / la sole bona 오로지 그것만이 좋은 것 / komplemento 보충어; predikativo 서술보어 / la ambaŭ 여기 쓰인 관사 la는 실수, 자멘호프가 나중에 스스로 실수라고 인정함, ambaŭ = la du / se = eĉ se /

예를 들어, 우리는 <sciigi amikon novaĵon>이라고는 말을 못하지만, <sciigi amikon pri novaĵo>니 <sciigi novaĵon al amiko>라고는 말을 할 수 있습니다. 그리고 이 두 문장 모두 문법에 맞고 분명합니다. 그런데 우리가 왜 이 둘 중에 오로지 어느 하나만이 좋은가 하고 물을 필요가 있단 말입니까? <ig>가 붙은 동사가 두 개의 보충어를 가진 문장에서는 목적격조사와 전치사가 그 두 보충어 사이의 관계를 아주 분명하게 나타내

줍니다. 그리고 보충어가 하나뿐인 문장 역시 보통 그 관계가
분명합니다. 왜냐하면 그 둘째 보충어가 없다는 사실 자체가
벌써 그 문장의 뜻을 저절로 나타내고 있기 때문입니다. (예
를 들어, 만약 제가 <al>이라는 전치사로써 더 자세히 나타내
지 않고, 그저 <mi manĝigas mian ĉevalon>이라고 말한다 해도
그 뜻을 못 알아듣는 사람은 아무도 없을 테니까요.)

fine en tiuj tre maloftaj okazoj, kiam ni efektive povas timi
malkompreniĝon, ni ja tute ne bezonas aktivigi aŭ pasivigi la
sencon de la sufikso «ig», sed ni povas tute bone kaj regule
aktivigi aŭ pasivigi la verbon, dirante *«manĝantigi»* kaj
«manĝatigi». La sufikso «ig» per si mem havas sencon tute
difinitan (= fari, lasi, kaŭzi); ĝi fariĝas neklara nur tiam, kiam ni
krom ĝia propra senco nepre volas *altrudi al* ĝi ian sencon
aldonan, *kiun ĝi per si mem ne havas kaj ne devas havi kaj* kiu
(en okazo de efektiva neceseco) devas esti esprimata per alia
rimedo (ekzemple, sencon de aktivigado aŭ pasivigado, de
daŭrigado aŭ momentigado k.t.p.).

Respondo 13, *La Revuo*, 1907, Aprilo

/ regule 규정에 맞게, 문법에 맞게, 규칙적이게 / difinita 한정
된, (한정적으로) 뚜렷한; definitiva 결정적인, 최종적인, 분명
한, *definitivan respondon mi sendos post 10 tagoj* [Z]; *definitive
fermi la diskuton.* / (al)trudi al ~에게 억지로 무엇을 강요(요
구)하다; (al)trudiĝema 남에게 뭘 자꾸만 요구하고 강요하는 성
격을 가진; eltrudi 남으로부터 뭘 짜내다 *eltrudi monon de iu
per minacoj pri skandalo.* ; entrudiĝi 억지로 끼어들다, *la lingvo
internacia, ne entrudiĝante en la doman vivon de la popoloj,
povas almenaŭ esti lingvo regna k societa* [Z]; netrudiĝema 억지로
끼어드는, 뭘 강요하는 성격이 아닌 / *kiun ĝi per si mem ne*

마지막으로, 우리가 실제 오해를 걱정해야 하는 그런 아주 드문 경우에도 우리는 그 접미사 <ig>의 뜻을 능동으로나 수동으로 만들 필요는 없고, 다만 그 동사 자체를 능동형이나 수동형으로 만들어 <manĝantigi>나 <manĝatigi>라고 할 수 있습니다. 접미사 <ig>는 그 자체로 "-을 -하게 하다"라는 아주 뚜렷한 뜻을 가지고 있습니다. 우리가 그 접미사에 그것이 가진 본래의 뜻 외에 무엇인가 추가적인 뜻을 억지로 갖다 붙이려고 할 때에 그것이 불분명해지는 것입니다. 그 추가적인 뜻은 (꼭 필요하다면) 다른 방법으로 표현해야 합니다. (예: 능동, 수동, 지속, 순간 등의 뜻을 추가하려고 할 때)

Pri forlasado de sufiksoj
접미사를 생략하는 경우

En la frazo «la akvo plenigas la kruĉon» la senco diras al ni, ke la sufikso «ig» estas necesa, kaj uzi tie la vorton «plenas» anstataŭ «plenigas» mi ne konsilus, ĉar ni tiam tro evidente pekus kontraŭ la logiko. *Forlasi* iun sufikson, por ricevi vorton pli mallongan, ni povas nur en tiaj okazoj, se la neceseco de la sufikso estas iom duba, ekzemple kiam la verbon, de ni uzatan, ni povas rigardi ne kiel devenantan, sed kiel memstaran, aŭ kiam la maniero de la deveno estas ne tute klara.

/ konsili 조언하다; konsoli 위로하다; konsulti 전문가의 의견을 구하다, 참고하다, *konsulti advokaton*; *konsulti arkivon, gramatikan libron, fidindan vortaron* / duba 의심스러운 / deveni ~로부터 오다, 파생되다 (derivi) / maniero 방식; metodo 방법; *tio okazis en stranga maniero* [Z]; *metodo de instruado*; *praktika, logika, scienca metodo* /

<la akvo plenigas la kruĉon>이라는 문장은 그 뜻을 보면 접미사 <ig>가 꼭 필요하다는 것을 알 수 있습니다. 그리고 거기서 <plenigas> 대신 <plenas>라는 단어를 쓰는 건 저는 추천하지 않습니다. 왜냐하면 그렇게 하면 논리적으로 곤란하다는 것이 너무나도 명백하기 때문입니다. 더 짧은 단어를 쓰기 위해 어떤 접미사를 생략할 때에는 조심해야 합니다. 그 접미사의 필요성이 좀 의심스러울 때에만 그렇게 해야 합니다. 예를 들어 그때 사용된 동사가 하나의 파생어가 아니라 본래동사처럼 볼 수 있을 때에, 또는 그 파생의 방식이 분명하지 않을 때에만 그렇게 해야 합니다.

Sed la verbo de la supre citita frazo *ne sole* tute sendube devenas de alia vorto («plena»), *sed* la maniero de tiu devenado estas tute klara, sekve ni devas uzi tiun klaran sufikson, kiu servas por la devenigo de la dirita vorto.

Respondo 44, *La Revuo*, 1908, Aŭgusto

| / sendube 의심의 여지 없이, 분명히 / |

그러나 위에 인용된 그 문장의 동사는 의심의 여지 없이 다른 단어 (<plena>)로부터 파생된 것이 분명하며, 또한 그 파생의 방식 역시 아주 분명합니다. 그래서 우리는 그 언급된 단어의 파생을 가능하게 하는 그 분명한 접미사를 사용해야 합니다.

Pri la deveno de la vorto «edzo»
<edzo>라는 단어의 기원

Dank'al la afableco de S-ro D-ro Zamenhof, mi ricevis la solvon de tiu malgranda enigmo … La vere primitiva formo estas ne 'edz', sed 'edzin', de kiu devenas la formo 'edzo'. Tiel same fraŭlo devenas de fraŭlino, kuzo de kuzino, kaj feo, kiun oni povus uzi, por montri fablan estulon, ekz. Oberono, kaj kiun oni povas devenigi de feino. La vorto edzino estis primitive sufikso, kiu poste fariĝis sendependa de la radikoj, al kiuj ĝi estis primitive aldonita. Jen kiamaniere la Majstro klarigis al mi la aferon: En la germana lingvo, reĝido heredonto de la krono estas nomata Kronprinz, kiu fariĝas en Esperanto kronprinco.

> / primitiva 원초적인, 최초의 / fabelo 동화; fablo 우화 / sendependa de ~로부터 독립적인, 자유로운, 부사형으로 자주 쓰임 /

자멘호프 박사님 덕분에 저는 이 작은 수수께끼를 풀 수 있었습니다... 'edzo'라는 단어의 'edz'는 사실 원초적인 어근의 형태가 아닙니다. 그 어근은 <edzin>입니다. 그리고 fraŭlino의 fraŭlo와 kuzino의 kuzo도 마찬가지입니다. 또한 우화 속의 오베론 같은 요정을 나타내기 위해 feino에서 feo라는 말도 만들어 낼 수 있을 것입니다. 'edzino'라는 단어는 본래 접미사였는데, 그것이 나중에 어근과는 독립적으로 하나의 단어가 되었습니다. 어떻게 된 일인지 자멘호프 선생님이 알려주신 것을 말씀드리지요. 왕의 후계자가 될 사람을 독일어로 Kronprinz라 하는데, 이것이 에스페란토에서 kronprinco가 되었습니다.

La virino kunigita kun la kronprinco per leĝa ligilo estas nomata germane Kronprinzessin. Ĉi tiun lastan vorton D-ro Zamenhof transskribis Esperante *kronprincedzino*, kaj li tuj rimarkis, ke la finiĝo de tiu vorto, t. e. edzino, ricevis per si mem la sencon de virino kunigita kun viro per leĝa ligilo. Li do faris el ĉi tiu vorto: *unue*, ĝeneralan sufikson, esprimantan difinitan rilaton kaj *due* vorton memstaran kun tiu sama signifo. Poste el la vorto edzino li tute logike devenigis la vorton edzo.

Laŭ artikolo de Emile Boirac en *la Oficiala Gazeto*, Dec. 1913

/ kunigita 합쳐진, 함께 된, 결합된, 결혼한 / t. e. = tio estas, 즉, 곧 /

그 황태자와 법적으로 결혼한 여인은 독일어로 Kronprinzessin 이라 불립니다. 이 단어를 자멘호프 박사님은 에스페란토로 kronprincedzino라고 옮겼습니다. 그리고 박사님은 곧 그 끝부분 edzino가 어떤 남자와 법적으로 결혼한 여인을 나타내게 된다는 것을 깨달았습니다. 그래서 그는 이 단어로부터 우선 어떤 일정한 관계를 나타내는 일반적인 접미사를 만들고, 또 그와 같은 뜻의 독립적인 단어를 만들어냈던 것입니다. 그래서 나중에 edzino라는 단어에서 논리적으로 edzo를 파생시켰던 것입니다.

[Leksikologio, Vortaroj]
[어휘론, 사전]

Pri teĥnikaj vortaroj
기술용어 사전에 대하여

Venis jam la tempo ellabori detalajn teĥnikajn vortarojn de nia lingvo por ĉiuj sciencoj, profesioj, sportoj, k. t. p. Tiujn ĉi vortarojn devas ellabori nepre specialistoj, ĉiu en sia specialeco. Por ĉiuj, kiuj posedas ian specialecon kaj konas ankaŭ bone nian lingvon, tiu ĉi laboro estos tute ne malfacila; ili agas erare, se iliatendas tiajn vortarojn de mi. Semi, kuracisto, volus verki detalan teĥnikan vortaron ekzemple por inĝenieroj aŭ por brandfaristoj k. t. p., mi kreus nur sensencaĵon, dum ili, ĉiu en sia specialeco, kreos tre bonajn detalajn vortarojn eĉ se ili nian lingvon posedas ne tute perfekte.

/ ellabori 만들어내다 / Por ĉiuj, kiuj ~한 모든 사람을 위해서는, ~한 모든 사람에게는 / ili agas erare, se ~한다면 그들은 잘못하는 것이다 /

벌써 모든 학문, 직업, 운동 등을 위한 자세한 에스페란토 기술용어 사전을 만들어 낼 때가 되었습니다. 이 사전들은 반드시 전문가들이 자신의 전문 분야에서 만들어야 합니다. 전문성을 가지고 에스페란토를 잘하는 사람에게는 이 일은 그렇게 어려운 일이 아닙니다. 만약 그들이 그런 사전을 제가 만들어내기를 기다린다면 그들은 잘못하는 겁니다. 의사인 제가 예를 들어 엔지니어나 주류업자 등을 위한 자세한 기술용어 사전을 만들려고 한다면 아주 엉망이 될 것입니다. 반면 그들은, 비록 에스페란토는 그렇게 완벽하게 잘하지는 못한다 하더라도, 자신의 전문분야에서 아주 좋은 자세한 사전을 만들어낼수 있을 것입니다.

Tiel same en ĉiu alia lingvo la popolo kaj la aŭtoritataj verkistoj ellaboris nur la komunan lingvon; sed la specialajn teĥnikajn vortojn ellaboras nur tiuj specialistoj, kiuj ilin bezonas, kaj en tiu ĉi okazo ia eĉ la plej malklera profesiisto kreas sian bezonatan vorton bone, dum la plej aŭtoritata beletristo aŭ filologo kreus ĝin sensence.

> / aŭtoritataj 권위 있는 / komunan lingvon 공동의 일반적인 말을
> / en tiu ĉi okazo 이 경우에 /

그와 마찬가지로 다른 모든 언어에서도 대중과 권위 있는 작가들은 보통의 일반적인 말만을 만들어내는 반면 특별한 기술용어들은 그것을 필요로 하는 전문가들이 만들어냅니다. 그리고 이 경우 그 어떤 직업인이라도, 비록 제대로 교육을 받지 못했다 할지라도, 그 자신이 필요한 단어는 잘 만들어냅니다. 반면 그 어떤 권위 있는 문학가나 문헌학자라도 그것을 엉망으로 만들어 낼 것입니다.

Ĉe la kreado de detalaj teĥnikaj vortaroj la specialistoj devas sin gvidi je tiuj samaj reguloj, laŭ kiuj oni kreas ilin en ĉiuj lingvoj, t. e. : 1) Aŭtaŭ ĉio oni demandas sin, ĉu tia vorto ne ekzistas jam en la komuna lingvo; ekzemple, se velocipedisto bezonas la vorton «rado», li komprenable ne kreos novan vorton, sed prenos la vorton ekzistantan jam en la komuna vortaro.

> / Aŭtaŭ Antaŭ의 인쇄 오류 / sin gvidi je tiuj samaj reguloj 그와
> 같은 규칙에 따르다 / oni demandas sin, ĉu ~인지 자신에게 묻는다,
> 알아보다 / komuna vortaro 보통(일반) 사전 /

자세한 기술용어 사전들을 만들 때에 전문가들은 다른 모든 언어에서 그 사전들을 만들 때와 같은 규칙을 따라야 합니다. 즉 : 1) 우선 그러한 낱말이 보통의 일반사전에 있는지 없는지를 알아봐야 합니다. 예를 들어 자전거동호인이 <바퀴>라는 단어가 필요할 때, 당연히 새로운 낱말을 만들지는 않을 것이고 이미 일반사전에 들어

있는 그 낱말을 취할 것입니다.

2) Se oni scias, ke la bezonata vorto ankoraŭ ne ekzistas, t. e. simple ne estis ankoraŭ uzata, oni penas krei la vorton el aliaj radikaj vortoj, kiuj jam ekzistas en la lingvo. Ekzemple, se en ia juna lingvo la unuan fojon devas aperi matematika verko, la verkanto, bezonante esprimi ekzemple «multobligi», «dividato» aŭ «triangulo», kreos tiujn vortojn facile el la vortoj jam ekzistantaj en la vortaro.

/ el aliaj radikaj vortoj 다른 어근어들로부터 / la unuan fojon 처음으로
/ verkanto 저자; verkisto 작가 /

2) 만약 그 필요한 말이 아직 존재하지 않는다는 것을 안다면, 즉, 그것이 아직 쓰이지 않고 있다면, 우리는 그 언어에 이미 존재하는 다른 어근어들로부터 그 말을 만들어내려고 할 것입니다. 예를 들어, 그 어떤 신생 언어에서 처음으로 수학책을 만든다면, 그 저자는 <곱하기>, <분자> 혹은 <삼각형>과 같은 말들을 표현할 필요가 있을 것이고, 그때 그는 이미 사전에 등재된 다른 단어들로부터 그 단어들을 쉽게 만들어낼 수 있을 것입니다.

3) Se, fine, la vorto ne ekzistas en la komuna vortaro kaj krei ĝin el la ekzistantaj vortoj estas malfacile aŭ donas esprimon neklaran, tro longan kaj ne oportunan, la specialisto, ne longe pensante kaj ne ĝenante sin, simple prenas la vorton el ia alia lingvo, donante al ĝi nur la ortografion de lia lingvo. La elekto ordinare ne estas malfacila, ĉar la plej granda parto da vortoj de tiu ĉi 3-a kategorio estas egale uzataj (kiel vortoj «fremdaj») en ĉiuj lingvoj kaj estas sekve jam per si mem internaciaj.

/ ne ĝenante sin 자신을 귀찮게 하지 않으면서, 다른 생각 할 필요없이 / donante al ĝi nur la ortografion de lia lingvo 그의 언어의 철자법만 지켜서 / vortoj fremdaj 외래어 / sekve 따라

3) 마지막으로 만약 그 단어가 일반사전에도 없고 또 기존의 단어들로 그것을 만들어내기도 어렵거나 아니면 만들어낸다 하더라도 그 뜻이 분명하지 않고 또 너무 길어서 불편하다면, 그 전문가는 오래 생각할 필요 없이 그저 다른 언어로부터 그 단어를 취해서 그 언어의 철자법에만 맞추면 됩니다. 그 선택은 보통 그렇게 어렵지 않습니다. 왜냐하면 그 제3형의 단어들 대부분은 모든 언어에서 똑같이 쓰이고 있어서 (외래어처럼) 따라서 그 자체로 이미 국제어가 된 겁니다.

Se vi dubas, ĉu la bezonata vorto estas uzata en ĉiuj lingvoj egale aŭ malegale, vi povas simple preni la vorton el la vortaro franca (kiun ĉiu povas ja facile havi), aŭ helpi al vi en ia alia maniero, tiel same, kiel en ĉiu juna lingvo helpas al si la kreantoj de novaj specialaj vortoj ne turnante ja sin al ia beletristo aŭ filologo.

/ helpas al si 스스로를 돕는다, 알아서 처리한다 /

만약 그 필요한 단어가 다른 말들에서도 다 똑같이 쓰이는지 아닌지 의심스러우면 간단히 프랑스어 사전에서 취하면 됩니다. (이 사전은 모두 쉽게 구할 수 있습니다). 아니면 다른 모든 신생 언어에서 특별한 단어를 새로 만들려고 하는 사람들이 문학가나 문헌학자들에게 물어보지 않고 스스로 하듯이 스스로 다른 방법으로 처리할 수 있습니다.

Kiel tre bonan ekzemplon de tiu teĥnika speciala vortareto mi povas rekomendi la vortareton por filatelistoj, ellaboritan de S^{ro} René Lemaire tute sen ia helpo de mia flanko. Ĉio tie estas ĝusta, klara, oportune uzebla kaj severe en la spirito de nia lingvo. Se ne ĉiu el vi havas talenton krei tute bonan vortareton de sia specialeco, tio ĉi ne malhelpas kaj ne devas vin deteni : aliaj specialistoj de via specialeco legos poste vian vortareton kaj helpos al vi korekti kaj glatigi ĝin.

/ tute sen ia helpo de mia flanko 나로부터는 어떤 도움도 받지 않고 / Se = Eĉ se 비록 ~라 해도 / tio ĉi ne malhelpas 이것은 방해(문제)가 되지 않는다 /

그 기술용어 사전의 아주 좋은 본보기로 저는 우표수집 애호가들을 위한 소사전을 추천할 수 있습니다. 그것은 René Lemaire 씨가 저로부터의 도움은 전혀 받지 않고 만들었습니다. 거기에 들어있는 모든 것은 아주 정확하고 분명하며 편리하게 사용할 수 있는 것들이며 또 우리 에스페란도 정신에 꼭 맞는 것들입니다. 혹시 여러분 모두가 자신의 전문분야에서 좋은 소사전을 만들 재능을 가지고 있지 않다 해도 괜찮습니다. 그리고 그것 때문에 망설일 필요도 없습니다. 그대의 전문분야의 다른 전문가들이 나중에 그대의 소사전을 읽을 것이며 그대가 그것을 고치고 다듬을 수 있도록 도와 줄 것입니다.

Kion ajn vi devos fari, prezentu al vi de nun ĉiam, ke la iniciatoro de la lingvo jam ne ekzistas, ke ekzistas nur la lingvo mem kaj ĝia popolo (la esperantistoj). La nuna vortaro de nia lingvo estas multege pli riĉa ol la vortaro de ĉia juna, ankoraŭ ne sufiĉe potenca popolo; sekve se en tiuj lingvoj la rapida riĉigado de la lingvo per fortoj komunaj iras tre facile kaj rapide, des pli facile ĝi iros en nia lingvo.

Lingvo Internacia, 1896, p. 102.

/ prezentu al vi de nun ĉiam, ke 지금부터는 항상 ~라는 것을 생각하세요 / iras tre facile kaj rapide 아주 쉽고 빠르게 진행이 된다, 이루어진다 / des pli facile 더 쉽게, 앞에 ju pli가 없

무엇을 해야 하든지 이제부터는 항상 에스페란토의 창안자는 더 이상 존재하지 않고 오직 언어 자체만 그리고 그 언중(에 스페란티스토들)만 존재한다는 것을 생각하세요. 에스페란토 의 현재의 사전은(어휘는) 아직 어리고 힘이 없는 다른 민족 의 어휘들보다 훨씬 더 방대합니다. 따라서 만약 그 언어들이 공동의 힘으로써 쉽고 빠르게 풍부해진다면, 우리 에스페란토 는 더더욱 쉽게 풍부해질 것입니다.

Pri plena vortarego
큰사전에 대하여

Efektive, ni ekstreme bezonas plenan vortaregon, kiu enhavus ne sole ĉiujn vortojn de la ordinara vivo, sed ankaŭ ĉiujn vortojn teknikajn de ĉiuj sciencoj, artoj kaj metioj, ĉiujn nomojn geografiajn, historiajn, personajn k.t.p.; nia Lingva Komitato farus al ni tre grandan servon, se ĝi per komuna laboro de ĉiuj siaj membroj *pretigus* tian vortaregon. Sed eldoni tian vortaregon kun karaktero oficiale fiksita la Lingva Komitato nun ne povas kaj longe ankoraŭ ne povos, ĉar tia laboro estas ne sole tre malfacila kaj la kompetenta esploro kaj fikso de ĉiuj el la senlima multego da vortoj postulas multege da tempo kaj fortoj, sed tia laboro estus eĉ rekte malutila.

/ ekstreme 극단적으로, 대단히 / metio 수공업 (arto, tekniko, fabrikado, ofico 등과 대비하여) / rekte 직접적으로 /

사실 우리는 일상생활에 필요한 모든 단어뿐만 아니라 과학, 예술, 수공업의 모든 기술용어들 그리고 지리와 역사 또 사람 의 고유명사까지 포함하는 아주 큰 대사전을 정말 필요로 합 니다. 우리의 언어위원회에서 모든 회원들의 공동작업을 통하여 그런 대사전을 준비해 준다면 참 좋은 일이겠지요. 그러나 언어위원회가 공식적인 성격을 띤 그런 대사전을 출판하는 일은 현재도 그리고 앞으로도 상당히 긴 시간 동안 할 수 없을 것입니다. 왜냐하면 그러한 일은 어렵고도 전문적인 연구이며 또 무한히 많은 단어들을 확정 짓는 일은 아주 많은 시간과 노력을 필요로 하는 일이기 때문입니다. 그럴 뿐만 아니라 사실 그러한 일은 직접적으로 해가 되는 일이기 때문이기도 합니다.

Se tian *grandampleksan* fiksitan vortaregon, kiun povas krei nur tre longa kaj ĉiuflanka uzado kaj elprovado, ni volus pretigi teorie kaj «*en rapideco*», ni tre danĝere enkatenigus nian lingvon, ni malpermesus al ĝi libere kaj sane disvolviĝi; ni perforte *altrudus al* la lingvo multajn formojn kaj vortojn, kiuj al tiu aŭ alia kunlaboranto de la vortaro pro nesufiĉa elprovo en la unua momento ŝajnis bonaj, sed kiuj poste en la praktika uzado povus *montriĝi* tute malbonaj.

/ elprovado 시도해 보는 것, 시험 / en rapideco 서둘러, 급히 / tiu aŭ alia 이런저런 / povus *montriĝi* ~일 수 있을 겁니다, ~일지도 모릅니다 /

만약 우리가 그런 큰 대사전을 이론적으로 그리고 <서둘러> 만들어내기를 원한다면, 우리는 우리의 언어를 아주 위험스럽게 옭아맬 수 있습니다. 그리고 또한 에스페란토가 자유롭고도 건전하게 발전해 나가지 못하도록 할 수도 있습니다. 그런 대사전은 오로지 아주 긴 시간 모든 방면으로의 시험을 다 거친 후에야 만들어질 수 있는 것입니다. 우리는 억지로 우리의 에스페란토에 많은 형태와 단어들을 만들어 넣을 수도 있습니다. 그러나 처음에는 충분한 시험을 거치지 않아서 이런저런 공동 편찬인들에게 그것이 좋은 듯이 보일 수도 있으나, 나중

에 실제적인 사용에 있어서 그것들이 아주 나쁜 것으로 드러
날 수도 있는 것입니다.

Tia konsidero estis *interalie* ankaŭ la kaŭzo, pro kiu mi,
publikigonte mian unuan libron pri Esperanto, decidis forĵeti la
tro grandan vortaron kaj tro abundan afiksaron, kiujn mi estis
pretiginta teorie, kaj mi decidis publikigi vortareton nur tre
malgrandan kaj nur plej necesan por la ordinara vivo, lasante
ĉion alian al libera, *iom-post-ioma* ellaboriĝado.

> / *interalie* 그 가운데 특히 / esti la kaŭzo, prokiu ~의 원인이다
> / ellaboriĝado 서서히 만들어짐; ellabori 만들어내다 /

바로 그러한 고려로 인해 저는 특히 에스페란토 제1서를 발표
하면서 너무 많은 어휘와 많은 접사들은 포기하기로 결정을
했습니다. 사실 그러한 것들은 이미 이론적으로는 다 준비가
되어 있었으나, 저는 일상생활에 꼭 필요한 조그마한 단어장
만을 발표하기로 결정을 한 것입니다. 그리고 다른 모든 것은
자유롭게 조금씩 조금씩 만들어져 나가는 그러한 과정에 맡기
기로 한 것입니다.

Sed se la Lingva Komitato ne povas doni al ni jam nun plenan
vortaregon oficiale fiksitan, ĝi povas tamen fari ion alian (kaj
parton de tio ĝi jam faris kaj faras): *dividinte* la grandegan
laboron *inter* ĉiuj komitatanoj (el kiuj ĉiu nepre devas ion fari)
kaj inter aliaj helpantoj, ĝi povas krei en ne tro longa tempo
plenan vortaregon provizoran. Kiam tiu vortarego estos preta, ĝi
servos kiel ne oficiala kaj ne deviga konsilanto por ĉiuj, kiuj
bezonas uzi *tiun aŭ alian* vorton aŭ nomon, sed ne povas aŭ ne
volas mem ĝin elekti kaj, ne havas la eblon serĉi en nia tuta
literaturo, *ĉu kaj kiamaniere iu jam uzis tiun vorton.*

그러나 언어위원회가 지금 당장은 우리에게 공식적인 대사전을 만들어 주지 못한다 할지라도, 조금 다른 그 무언가는 만들 수 있습니다. (그리고 그것의 일부는 벌써 만들었고 또 만들고 있습니다.) 위원회는 그 큰 일을 모든 위원들과 (각각의 위원들은 무언가를 분명히 해야만 합니다) 조력자들에게 분담을 시켜서 멀지 않은 장래에 임시적인 대사전을 만들 수 있습니다. 그렇게 되면 사람들이 이런저런 단어나 이름을 쓸 필요가 있을 때, 그걸 쓰긴 써야겠는데, 스스로 선택할 수 없거나 또는 그렇게 하고 싶지 않고, 또 우리의 모든 문헌에서 그 단어가 이미 쓰인 적이 있는지 없는지, 또 어떤 방식으로 쓰였는지 알아낼 수도 없을 때, 그 준비된 대사전은 비공식적, 비강제적 조언자의 역할을 할 수 있습니다.

Tiu «rapidece» pretigita vortarego tute ne estus deviga: ĉiu, kiu trovus, ke tiu aŭ alia vorto estas malbona, havus plenan rajton uzi alian vorton; kaj poste la Lingva Komitato povus periode publikigadi listojn *da* vortoj, pri kiuj ĝi estos konstatinta, ke la vivo kaj kompetentula uzado fiksis por ili alian formon, ol kiun ili ĝis nun havi sen la provizora vortarego; sed ĉiuj vortoj, kiuj oficiale ne estos anstataŭigitaj, restos uzeblaj.

그 <서둘러> 준비된 대사전은 절대 강제적인 것이 되어서는 안 될 것입니다. 만약 어느 누구라도 그 어떤 단어가 나쁘다고 생각한다면 다른 단어를 쓸 완전한 권리가 있습니다. 그리고 나중에 언어위원회에서 정기적으로 목록을 발간할 수도 있을 겁니다. 그동안 전문가들의 실제 사용을 통하여 그 임시 대사전에서 발표된 것보다 다른 형태의 단어가 더 많이 쓰이고 고착이 된 것을 발견했다면, 그것들을 그 목록에 발표할 것입니다. 그러나 공식적으로 대체되지 않은 다른 모든 단어들은 그대로 계속 쓰이게 될 것입니다.

Tiamaniere la Provizora Vortarego kun ĝiaj estontaj periodaj Aldonoj restos ĉiam plej grava konsilanto por ĉiuj verkantoj, kaj el la vortarego provizora iom post iom elkreskos la estonta vortarego oficiale fiksita. — Mia ideo estas kompreneble nur teoria; ĉu ĝi estas efektiviginda kaj efektivigebla, — pri tio povas juĝi nur la estraro de la Lingva Komitato, kiu sola havas aŭtoritaton kaj sperton pri tiu demando; tamen mian respondon pri la vortarego mi donas publike por tio, ke niaj samideanoj havu okazon pripensi la aferon kaj eble esprimi ian utilan opinion, aŭ proponi sian helpon al la Komitato, se tiu lasta ĝin bezonus.

Respondo 58, *Oficiala Gazeto*, IV, 1911, p. 223

/ elkreski 자라나다 / tio 앞의 문장 (ĉu ~ efektivigebla)을 받는다 / tiu lasta는 앞에서 맨 마지막으로 나온 명사 Komitato를 받는다 /

그런 식으로 정기적으로 추가 조치를 한다면, 그 임시 대사전은 모든 저자들에게 가장 중요한 조언자가 될 것이며, 차츰차츰 미래의 공식 대사전으로 자라날 겁니다. 저의 생각은 물론

그저 이론적인 것일 뿐입니다. 그것이 실현할 만한지 또는 실현될 수 있을 것인지는 오로지 그런 문제에 대해 권위와 경험을 가진 언어위원회 회장단만이 판단할 수 있을 것입니다. 그렇지만 대사전에 대한 저의 대답을 이렇게 공개적으로 밝히는 이유는, 우리 동지들이 이 문제에 대해 좀 생각해 볼 기회를 가지시고 또 가능하다면 어떤 유익한 의견을 표현해 주시기를 바라서입니다. 그리고 또 혹시 위원회가 필요로 한다면 위원회에 자신의 도움도 제안해 주시기를 바라서이기도 합니다.

Pri novaj vortoj
새 단어들에 대하여

Respondo al kapitano A. Capé, maltrankviliĝinta pro la enmeto de multaj kaj laŭ lia opinio superfluaj novaj radikoj en la unuan eldonon de la Esperanta-Germana Vortaro de Hermann Jürgensen (renverso de la Germana-Esperanta Vortaro de Hermann Jürgensen kaj M. Pagnier, antaŭe publikigita sub la kontrolo de D^{ro} Zamenhof). La malĝojaj ideoj, kiujn vi esprimis pro la novaj vortoj en la laste aperintaj vortaroj, ŝajnas al mi tute senkaŭzaj; laŭ mia opinio via timo venis nur de tio, ke vi ne tute ĝuste prezentas al vi la esencan signifon de tiuj pligrandigitaj vortaroj.

/ laŭ lia opinio superfluaj novaj radikoj 그의 의견으로는 불필요한 새로운 단어들 / en la unuan eldonon 여기서 목적격이 쓰인 것은 앞에 나오는 명사 enmeto가 동사적 성격을 띠기 때문인데, 이런 용법은 사실 좋지 않음 / vi ne tute ĝuste prezentas al vi - on 그대가 ~을 잘 모르기 때문이다 /

A. Capé 대위에게 보낸 답변. 그는 Hermann Jürgensen의 <에스페란토-독일어 사전> (이전에 자멘호프 박사의 검열을 받아 발표된 Hermann Jürgensen과 M. Pagnier의 <독일어-에스페란토

사전>의 반대 사전) 제1판 안에 들어온 여러 불필요한 새로운 어근들에 대하여 불안해하였습니다. 저는 그대가 최근에 발표된 사전들에 실린 새로운 단어들에 대하여 걱정스러운 생각을 가지고 있는 것은 괜한 것이라 생각합니다. 제 생각으로는 그대의 걱정은 그대가 더 큰 사전들의 본질적인 의미를 잘 몰라서 그런 것 같습니다.

La novaj vortaroj ne havas eĉ la plej malgrandan intencon detrui la unuecon de nia lingvo. La sola kaj netuŝebla fundamento de nia lingvo ĉiam restas la «Universala Vortaro» kaj la novaj vortaroj ne ŝanĝas eĉ unu vorton el tiu fundamenta vortaro; ilia celo estas nur doni klarigon kaj helpon en tiuj okazoj, kiam la Universala Vortaro ne sufiĉas. Estas dezirinde, ke tiun ĉi ideon la novaj vortaroj akcentu tute klare en siaj antaŭparoloj, por eviti ĉian malkompreniĝon.

/ ĉiam restas la ~이 항상 그렇다, 여기서 주어는 la «Universala Vortaro»; restas에 걸리는 주격보어는 La sola kaj netuŝebla fundamento de nia lingvo / Estas dezirinde, ke ~하는 것이 바람직하다 / malkompreniĝon = malkomprenon 오해를 /

새로운 단어들은 우리 에스페란토의 통일성을 무너뜨리려 할 의도는 추호도 없습니다. 에스페란토의 유일하고도 불변의 규범은 항상 <기본단어장>입니다. 그리고 새로운 단어들은 그 기본단어장의 단어 가운데 그 어느 하나라도 바꾸지는 않습니다. 그 새로운 단어들의 목적은 기본단어장이 충분하지 않을 때 그런 경우에 설명과 도움을 주려고 하는 것입니다. 이런 생각을 새로운 사전들은 서문에 분명히 밝혀서 모든 오해를 피하는 것이 좋겠습니다.

La ĉefaj principoj de la vortouzado en Esperanto estas la

sekvantaj : a) Ĉiu vorto, kiu troviĝas en la Universala Vortaro estas leĝdona por ĉiuj esperantistoj, kaj neniu en la mondo, nek la aŭtoro de Esperanto nek ia alia esperantisto havas la rajton fari en tiuj vortoj ian ŝanĝon (se ekzemple anstataŭ «ŝipo» iu uzas la vorton «navo», ĉar la vorto «ŝipo» al li «ne plaĉas» — tio estus rekta peko kontraŭ la unueco de nia lingvo kaj ĉiuj esperantistoj tiam protestus).

/ leĝdona 법적인, 규범적인 / ne plaĉas 마음에 들지 않는다 / protestus 저항할 것이다, 반대할 것이다 /

에스페란토 단어 사용의 기본 원칙은 다음과 같습니다 : a) 기본단어장에 들어 있는 모든 단어는 모든 에스페란디스도들에게 규범적인 것이다. 그래서 이 세상 그 누구, 그 어느 에스페란토 저자 또는 에스페란티스토라도 그 단어들에 대하여 그 어떤 변경도 가할 권리가 없다 (만약 예를 들어 <ŝipo>라는 단어가 <마음에 들지 않는다고> 그 대신 <navo>라는 단어를 쓸 수는 없다. — 이것은 에스페란토의 통일성에 직접적인 위해가 되는 일이며 모든 에스페란티스토들이 그것을 반대할 것이다).

b) Se vorto per si mem estas internacia, tiam laŭ la regulo 15 de nia gramatiko ĉiu havas la rajton uzi tiun ĉi vorton, kvankam ĝi ne troviĝas en la Universala Vortaro. (Ekzemple neniu povus protesti kontraŭ la uzado de la vortoj «aŭtoro», «telegrafo» k. t. p., kvankam ili ne troviĝas en la Universala Vortaro).

/ per si mem estas internacia 그 자체가 국제적인 것이다 /

b) 만약 어떤 단어가 그 자체로 국제적인 것이라면 그때에는 에스페란토 문법 제15조에 따라 모든 사람이 그 단어를 사용할 권리가 있습니다. 비록 그것이 기본단어장에 없다고 할지

라도 말이지요. (예를 들어, 아무도 <aŭtoro>, <telegrafo> 등의 단어를 사용하는 것을 반대할 수는 없을 겁니다. 비록 그것이 기본단어장에 없다 해도 말입니다.)

c) Sed se ia vorto nek estas sendube internacia nek havas por si apartan radikon en la Universala Vortaro kaj esprimi ĝin per kunmeto de radikoj jam ekzistantaj estas aŭ tute ne eble, aŭ tro neoportune, aŭ teknike ne precize, — tiam tiun ĉi vorton ĉiu aŭtoro povas mem krei laŭ sia bontrovo, tiel same kiel oni ĝin faras en ĉiu alia lingvo. Tiu ĉi permeso estas necesa, ĉar alie la lingvo estus tro rigida kaj multajn ideojn oni tute ne povus esprimi en ĝi.

> / per kunmeto de radikoj 어근의 조합(합성)으로써 / laŭ sia bontrovo 자신의 판단에 따라, 자기가 좋게 생각하는 대로 / alie 그렇지 않으면, 그게 아니면 /

c) 그러나 만약 어떤 단어가 분명히 국제적인 것도 아니고 또 기본단어장에 들어 있지도 않고, 기존의 어근들로 합성을 해서 표현하는 것도 불가능하거나 또는 너무 불편하고 또 기술적으로 정확하지 않을 때에는 — 그때에는 다른 모든 언어에서 하듯이, 그렇게 모든 저자들이 자신의 판단에 따라 이 단어를 만들어낼 수 있습니다. 이러한 허용은 필요합니다. 만약 안 그러면 언어가 너무 딱딱해져서 그 언어로 표현할 수 없는 일들이 많을 것입니다.

Sed ĉar ne ĉiuj personoj povas mem krei al si vortojn kaj ĉar estas dezirinde, ke ĉiuj uzu la novajn vortojn kiom eble egale, tial ĉiu nove aperanta vortaro ordinare enhavas en si kelkan nombron da novaj vortoj sub la kontrolo de l' aŭtoro de Esperanto, por ke ili povu alporti helpon al ĉiuj, kiuj bezonas

novajn vortojn kaj ne volas ilin krei ĉiu arbitre kaj diversmaniere
laŭ sia bontrovo.

그러나 모든 사람이 다 스스로 새로운 단어를 만들어 낼 수
있는 건 아니므로, 그리고 또 가능한 한 모든 사람들이 그 새
로운 단어들을 다 똑같은 의미로 사용하는 것이 바람직하므
로, 그래서 새로 출판되는 모든 사전은 보통 어느 정도의 새
로운 단어들을 에스페란토의 저자 (자멘호프 자신)의 검열을
받고서 포함시키는 것입니다. 그래야만 그 새로운 단어들을
필요로 하긴 하지만, 스스로는 중구난방으로 자기 마음대로
만들어내고 싶지는 않은, 다른 모든 사람들에게 도움이 될 것
이기 때문입니다.

Sed tiuj ĉi novaj vortoj, kiuj ne troviĝas en la Universala
Vortaro, estas nur private rekomendataj, sed tute ne oficiale
ordonataj! Nur rekomendataj, ne altrudataj! Kiu trovas ilin bonaj,
povas ilin uzi, kiu trovas ilin ne bonaj, povas ilin ne uzi kaj
anstataŭigi per iaj aliaj vortoj. Sed pro la unueco de nia afero
estas komprenble dezirate, ke oni anstataŭu ilin per aliaj vortoj
nur en okazo de ilia efektiva malboneco, sed ne pro simpla
persona kaprico.

그러나 기본단어장에 있지 않은 이러한 단어들은 단지 사적으
로 추천하는 것일 뿐 절대 공식적인 것이 아닙니다! 오직 추
천일 뿐입니다. 절대 강제로 요구하는 것이 아닙니다! 그것들
이 좋다고 생각하는 사람은 그걸 쓸 것이고, 또 좋지 않다고
생각하는 사람은 안 쓰면 되고 다른 단어들로 대체할 수 있습
니다. 그러나 에스페란토의 통일성을 위해서 다른 단어로 대
체할 때에는 물론 분명히 그것이 나쁠 경우에만 그렇게 하시
기 바랍니다. 절대 자신의 기분 때문에 그렇게 하면 안 됩니
다.

Vi diras, ke la aperado de novaj vortoj faras la lingvon pli
malfacile ellernebla. Sed kial? Ili ja tute ne elpuŝas la antaŭajn
vortojn kaj ne ŝanĝas en io la ĝisnunajn principojn de la
Esperanta vortfarado. Ili ja servas nur por la okazoj de efektiva
bezono kaj garantias kontraŭ la *Babilona* konfuzo, kiu aperus, se
en okazoj de bezono ĉiuj aparte kreus vortojn malegalajn : sed
kiam oni tiujn vortojn ne bezonas, oni ilin ne uzas.

그대는 새로운 단어의 출현이 에스페란토를 더 어렵게 만든다
고 말하는데 왜 그런가요? 그것들은 절대 기존의 단어들을 몰
아내지 않으며 또 그 무엇에도 지금까지의 에스페란토 조어의
원칙을 바꾸지 않습니다. 그것들은 단지 실제적인 필요의 경
우에만 쓰일 뿐입니다. 그리고 모든 사람이 필요한 경우 각자
따로따로 단어를 다르게 만들어 쓸 때 일어날 수 있는 바벨탑

사건과 같은 혼란을 방지하게 될 것입니다. 그러나 그 단어들이 필요하지 않으면 안 씁니다.

Malbonaj aŭtoroj trouzos la uzadon de tiaj vortoj, sed sen ili la malbonaj aŭtoroj ja ankoraŭ pli multe difektus la lingvon; bonaj aŭtoroj ankaŭ nun skribas tiel same klasike kiel antaŭe, kaj se vi prenos ian bonan verkon *verkitan* nun kaj alian bonan verkon skribitan antaŭ 10 jaroj, kiam ne ekzistis ankoraŭ la vortaroj de Beaufront, Cart, Jürgensen-Pagnier kaj aliaj, vi vidos, ke la lingvo en ambaŭ verkoj estas tute egala kaj en la daŭro de sia tuta ekzistado la lingvo neniom ŝanĝiĝis.

> / sed sen ili 그러나 그것들이 없으면, 없다 해도 / klasike 고전적으로, 정통적으로, 좋은 문체로 / *verkitan* 원문에서는 varbitan으로 잘못 쓰였음 /

수준 낮은 저자들은 그러한 단어들을 너무 남용할 것입니다. 그러나 그런 단어들이 없다면 그들은 어쩌면 에스페란토를 더 많이 해칠 것입니다. 반면 좋은 저자들은 이전과 마찬가지로 그렇게 정통적으로 글을 쓸 것입니다. 만약 그대가 지금 쓰인 어떤 좋은 작품과 Beaufront, Cart, Jürgensen-Pagnier 씨 등의 사전이 없던 10년 전에 쓰인 또 다른 좋은 작품을 비교해 본다면, 그 두 작품에서 에스페란토는 똑같으며 그동안 조금도 변하지 않았다는 것을 알게 될 것입니다.

Vi timas, ke la posedanto de franca vortaro ne komprenos la posedanton de la iom pli plena vortaro germana, — sed via timo estas nur teoria; faru provon, kaj vi vidos, ke ambaŭ reciproke komprenos sin perfekte. Ĉiufoje kiam aperas nova eldono de la vortaro en ia lingvo, ĝi enprenas en sin ĉiujn novajn vortojn, kiuj ekzistas jam en la aliaj vortaroj, kaj tiamaniere la vortaroj en diversaj lingvoj tute ne diferencas inter si kaj tamen la lingvo konstante ĉiam pli kaj pli riĉiĝas, sen ia ŝarĝado de la lernanto (ĉar la plej granda parto de la novaj vortoj estas aŭ pure internaciaj, kiujn la vortaroj ne kreas, sed nur fiksas, aŭ vortoj speciale-sciencaj kaj teknikaj, kiujn la ordinara lernanto ne bezonas).

/ faru provon 실험을 해보라 / enprenas en sin ĉiujn novajn vortojn 모든 새로운 단어들을 그 안에 포함시킨다 / sen ia ŝarĝado de la lernanto 학습자의 그 어떤 부담도 없이, de 대신 al을 써도 됨 / la plej granda parto de 대부분의 ~는 /

그대는 프랑스어 사전을 가진 사람하고 조금 더 큰 독일어 사전을 가진 사람하고 서로를 이해하지 못할 것이라 걱정을 하는데, — 그러나 그대의 걱정은 이론일 뿐입니다. 실험을 해보세요. 그러면 그 둘 다 서로 완벽하게 이해한다는 것을 알게 될 것입니다. 어느 언어에서 새로운 사전이 나올 때마다 그 사전은 다른 여러 사전에 들어 있는 모든 새로운 단어들을 포함하게 됩니다. 그렇게 함으로써 여러 언어의 사전들이 서로 다르지 않게 되고 에스페란토는 계속 더 풍부해지게 되는 겁니다. 학습자들에게는 전혀 부담을 주지 않고 말입니다 (왜냐하면 그 새로운 단어 대부분은 그 사전들이 창안해 낸 것이 아니라 그저 확정만 지어 등재한 순수 국제적인 단어들이거나 아니면 아주 학술적이고 기술적인 전문용어들이라서 보통의 학습자들은 필요하지 않은 것들이기 때문입니다).

Mi tamen ripetas, kion mi supre diris: oficiala parto de la lingvo devas ĉiam resti nur la Universala Vortaro kaj la 16 reguloj de la gramatiko; ĉio alia, kion mi faras aŭ faros, devas esti rigardata ĉiam kiel farado privata, por neniu deviga. Sekve ankaŭ la novaj vortoj en la vortaroj estas de mi nur private rekomendataj (por

- 108 -

ebligi kiel eble plej grandan unuecon en nia afero), sed ne
oficiale altrudataj.

/ ĉio alia, kion ~한 다른 모든 것은 / por neniu deviga 어느 누
구에게도 강제적이지 않은 /

그러나 위에서 제가 말씀드린 것을 다시 반복합니다. 에스페
란토의 공식적인 것은 오로지 기본단어장과 문법 16개 조항뿐
입니다. 제가 지금 하고 있거나 또는 앞으로 하게 될 다른 모
든 것은 항상 어느 누구에게도 강제적이지 않은 사적인 일로
받아들여져야만 합니다. 따라서 사전에 나오는 새로운 단어들
도 제가 사적으로 추천하는 것일 뿐 절대 공식적으로 강요하
는 것은 아닙니다 (오로지 가능한 한 에스페란토의 통일성을
위해서 말입니다).

Sekve, se la esperantistoj per reciproka konsiliĝado venus al
komuna interkonsento, ke la novaj vortoj devas esti evitataj aŭ
anstataŭigataj per iaj aliaj, mi nenion havos kontraŭ tio ĉi. Laŭ
mia opinio kaj deziro en Esperanto devas ekzisti ne persono
leĝdonanta, sed nur ia unu fojon por ĉiam elektita libro
leĝdonanta ; ĉiuj miaj opinioj ne esprimitaj en la gramatiko kaj
Universala Vortaro devas esti rigardataj ne kiel leĝoj, sed nur
kiel konsiloj de la plej kompetenta esperantisto.

Lingvo Internacia, 1904, p. 336.

/ venus al komuna interkonsento 공동의 합의가 이루어진다면 /
mi nenion havos kontraŭ tio ĉi 나는 이것에 대해 절대 반대하
지 않는다 / nur ia unu fojon por ĉiam elektita 오직 그 어떤
단 한 번 영원히 선택된 / *leĝdonanta* 법을 정하는, 규범적인;
당시에는 <Fundamento de Esperanto>가 확정되어 있지 않았음
/ kompetenta 어떤 분야에 유능하고 권위가 있는, 잘 아는 /

따라서 에스페란티스토들이 공동으로 합의하여 그 새 단어들을 피하거나 또는 다른 것들로 대체하려고 한다면, 저는 절대 그것에 반대하지 않을 것입니다. 제 의견과 바람으로는 에스페란토에는 어떤 법을 제정하는 사람이 있어서는 안 되고 오직 단 한 번 영원히 선택된 규범적인 책이 있어야만 합니다. 문법과 기본단어장에 표현되지 않은 저의 모든 의견은 절대 법으로 받아들여져서는 안 되고 그저 가장 에스페란토를 잘 아는 사람의 권고로만 받아들여져야 합니다.

Pri la ortografio de propraj nomoj

사람 이름 표기에 대하여

Propran nomon oni povas nun skribi *tiel, kiel* ĝi estas skribata en la gepatra lingvo de ĝia posedanto, ĉar en la nuna tempo la fonetika skribado de multaj nomoj kaŭzus tro grandan kriplaĵon de tiuj nomoj kaj diversajn malkomprenaĵojn. Sed tio ĉi estas nur rimedo provizora; ni devas celadi al tio, ke pli aŭ malpli frue en la lingvo internacia ĉiuj nomoj estu skribataj laŭ la fonetiko internacia de tiu ĉi lingvo, por ke ĉiuj nacioj povu legi ĝuste tiujn nomojn.

Esperantistische Mitteilungen, Junio 1904

(citita en *Lingvo lnternacia*, 1904, p. 216).

/ tiel, kiel ~하듯이 그렇게 / rimedo 수단, 방법, 방책, 조치, 자원(복수로 씀, 돈) *lingvo devas esti por la homo ne celo, sed rimedo* Z; *apliki ĉiujn eblajn rimedojn*; *ili ne havis la rimedojn, por aboni gazeton* Z; / celadi al tio, ke ~하는 것을 목표로 노력해 나가다 / pli aŭ malpli frue 조만간 /

현재는 사람 이름을 표기할 때 자신의 모국어에서 표기하듯이 그렇게 할 수밖에 없습니다. 왜냐하면 지금 우리가 만약 많은 고유명사를 발음에 따라 에스페란토 글자로 표기한다면 너무 큰 혼란과 불소통을 야기할 것이기 때문입니다. 그러나 이것은 다만 임시적인 조치일 뿐입니다. 우리는 조만간 모든 고유명사가 에스페란토 음운론에 따라 표기되어서 모든 민족이 다 그것을 읽을 수 있게 되도록 노력해 나가야 합니다.

Pri la nomoj de landoj
나라 이름에 대하여

De la komenco ĝis nun mi ĉiam uzadis la nomon «Egipto» ne por la lando, sed por la popolo; la landon mi nomadis «Egiptujo». Mi tion faradis ne pro nesufiĉa pripenso, sed tute pripensite kaj intence. En la *novaj landoj* (ekzemple en ĉiuj landoj Amerikaj), la lando fakte kaj morale apartenas ne al ia difinita gento, sed egalrajte al ĉiuj siaj loĝantoj; tial *estas afero tute natura, ke* tie la lando ne uzas por si (per «uj»), la nomon de ia gento, sed kontraŭe, ĉiuj ĝiaj loĝantoj uzas por si (per «an») la nomon de la lando.

/ fakte kaj morale 실제적으로 또한 정신적으로 / *estas afero tute natura, ke* ~라는 것은 너무나도 당연한 일이다 / ***novaj landoj*** : 자멘호프는 아메리카의 모든 나라를 신생국으로 보고 있으며, 이런 나라들은 나라 이름을 쓸 때 민족명 뒤에 접미사 <uj>를 붙이지 않는다고 말한다. (어떤 민족이 중심이 되어 세워진 나라가 아니라는 의미) 그리고 그러한 나라들은 나라 이름에 접미사 <an>을 붙여서 국민을 나타낸다고 말한다. /

처음부터 지금까지 저는 항상 <Egipto>라는 이름을 그 나라를 부르기 위해 사용하지 않았고 그 국민을 부르기 위하여 사용해 왔습니다. 그 나라는 <Egiptujo>라고 늘 불러 왔습니다. 저

는 그것을 깊이 생각하지 않고 그렇게 한 게 아니라, 많이 생각한 후에 의도적으로 그렇게 했습니다. 신생국들은 (예를 들어 아메리카의 모든 나라들) 그 나라가 실제적으로 그리고 또 정신적으로도 그 어떤 일정한 민족에 속하지 않고 그 거주민 모두에게 동등한 권리로 속하는 것입니다. 그래서 그 나라들은 어떤 민족명을 쓰지는 않습니다 (접미사 <uj> 사용). 그 반대로 국민은 그 나라의 이름을 사용합니다 (접미사 <an> 사용).

Tute alia afero estis (kaj tradicie restis) en la landoj malnovaj: ĉiun pecon da tero okupis ia speciala gento, nomis la landon sia speciala genta proprajo kaj ĉiujn aligentajn loĝantojn aŭ ekstermis, aŭ permesis al ili vivi en la lando kiel «fremduloj»; tial la landoj malnovaj preskaŭ ĉiam portas la nomon de tiu aŭ alia gento, kaj en Esperanto, ĝis la tempo, kiam ni havos nomojn pure geografiajn, ni tion esprimas per la sufikso «uj».

/ nomi –on –o (–a) ~을 ~라고 하다; nomi 이름 부르다, 이름 짓다 / portas la nomon ~라는 이름을 가지고 있다 /

그러나 역사가 오래된 나라들에서는 문제가 전혀 달랐습니다 (그리고 전통적으로 그렇게 남았습니다). 모든 땅덩어리는 어떤 특별한 민족이 차지하고는 그 땅을 그 민족의 특별한 소유물로 이름 지었습니다. 그리고 다른 민족의 거주민들은 완전히 전멸시키거나 아니면 그 땅에서 <이방인>으로 살도록 허락해 주었던 것입니다. 그래서 오래된 나라들은 거의 항상 이런저런 민족의 이름을 지니고 있습니다. 우리가 완전히 지리적인 이름을 가지기 전까지는 에스페란토에서 우리는 그것을 접미사 <uj>로써 표현합니다.

La apud-Nila lando en la tempo de sia plej grava historia valoro estis lando antikva, aranĝita laŭ la principo «lando apartenas al unu gento», ĝi sekve nepre devas havi la sufikson «uj», *por ke* ni povu esprimi la tre gravan por antikva lando diferencon inter la gento-mastro kaj la *gentoj-fremduloj*; ni scias ja el la Biblio, ke tiu diferenco en Egiptujo estis tre granda!

/ La apud-Nila lando 나일강 옆의 나라 / por ke ~하도록, ke-종속절에 원망법(명령법)어미가 쓰임 / la tre gravan por antikva lando diferencon = la tre gravan diferencon por antikva lando /

그 나일강 옆의 나라는 역사적으로 가장 찬란했던 시절에 <나라는 한 민족에 속한다>는 원칙에 따라 세워진 고대국가였습니다. 그리고 고대국가에서는 아주 중요한 차이점이었던 주인 민족과 이방 민족을 구분할 수 있도록 그렇게 그 나라는 필연적으로 접미사 <uj>를 가질 수밖에 없었습니다. 성경을 보면 이집트에서는 그 차이가 아주 대단했다는 것을 알 수 있습니다.

Ĉiuj novaj landoj, ne aranĝitaj laŭ la principo «lando apartenas al unu gento», neniam devas uzi la sufikson «uj»; ni devas sekve diri «Usono», «Kanado» k.t.p. Se mi dum longa tempo uzadis «Brazilujo», «Ĉilujo» k. t. p., mi konfesas nun, ke tio estis eraro. Ni povus diri «Brazilo, Ĉilo» k.t.p., tamen mi ne konsilas tion fari, parte pro tio, ke por la Slavoj kaj la Germanoj, kiuj alkutimiĝis al «Brazilia», «Brazilien», «Ĉiliec», la vortoj «Brazilo», «Ĉilo» ĉiam sonus kiel nomoj de popoloj, parte pro tio, ke la *longatempe* uzitaj formoj «Brazilo», «Ĉilo» en la senco de popolo donus nun grandan konfuzon, se la samajn formojn ni uzus nun en senco de lando.

/ ne konsilas tion fari 그렇게 하도록 권하지는 않습니다; konsili iun (al iu) -i (ion) 누구에게 ~를 하도록 권하다; *la kuracisto konsilis al mi iri en ŝvitbanejon* [Z]; *la montritajn naŭ vortojn ni konsilas bone ellerni* [Z]; *la Eternulo, kiu konsilas min* [X]; / alkutimiĝi al ~에 익숙해지다/

<나라는 한 민족에 속한다>는 원칙에 따라 세워지지 않은 모든 신생국은 접미사 <uj>를 쓰지 말아야 합니다. 그래서 우리는 <Usono>, <Kanado> 등으로 말해야 합니다. 오랫동안 제가 <Brazilujo>, <Ĉilujo> 등으로 말해 왔다면, 지금 고백하건대, 그것은 잘못입니다. 우리는 <Brazilo>, <Ĉilo> 등으로 말할 수 있을 겁니다. 그러나 그렇게 하길 권하지는 않습니다. 왜냐하면 우선 슬라브인이나 독일인들은 이미 <Brazilia>, <Brazilien>, <Ĉiliec> 등에 익숙해져 있어서 <Brazilo>, <Ĉilo>와 같은 말 은 민족 이름처럼 느껴질 것이기 때문입니다. 그리고 또 오랫동안 민족 이름으로 써온 <Brazilo>, <Ĉilo>를 지금 와서 나라 이름으로 쓴다면 큰 혼란을 야기할 것이기 때문입니다.

Sed tute oportune eviti samtempe ĉiujn tri malbonaĵojn (t. e. eraron, kontraŭkutimecon kaj konfuzon) ni povas tre bone, se ni de nun uzados por la diritaj landoj la formojn «Brazilio», «Ĉilio»; kaj tiel mi konsilas agi.

/ 주어: ni / 동사: povas (eviti) / 목적어: ĉiujn tri malbonaĵojn / tiel mi konsilas agi = mi konsilas vin agi tiel / 여기 쓰인 tiel은 동사 agi의 부사임 / **Oportuna**: 편리한 (용도); *oportuna tenilo* [B], *brakseĝo* [Z], *aĝo maljuna ne estas oportuna* [Z]; *oportuna okazo* [Z]; / **Komforta**: 편한, 안락한 (사람에게); *komforta domo, komfortaj vivcirkonstancoj; konservi komfortan trankvilecon* [Z]; *komforte sidi, kuŝi; senti sin komforte (hejme)* /

그러나 지금부터 그 나라들에 <Brazilio>, <Ĉilio> 같은 형태의 이름을 사용한다면, 우리는 아주 편하게 그 세 가지 불편함을 모두 피할 수 있습니다 (즉, 실수, 익숙하지 않음, 혼동). 저는 여러분이 그렇게 하시길 권고합니다.

Tiel same ni neniam devas diri «Meksikujo»; ni devus diri «Meksiko», sed, por fari diferencon inter la urbo kaj la samnoma lando, mi konsilas fari tion, kion ni faris kun aliaj similcirkonstancaj landoj, t. e. nomi la urbon «Meksiko» kaj la landon «Meksikio» (kiel Alĝero-Alĝerio, Tuniso-Tunisio k.t.p.). — Nun restas la demando pri la landoj Eŭropaj. Pli aŭ malpli fruevenos eble la tempo, kiam ĉiuj Eŭropaj landoj ricevos nomojn neŭtrale geografiajn; sed *tiel longe, kiel* ni uzas por ili nomojn de gentoj, nidevas ĉiam uzi tiujn nomojn kun la sufikso «uj».

/ similcirkonstancaj 비슷한 처지의(환경의) / *tiel longe, kiel* ~하는 한 /

그와 마찬가지로 우리는 <Meksikujo>라고 해서는 안 되고 <Meksiko>라고 해야 합니다. 그러나 그 나라와 또 같은 이름의 도시를 구분해 주기 위해서는 다른 비슷한 처지의 나라들에서 한 것과 같이 해 주기를 권고합니다. 즉, 도시는 <Meksiko>라 하고, 나라는 <Meksikio>라 하는 것입니다 (Alĝero-Alĝerio, Tuniso-Tunisio 등과 같이 말입니다). 이제 유럽의 여러 나라들이 남았는데, 조만간 모든 유럽의 나라늘이 숭립적인 지리적 이름을 가지게 될 날이 올 것입니다. 그러나 우리가 민족의 이름을 쓰는 한은 항상 그 민족의 이름에 접미사 <uj>를 붙여야 합니다.

Estas vero, ke ekzistas tri Eŭropaj regnoj, por kiuj la sufikso «uj» estas ne tute logika (Aŭstrujo, Belgujo kaj Svisujo), kaj se la Akademio trovus necesa anstataŭigi en ilila «uj» per «i», mi tion ne malkonsilus; sed fari propravole escepton por tiuj tri regnoj mi al niaj verkistoj ne konsilus, ĉar la Esperantistoj jam tro forte alkutimiĝis al la ĝisnunaj, neniom ĝenantaj nomoj de tiuj tre gravaj kaj ofte citataj regnoj, kaj por fari rompon en tiu alkutimiĝo mi ne vidas ian gravan neceson.

/ necesa 여기서도 목적격 보어일 경우에는 그 의미상의 주어가 동사원형(anstataŭigi)일지라도 자멘호프는 부사를 쓰지 않고 형용사를 쓰고 있음 / neniom ĝenantaj 전혀 불편하지 않은; 뒤의 nomoj를 앞에 써도 괜찮음. 그러나 앞뒤의 연결을 볼 때 이렇게 하는 것이 더 이해가 쉬움. 자멘호프는 이런 형식의 구문을 자주 쓰고 있음 / fari rompon en ~을 망가뜨리다, 해치다 /

접미사 <uj>를 붙이는 것이 그렇게 논리적이지는 않은 세 나라가 있습니다 (Aŭstrujo, Belgujo, Svisujo). 만약 학술원에서 그 <uj>를 <i>로 바꾸는 것이 필요하다고 판단한다면, 저는 그것을 만류하지 않겠습니다. 그러나 에스페란토 작가들에게 그 세 나라에 대해서 마음대로 예외를 만들라고 권하지는 않겠습니다. 왜냐하면 이미 지금까지 아무 불편 없이 써온 그 중요하고도 자주 불려지는 나라들의 이름에 에스페란티스토들이 아주 익숙해져 있고, 또 그 익숙함을 해치면서까지 그렇게 할 필요성은 없다고 생각하기 때문입니다.

Ĉar la tuta esenco de lingvo estas bazita *antaŭ ĉio* sur interkonsento, tial komuna ĝisnuna uzado devas ludi en lingvo pli gravan rolon, ol seke teoria logikeco; *oferi la unuan al la dua* mi konsilus nur en tia okazo, se nia Lingva Komitato tion postulus.

/ *antaŭ ĉio* 우선, 무엇보다 / 여기선 tial을 안 써도 됨, 앞에 Ĉar가 있으니까 / *oferi* 제물로 바치다, 헌납하다; oferti (상품을) 제공(공급)하다 /

왜냐하면 언어의 본질은 무엇보다도 상호간의 동의에 있으니까요. 그래서 언어에서는 지금까지 공통적으로 사용해 왔다는 점이 건조한 이론적 논리보다 훨씬 더 중요한 역할을 해야 하는 것입니다. 그 공통적 사용을 포기하고 논리를 따르는 것은 오로지 언어위원회가 꼭 요구할 때에만 그렇게 하기를 권고합니다.

Pri la vorto «akuŝi»
단어 <akuŝi>에 대하여

Por «akuŝi» mi konsilas konservi ĝian signifon netransiran (kiun ĝi havasen la Un. V.). La ŝanceliĝo pri tiu ĉi vorto estis kaŭzita de la sekvanta *circonstanco** : antaŭ 5-6 jaroj S^ro de Beaufront skribis al mi, ke pro la vorto «akuŝistino» estas necese doni al «akuŝi» signifon transiran. Ĉar la tiama rezonado de S^ro B. ŝajnis al mi ĝusta kaj ĉar la Univ. Vortaro tiam ne havis ankoraŭ ian karakteron de netuŝebleco, tial, konfuzita per la argumentoj de S^ro B., mi konsentis, ke li donu en sia vortaro al «akuŝi» sencon transiran.

/ akuŝi 출산하다, 분만하다 / netransiran 자동사의 / Un. V. = Universala Vortaro / estis kaŭzita de ~에 의해 야기되었다 / *circonstanco** cirkonstanco의 오류 / akuŝistino 산파 / konfuzita per la argumentoj de S^ro B. 보프롱 씨의 말(주장)에 넘어가서 (정신이 혼미하여져서), per 대신 de를 써도 될 듯 /

<보충 설명>

/ 현재 PIV에선 이 akuŝi를 "분만하다"의 뜻을 가진 타동사로 취급함. (*akuŝi je ĝemeloj, je malviva infano*; *la patrino akuŝis belan infanon* B.) 당시에 자멘호프는 이 단어를 "출산하다"의 뜻을 가진 자동사로 보았음, 그러나 실제 동사로 쓰인 일은 드물고, 주로 akuŝistino, akuŝo 등으로 쓰였음; *Virino, kiam ŝi* **akuŝas**, *havas malĝojon, ĉar ŝia horo venis*; / 에스페란토에서는 자동사 타동사의 구분이 아주 애매함 /

저는 <akuŝi>라는 단어에 자동사의 뜻을 계속 유지하기를 권고합니다 (이 뜻은 기본단어장에도 들어 있습니다). 이 단어에 대한 혼동은 다음과 같은 환경 때문이었습니다 : 5, 6년 전 보프롱 씨가 제게 편지를 써 보내어, <akuŝistino>라는 단어 때문에 <akuŝi>라는 단어에 타동사의 뜻을 부여하는 것이 필요하다고 하였습니다. 그때 보프롱 씨의 논리가 제게는 옳다고 보였고, 또 당시에는 기본단어장이 그 어떤 불가변의 성격을 가지고 있지 않기 때문에, 그래서 그분의 주장에 넘어가서 저는 그가 자신의 사전에서 <akuŝi>라는 단어에 타동사의 뜻을 부여하는 데에 동의를 하였습니다.

En tia senco la vorto poste transiris ankaŭ en ĉiujn aliajn *vortarojn* kaj kaŭzis konfuzon kaj mi ĝin enmetis ankaŭ en la vortaron germana-esperantan. Nun, ĉar la Univ. Vortaro devas resti netuŝebla, mi konsilas konservi por la vorto ĝian antaŭan sencon, tiom pli, ke tiu senco estas ankaŭ pli ĝusta, logika kaj oportuna. La ekzistado de la vorto «akuŝistino» tute ne devas nin konfuzi, ĉar ĉiu facile komprenos, ke «akuŝistino» signifas ne «virinon, kiu profesie(!) naskas», sed «virinon, kiu profesie sin okupas per aferoj de naskado» (ne okupas sin per akuŝado, sed nur per akuŝoj).

/ *vortarojn* 원문에는 vortojn이라고 잘못 쓰여 있었음 (en ĉiujn aliajn *vortojn*) / antaŭan sencon 먼젓번의 의미를 / tiom pli, ke ~하니 더더욱 / profesie 직업적으로 / sin okupas per ~로 업을 삼다 /

그러한 뜻으로 그 단어는 나중에 다른 모든 사전에도 넘어갔고 혼란을 일으켰습니다. 그리고 저도 그것을 독일어-에스페란토 사전에 넣었습니다. 지금은 기본단어장이 불가변의 책이 되었기 때문에 저는 그 단어의 먼젓번의 뜻을 그대로 유지하기를 권고합니다. 그리고 그 뜻은 사실 더 정확하고 논리적이며 편하기도 하기에 더더욱 그래야 된나고 생각합니다. <akuŝistino>라는 단어가 우리를 혼동케 해서는 안 됩니다. 왜냐하면 그 단어가 "직업적으로 출산하는(!) 여인"을 뜻하지 않고, "출산의 일을 직업적인 업으로 삼는 여인"(출산으로 업을 삼지 않고, 출산의 일로 업을 삼는 사람)을 뜻하기 때문입니다.

Pri «daŭri» kaj «ĉesi»
<daŭri>와 <ĉesi>에 대하여

«Daŭri»: esti plue, ne esti finita; «ĉesi»: komenci ne …i, aŭ komenci ne esti. El tiu signifo sekvas la reguloj de uzado de tiuj vortoj kaj de iliaj devenaĵoj «daŭrigi», «ĉesigi» k.t.p. Ekzemple: oni povas diri: «la laboro daŭras» (la laboro estas plue, ne estas finita), sed oni ne povas diri: «mi daŭras labori» (mi cstas plue labori! mi ne estas finita labori!); ankaŭ ne estas bone diri (kiel mi mem bedaŭrinde faris kelkfoje): «mi daŭrigas labori» (mi igas esti plue labori!); oni devas diri: «mi daŭrigas mian laboron» (mi igas mian laboron esti plue) aŭ «mi laboras plue».

/ *el* ~ sekvas ~ ~로부터 ~가 나온다 (따른다) / devenaĵo = derivaĵo / ne estas bone diri 주어가 diri이기 때문에 (서술)보어가 부사로 쓰였음 / **Daǔri** (자) *nek ĝojo nek malĝojo daǔras eterne* [Z]; *pluvo daǔras* / **Ĉesi** (자) *ĉesis la kurso, pluvo* [Z]; *li ĉesis paroli, petoli* [Z]; *ĉesis esti vino, sed vinagro ne fariĝis* [Z]; *ne ĉesi kun siaj demandoj* [Z]; *ili ne ĉesos en sia celado* [Z] /

<daǔri>: 계속되다, 끝나지 않다 (esti plue, ne esti finita); <ĉesi>: ~하지 않기를 시작하다, ~아니기를 시작하다 (komenci ne ...i, aǔ komenci ne esti). 이 의미로부터 그 단어들이나 그 파생어 <daǔrigi>, <ĉesigi> 들의 사용법이 나옵니다. 보기를 들자면: <la laboro daǔras>라고 말할 수 있습니다 (la laboro estas plue, ne estas finita = 그 일은 계속되고 끝나지 않은 겁니다). 그러나 <mi daǔras labori>라고 말할 수 없습니다 (mi estas plue labori! mi ne estas finita labori!라고 말할 수 없기 때문). 이렇게 말하는 것도 좋지 않습니다 (유감스럽게도 제가 이미 몇 차례 이렇게 했습니다): <mi daǔrigas labori> (이것은 mi igas esti plue labori!가 되기 때문). 우리는 이렇게 말해야 합니다: <mi daǔrigas mian laboron> (mi igas mian laboron esti plue) 혹은 <mi laboras plue>.

Oni povas diri: «mi ĉesas labori» (mi komencas ne labori) aǔ «la pluvo ĉesas» (la pluvo komencas ne esti), sed ne estas bone forlogiĝi per la analogio kun «komenci» kaj diri: «mi ĉesas mian laboron» (mi komencas ne ...i aǔ ne esti mian laboron!); estas preferinde diri: «mi ĉesigas mian laboron» (mi igas mian laboronkomenci ne esti).

Respondo 49, *La Oficiala Gazeto*, III, 1911, p. 294

/ ne estas bone forlogiĝi per ~의 꾐에 넘어가는 것은 좋지 않

습니다 (for-log-iĝ-i), 주어가 동사원형이기 때문에 보어가 부사로 되어 있음 / analogio analogeco analoga / estas preferinde –i –하는 것이 바람직하다 / **Preferi** : *la viroj preferas la blondulinojn*; *mi preferis tion ĉi ne fari* [Z]; *tion mi certe preferas al la manĝoj el la kuirejoj de la plej bonaj hoteloj* [Z]; *preferos la morton ol la vivon ĉiuj restintoj* [X]; *preferi morti ol senhonoriĝi; aŭ eble vi preferas, ke mi publikigu miajn projektojn en ia gazeto alia?* [Z]; /

우리는 이렇게 말할 수 있습니다: <mi ĉesas labori> (나는 일 하지 않기를 시작한다 mi komencas ne labori) 혹은 <la pluvo ĉesas> (비가 그쳤다 la pluvo komencas ne esti). 그러나 <komenci>와의 유사성 때문에 이렇게 말하는 것은 좋지 않습니다: <mi ĉesas mian laboron> ("mi komencas ne …i aŭ ne esti mian laboron!"이 말이 안 되기 때문). 이렇게 말하는 게 좋습니다: <mi ĉesigas mian laboron> (나는 나의 일을 끝낸다, mi igas mian laboron komenci ne esti).

Pri la vortoj «domaĝo» kaj «domaĝi»
<Domaĝo>와 <domaĝi>에 대하여

«Domaĝo» ne havas la sencon de «malprofito». La efektiva signifo de la Esperanta «domaĝi» estas proksimume: ne voli elspezi, ne voli perdi, ne voli difekti. Ekzemple : «li ne aĉetis la libron, ĉar li domaĝis la monon; li ne eliris en la pluva vetero, ĉar li domaĝis sian veston; li forkuris de la batalo, ĉar li domaĝis sian vivon». Iafoje la senco de «domaĝo» estas tre proksima al la senco de «bedaŭro» (ekzemple : «kia domaĝo!» = kiel bedaŭrinde! = kia perdo (aŭ difekto), kiun mi ne volis havi!).

/ malprofito 손해 / proksimume 대충, 대략 /

<Domaĝo>는 <손해>의 뜻은 없습니다. 에스페란토 <domaĝi>의 뜻은 대충 "지출을 원하지 않다, 손실을 원하지 않다, 파손을 원하지 않다" 등의 뜻입니다. 보기: <li ne aĉetis la libron, ĉar li domaĝis la monon; li ne eliris en la pluva vetero, ĉar li domaĝis sian veston; li forkuris de la batalo, ĉar li domaĝis sian vivon>. 어떤 때에는 <domaĝo>가 <bedaŭro>의 뜻과 아주 비슷합니다 (보기: <kia domaĝo!> = kiel bedaŭrinde! = kia perdo (aŭ difekto), kiun mi ne volis havi!).

Pri la radiko «ekstr»
어근 <ekstr>에 대하여

«Ekstr» povas esti ne sole adverba, sed ankaŭ adjektiva.

/ povas esti ~일 수 있다 /

<ekstr>는 부사일 뿐 아니라 형용사일 수도 있습니다.

Pri la vorto «forkaperi»
<forkaperi>라는 단어에 대하여

La vorto «forkaperis», kiun vi trovis en «La Rabistoj», ne estas preseraro. La vorto «kaperi» (kiu sin trovas en la vortaroj Esperanto-germana kaj germana-esperanta) signifas *proksimume* «rabi korsare» aŭ «rabi sur la maro».

/ sin trovas 있다 = troviĝas, estas / *proksimume* 대충, 거의, -와 비슷하게 /

그대가 <강도들>에서 발견한 <forkaperis>라는 단어는 인쇄 잘못이 아닙니다. <kaperi>라는 단어는 (에스-독일어 사전과 독일어-에스 사전에 나옴) 대충 <해적질하다> 혹은 <바다에서 강도질하다>의 뜻을 가지고 있습니다.

Pri la vorto «gargari»
<gargari>에 대하여

«Gargari» = lavi per skuado de la fluidaĵo; sekve oni povas gargari ne sole la gorĝon, sed ankaŭ glason, k. t. p.

/ skui 흔들다/ fluidaĵo 액체/

<gargari> = 액체를 흔들어 씻다. 따라서 우리는 목뿐만 아니라 병과 같은 깃들도 gargari힐 수 있습니다.

Pri la vorto «Hindujo»
<Hindujo>에 대하여

En «Pola Antologio» (p. 77) Kabe skribis :«Li estis... registara pafisto en Orienta Indio». Dᵒ Zamenhof korektis: «Orienta Hindujo».

Presprovaĵoj korektitaj de Dᵒ Zamenhof.

/ registara pafisto 정부의 사격수 /

Kabe가 <폴란드 문집>(77쪽)에 쓴 <Li estis... registara pafisto en Orienta Indio>를 자멘호프 박사는 <Orienta Hindujo>라고 고쳤습니다

Pri la vorto «kateĥizi»
<kateĥizi>라는 단어에 대하여

La vorton «kateĥizi», uzitan en la vortaro de O'Connor, mi trovas tute bona, ĉar ĝi estas internacia; el tiu vorto ni povas tute bone *devenigi* la vortojn «kateĥizo», «kateĥizisto», «kateĥizato»; el tio ĉi tamen tute ne sekvas, ke la vortoj «kateĥismo» kaj «kateĥisto» estas malbonaj. «Kateĥismo» estas *io alia ol* «kateĥizo»;

/ trovas tute bona (-을) 좋다고 생각하다 / devenigi 파생시키다
= derivi / kateĥizi (종교) 교리문답을 가르치다 / io alia ol ~와
는 다른 별개의 것 /

O'Conner의 사전에 쓰인 <kateĥizi>라는 단어는 이상이 없다고 생각합니다. 왜냐하면 그것은 아주 국제적인 것이기 때문입니다. 그 단어로부터 우리는 <kateĥizo>(교리문답), <kateĥizisto>(교리문답 가르치는 사람), <kateĥizato>(교리문답 배우는 사람)를 잘 파생시킬 수 있습니다. 그러나 그렇다고 <kateĥismo>(교리문답)와 <kateĥisto>(교리문답 가르치는 사람)라는 단어들이 잘못되었다는 건 아닙니다. <kateĥismo>는 <kateĥizo>와 별개의 것입니다.

sed *se eĉ* ni dirus, ke ambaŭ vortoj estas identaj kaj ni povas uzi «kateĥizo» anstataŭ «kateĥismo», ni eĉ en tiu okazo tute ne bezonus elĵeti el nia lingvo la tute internacian kaj bonan vorton «kateĥismo», sed ni povas tute sen ia maloportuneco lasi la vivon al ambaŭ vortoj kaj trankvile *atendi, ke* la komuna uzado iom post iom donos pli grandan forton al unu vorto kaj faros el la dua vorto ne plu uzatan arĥaismon.

Respondo 39, *LaRevuo*, 1908, Majo

/ *se eĉ* = *eĉ se* 비록 ~라 할지라도 / identa 똑같은, identigilo
신분증명서 / sen ia maloportuneco 아무 불편함 없이 / lasi la
vivon al ~에게 생명을 주다, ~을 살려주다 /

그러나 그 두 단어가 똑같으니까 <katêhismo> 대신 <katêhizo>를 쓸 수 있다 할지라도, 그런 경우에라도 우리는 그 국제적이고 또 좋은 단어 <katêhismo>를 우리의 언어에서 내버릴 필요는 없습니다. 우리는 아무 불편함 없이 그 두 단어 모두를 살려두고, 실제 공동의 사용에서 조금씩 힘을 얻는 쪽이 어느 것인지 지켜보면 될 것입니다. 어느 하나는 힘을 얻고 또 어느 하나는 사어가 되겠지요.

Pri la vorto «laktumo»
<laktumo>라는 단어에 대하여

Mi tute konsentas kun vi, ke «lakto» kaj «laktumo» havas inter si preskaŭ nenion komunan, kaj ni havus plenan rajton uzi por «laktumo» ian vorton tute memstaran. Sed ĉar en multaj lingvoj por ambaŭ diritaj vortoj estas uzata la sama radiko, kaj ĉar la vorto «laktumo» estas *ne malpli* oportuna, *ol* ĉia tute memstara vorto, kaj ĉar tiu vorto jam troviĝas en la «Fundamento de Esperanto», tial ekzistas absolute nenia neceseco, ke ni forĵetu la oportunan vorton jam konatan kaj devigu la Esperantistojn lerni novan vorton.

Respondo 37 b, *La Revuo*, 1908, Majo

/ memstara 독립적인 / ĉar가 세 번 나옴 / 여기 tial은 안 써도 됨, 앞의 문장이 길 때 자멘호프는 자주 이렇게 쓰고 있음 /

<lakto>와 <laktumo>는 시로 아무 공동짐이 없다는 그내의 말에 전적으로 동감입니다. 그리고 우리는 <laktumo>를 위해서 완전 독립적인 어떤 단어를 사용할 완전한 권리가 있습니다. 그러나 여러 말에서 그 둘의 어근이 모두 같고, 또 <laktumo>라는 말이 그 어떤 다른 독립적인 낱말보다 더 불편하지도 않고, 그리고 그 단어는 이미 <에스페란토 규범>에 들어 있기

때문에, 우리가 이미 알고 있는 그 편리한 단어를 내버리고 모든 에스페란티스토로 하여금 새로운 단어를 배우도록 할 필요성이 전혀 없습니다.

Pri la vorto «legio»
<legio>라는 단어에 대하여

La vorto «legiono», kiun mi uzisen la «Rabistoj», estas simpla eraro; devas esti «legio».

> / legio 군단 / kiun mi uzis en la «Rabistoj» 앞의 legio를 꾸미는 관계절, 삽입절 / devas esti ~이어야 한다, ~임 /

<Rabistoj>에서 제가 사용한 단어 <legiono>는 단순한 실수입니다. <legio>가 되어야 합니다.

Pri la vorto «lui»
<Lui>라는 단어에 대하여

«Lui» signifas nur preni lue; (doni lue = luigi).

> / lue 세를 내고, 일정 기간의 사용료를 내고 /

<lui>는 단지 세를 내고 취함을 의미합니다. (세를 받고 주다 = luigi)

Pri la senco de «ŝati»
<Ŝati>의 의미에 대하여

La vorton «ŝati» mi uzas ordinare en la senco de «*rigardi kiel valoran, kiel gravan*». Ekzemple: la gazetoj tre ŝatas la kunlaboradon de aŭtoroj gloraj, sed tute ne ŝatas la kunlaboradon de komencantoj.

> / *rigardi (ion) kiel* ~처럼 여기다, 생각하다, "pensi kiel"이라는

저는 <ŝati>라는 말을 보통 <무엇을 가치있게, 중요하게 여기다>라는 의미로 사용하고 있습니다. 예를 들면: "잡지사들은 유명한 저자들과의 협력은 좋아하지만 (귀하게 여기지만), 초보자들과의 협력은 전혀 좋아하지 않습니다."

Pri «ujo» kaj «ingo»
<Ujo>와 <ingo>에 대하여

S-ro Fruictier klarigis al mi, ke, laŭ D-ro Zamenhof, ujo estas vazo aŭ kesto aŭ io simila, kiu entenas la tuton, kaj ingo entenas nur parton.

Carlo Bourlet, *Lingvo Internacia*, 1904, p. 170

/ io simila 뭔가 비슷한 것; io, tio, kio, ĉio, nenio는 형용사가 뒤에 온다 /

Fruictier 씨는 제게 설명하기를, 자멘호프 박사에 따르면, <ujo>는 항아리나 상자 또는 그 비슷한 것으로서 모든 것을 다 담을 수 있는 것이고, <ingo>는 그저 일부분만을 담을 수 있는 것입니다.

Pri la vorto «Vipruo»
<Vipuro>에 대하여

La historion de la vorto «vipuro» mi nun jam bone ne memoras. Sed ĉar en la lastaj eldonoj de la Universala Vortaro troviĝis ne «vipero», sed «vipuro», tial mi tiun formon akceptis en la «Fundamenton» ... Ĉar en la «Fundamento» troviĝas la formo kun «u», tial estus dezirinde, ke ĉiuj aŭtoroj de vortaroj korektu en siaj verkoj tiun formon konforme al la «Fundamento».

/ mi nun jam bone ne memoras 지금 더 이상 기억이 잘 나지 않는군요 / tial 여기서는 tial을 안 써도 됨, 앞에 ĉar가 있기 때문 / «Fundamenton» 목적격이 쓰였음에 유의 / estus dezirinde, ke ~하는 것이 바람직할 것이다 /

단어 <vipuro>의 역사에 대해서 지금 더 이상 기억이 잘 안 나는군요. 그러나 기본단어장의 최근 출판본들에 <vipero>가 아닌 <vipuro>가 들어 있기 때문에 저는 <규범>에서 이 형태를 받아들였습니다... 현재 <규범>에 <u>의 형태가 들어 있으니 모든 사전의 저자들은 자신의 사전에서 그 형태를 <규범>에 맞게 고쳐주시는 것이 바람직하겠습니다.

[Kazoj]
[격]

Nominativo post «po»
<Po> 다음에 오는 주격

Inter la esprimoj «doni po 2 pecojn» kaj «doni po 2 pecoj» estas ankoraŭ malfacile diri, kiu estas la pli bona, kaj tial ambaŭ esprimoj estas uzeblaj kaj bonaj. Tamen konsiderante, ke *danke* la intervenon de la vorto «po» la «pecoj» jam ne *dependas rekte de* la «doni», ni konsilas uzi post «po» (tiel same kiel post «da») la nominativon («doni po 2 pecoj»). Alia kaŭzo por tiu ĉi konsilo estas ankaŭ la cirkonstanco, ke laŭ nia opinio «ĉie, kie oni *dubas inter la nominativo kaj akuzativo*, oni devas uzi la nominativon».

La Esperantisto, 1891, p. 7

> / malfacile 주어가 diri이기 때문에 보어로 부사가 쓰였음 /
> danke al = danke –on –덕분에 / dependas de –에 달렸다 /

<doni po 2 pecojn>과 <doni po 2 pecoj>라는 표현 사이에 어느 것이 더 좋은지 말하기는 아직 어렵습니다. 그래서 이 둘 다 잘 사용할 수 있습니다. 그러나 <po>라는 단어가 끼어 있음으로 인해 <pecoj>는 이미 <doni>에 직접 연결되어 있지 않다는 점을 고려하면, 우리는 <po> 다음에 (<da> 다음에도 마찬가지) 주격을 쓰기를 권고합니다 (<doni po 2 pecoj>). 이렇게 권고하는 또 다른 이유는, 우리의 생각으로는 주격을 써야 할지 목적격을 써야 할지 잘 모를 경우에는 항상 주격을 써야 하기 때문입니다.

Uzado de la akuzativo

목적격의 사용

Tuŝante la akuzativon mi povas al vi doni la jenan konsilon: uzu ĝin ĉiam nur en tiuj okazoj, kie vi *vidas ke* ĝi estas efektive necesa; en ĉiuj aliaj okazoj, kie vi ne scias, ĉu oni devas uzi la akuzativon aŭ la nominativon — uzu ĉiam la nominativon. La akuzativo *estas enkondukita nur el neceso*, ĉar sen ĝi la senco ofte estus ne klara; sed ĝia uzado en okazo de nebezono pli multe malbeligas la lingvon ol la neuzado en okazo de bezono.

La Esperantisto, 1890, p.27

> / kie 대신 en kiuj를 써도 됨 / vidas ke ~하고 생각한다 (판단한다, 본다) / estas enkondukita nur el neceso 오직 필요한 경우에만 도입된다 (사용된다) /

목적격과 관련하여서는 다음과 같은 조언을 드릴 수가 있습니다: 꼭 필요하다고 판단할 경우에만 그것을 사용하십시오. 그리고 주격을 써야 할지 목적격을 써야 할지 잘 모를 경우에는 항상 주격을 사용하십시오. 목적격은 꼭 필요에 의해서만 사용되어야 합니다. 왜냐하면 그것이 없으면 뜻이 분명하지 않기 때문입니다. 그러나 그렇게 필요하지 않은 경우에 그것을 쓰는 것은 그것이 꼭 필요한 경우에 쓰지 않는 것보다 더 좋지 않습니다.

La akuzativo en nia lingvo neniam dependas de la *antaŭiranta* prepozicio (ĉar la prepozicioj per si mem neniam postulas ĉe ni la akuzativon), sed nur de la senco. La akuzativon ni uzas nur en tri okazoj: a) por montri la *suferanton de la faro* (t. e. post verboj havantaj sencon aktivan), ekzemple «mi batas lin», «mi diras la vorton»;

b) por montri direkton (t. e. movadon al ia loko, en diferenco de movado sur ia loko), se la prepozicio mem tion ĉi ne montras; ekzemple, ni diras «mi venas al la celo» (ne «al la celon»), ĉar «al» mem jam montras direkton, sed ni devas diferencigi inter «mi amas iri en la urbo» kaj «mi amas iri en la urbon» (aŭ simple «iri la urbon») laŭ tio, ĉu mi amas iri sur la stratoj de la urbo aŭ ĉu mi amas iri el ekstere en la urbon («iri al la urbo» signifas nur aliri, sed ne eniri);

b) 전치사 자체가 방향을 나타내지 않을 경우, 그 방향을 나다내기 위해 (즉, 어느 장소로 움직일 때; 어느 상소에서 움직이는 것과는 다름). 예를 들면, <mi venas al la celo> (<al la celon>이라 하지 않음, 왜냐하면 전치사 <al> 자체가 방향을 나타내기 때문)라고 말을 하지만, <mi amas iri en la urbo>와 <mi amas iri en la urbon> (혹은 간단히 <iri la urbon>의 경우에도)을 구별해 주기 위해서는 목적격을 써야 합니다. 그것은

내가 그 도시 안의 거리에서 걸어 다니는 것을 좋아하는지, 아니면 밖에서 그 도시 안으로 가는 것을 좋아하는지에 따라 달라집니다. (<iri al la urbo>는 그곳으로 가는 것만 의미하지, 그 안으로 들어가는 것까지 의미하지는 않습니다.)

c) en ĉiuj okazoj, kiam ni ne scias, kian prepozicion uzi, ni povas uzi la akuzativon anstataŭ la prepozicio «je»; ekzemple en la esprimo «mi kontentiĝas tion ĉi» la akuzativo ne dependas de la verbo «kontentiĝas» sed anstataŭas nur la forlasitan prepozicion «je» (= mi kontentiĝas je tio ĉi).

La Esperantisto, 1892, p. 62

> / kiam 여기서는 kie나 en kiuj로 써도 됨 / kian prepozicion uzi 어떤 전치사를 써야 할지 = kian prepozicion ni devas uzi /

c) 어떤 전치사를 써야 할지 모를 경우 우리는 전치사 <je> 대신 목적격을 쓸 수 있습니다. 예를 들면 <mi kontentiĝas tion ĉi>라는 표현에서 목적격은 그 동사 <kontentiĝas>와 관계가 있는 게 아니라, 다만 생략된 전치사 <je>를 대신할 뿐입니다 (= mi kontentiĝas je tio ĉi).

Nominativo aŭ akuzativo?
주격이냐 목적격이냐?

En la ekzemploj, kiujn vi citis, la diferenco inter akuzativo kaj nominativo ne estas granda, kaj ofte ambaŭ formoj estas egale bonaj. Sed ĝenerale *mi tenas min je la sekvanta principo*: mi vidis lin grandan = mi vidis lin, kiu estis granda (aŭ kiam li estis granda); mi vidis lin granda = mi vidis, ke li estas granda. *Kian* manon mi tenis sur la tablo? la manon kuŝantan (la duan manon, kiu ne kuŝis, mi eble tenis en la poŝo); kiel (aŭ en kia maniero) mi tenis mian manon? mi tenis ĝin kuŝanta sur la tablo.

Lingvo Internacia, 1906, p. 121

> / ambaŭ = ĉiuj du "둘 모두", <la ambaŭ>는 잘못, 영어의 <both>와 용법이 다름 ("both A and B"처럼 쓰이지 않음, "ambaŭ A kaj B" 혹은 "ili ambaŭ"라고 해야 함) / mi tenas min je la sekvanta principo 저는 다음과 같은 원칙을 견지합니다 / *Kian* 이것은 kiun이라고도 할 수 있음 /

그대가 인용한 보기글들에서 목적격과 주격의 차이는 크지 않습니다. 그리고 종종 그 두 가지 형태 모두 똑같이 좋아 보입니다. 그러나 일반적으로 저는 다음과 같은 원칙을 견지합니다: mi vidis lin grandan = mi vidis lin, kiu estis granda (aŭ kiam li estis granda) "나는 커진 (큰) 그를 보았다"; mi vidis lin granda = mi vidis, ke li estas granda "나는 그가 크다는 (위대하다는) 것을 알았다". 나는 어떤(어느) 손을 책상 위에 두고 있었나요? 얹힌 손을 (얹히지 않은 다른 손은 어쩌면 주머니 속에 넣고 있었을지 모르지요); 나는 내 손을 어떻게 하고 있었나요? 나는 그것을 책상 위에 얹어 놓은 채로 있었어요.

Pri la akuzativo post «anstataŭ»
<Anstataŭ> 뒤의 목적격에 대하여

Kiel ĉiu alia prepozicio, tiel ankaŭ «anstataŭ» per si mem postulas ĉiam la nominativon; se *tamen* ofte oni trovas ĉe bonaj aŭtoroj post «anstataŭ» la akuzativon, *tiu ĉi lasta* estas uzita ne pro la prepozicio, sed pro aliaj cirkonstancoj. Ekzemple, en la frazo: «Petro batis Paŭlon anstataŭ Vilhelmon», la lasta parto de la frazo prezentas nur mallongigon (= anstataŭ bati Vilhelmon), kaj la akuzativo forigas ĉiun dubon pri tio, ke anstataŭigita estis ne la batanto, sed la batato.

Respondo 51, *La Oficiala Gazeto*, IV, 1911, p. 2

/ Kiel ~ tiel (ankaŭ) ~ ~처럼 그렇게 (또한) / per si mem 그 자체로, 스스로 (주어 3인칭) / tiu ĉi lasta 이 뒤의 것 /

다른 모든 전치사와 마찬가지로 <anstataŭ>도 그 자체로는 항상 주격을 요구합니다. 그러나 종종 훌륭한 작가들이 <anstataŭ> 뒤에 목적격을 쓰는 것을 보는데, 그것은 그 전치사 때문이 아니라 다른 요인 때문에 그런 겁니다. 예를 들어, <Petro batis Paŭlon anstataŭ Vilhelmon>이라는 문장에서 마지막 부분은 <anstataŭ bati Vilhelmon>을 줄인 말일 뿐입니다. 그리고 그 목적격은 그 대신한 사람이 때리는 사람이 아니라 맞는 사람이라는 것을 분명하게 보여 줍니다.

Pri la kazo post «kiel»
<Kiel> 다음의 격에 대하여

La frazon «ĝi (la diskutado) *trafas* Ibsenon kiel teoriisto» mi trovas nebona; mi konsilas diri «kiel teoriiston». La esprimo «kiel teoriisto» signifas, ke ĝi (la diskutado) estas teoriisto kaj, estante teoriisto, ĝi trafas Ibsenon. Nominativon apud akuzativo mi uzas ordinare nur tiam, kiam la nominativo devas havi la sencon de «ke … estas», «ke … estu» k.t.p. Ekzemple: «mi trovas tiun ĉi vinon bona» = mi trovas, ke tiu ĉi vino estas bona; «oni faris lin generalo» = oni faris, ke li estu generalo.

/ trafas (무엇을 던져서) 맞히다; (무엇이 무엇을, 누구를) 맞히다; (누가 누구를, 무엇을) 만나 나쁜 결과를 초래하다; (무엇이 누구를) 우연히 덮치다, 영향을 끼치다; (무엇이 누구를, 무엇을) 우연히 좋은 일을 만나다; *trafi du celojn per unu ŝtono*

<ĝi (la diskutado) trafas Ibsenon kiel teoriisto>라는 문장은 좋지 않습니다; 저는 < kiel teoriiston>이라고 쓰길 권고합니다. <kiel teoriisto>라는 표현은 ĝi가 teoriisto라는 걸 뜻합니다. 그러므로 결국 ĝi가 teoriisto로서 Ibseno를 공격(?)한다는 말이 됩니다. 저는 목적격 바로 옆에 주격을 쓸 때에는 보통 그 주격이 <ke … estas>, <ke … estu> 등의 뜻일 때 그렇게 합니다. 보기: <mi trovas tiun ĉi vinon bona> = 나는 이 포도주가 좋다고 생각한다; <oni faris lin generalo> = 사람들은 그가 장군이 되게 했다.

Sed se, anstataŭ supozigi la mankantan ligantan vorton «ke», la frazo havas ligantan vorton alian (ekzemple «kiel»), tiam devas esti uzata tiu kazo, kiun postulas la senco de la ekzistanta liganta vorto. Se du komplementoj estas ligataj per la vorto «kiel», tiam mi ordinare akordigas kaze la sekvantan komplementon kun la komplemento antaŭiranta, ĉar *alie* la senco estus tute alia kaj la nominativa komplemento sence rilatus ne al la antaŭstaranta komplemento, sed al la subjekto de la frazo.

/ liganta vorto 접속어 (ligvorto, subjunkcio, konjunkcio) / alie 그렇지 않으면 / **komplemento** 보충어, 문장에서 동사(서술어)를 제외한 모든 문장성분, 주어도 보충어의 하나임; suplemento와 구별해야 함; / **suplemento**: [en la vortgrupoj «la domo de mia patro», «preta por morti», «norde de la urbo», «suferi pro la vero», la sintagmoj «de mia patro», «por morti», «de la urbo», «pro la vero» estas la suplementoj de la respektivaj subst., adj., adv. k inf..] / **predikativo** (보어): 주격보어, 목적격보어; en la frazoj «la tago estas bela», «mi iĝis kapitano», «vi ŝajnas malgaja» la vortoj «bela», «kapitano», «malgaja» estas la predikativoj de la subjektoj «tago», «mi», «vi»; en la frazoj «ne nomu min reĝido», «oni ne povas supozi neekzistantaj tiujn faktojn», la vortoj«reĝido», «neekzistantaj» estas la predikativoj de la objektaj komplementoj «min», «faktojn». /

만약 생략된 접속어 <ke> 대신 다른 접속어 (예를 들어 <kiel>)를 사용한다면, 그때에는 그 사용된 접속어의 뜻이 요구하는 격을 사용해야 합니다. 만약 두 개의 문장성분(보충어)이 <kiel>로써 연결되어 있다면 우리는 보통 뒤에 나오는 문장성분의 격을 앞에 나오는 문장성분의 격과 일치시켜야 합니다. 왜냐하면 그렇지 않을 경우 그 뜻이 완전히 달라져서 그 주격의 문장성분은 그 앞에 나오는 문장성분과 연결이 되지 않고, 그 문장의 주어와 연결이 되기 때문입니다.

«Mi elektis lin kiel prezidanto» signifas: «mi elektis lin, ĉar mi estas prezidanto», aŭ «mi elektis lin, kvazaŭ mi estus prezidanto», aŭ «mi elektis lin en tia maniero, en kia prezidanto elektas». «Mi elektis lin kiel prezidanton» signifas: «kiel oni elektas prezidanton», aŭ «por *havi en li prezidanton*». Sekve se ni volas esprimi, ke la elektota estu prezidanto, ni povas diri: aŭ «mi elektis lin kiel prezidanton», aŭ «mi elektis lin prezidanto» (= ke li estu prezidanto), sed ni ne povas diri «mi elektis lin kiel prezidanto», ĉar tiam la senco estus tute alia.

Respondo 7, *La Revuo*, 1907, Februaro

/ **elekti**: 선택, 선출하다; *el du malbonoj pli malgrandan elektu* [Z]; *la societoj povas elekti po unu delegito inter siaj propraj membroj* [Z] / **selekti**: (품종개량을 위해) 선별하다; *selekti novan* *kultivoformon de rozo. /*

<Mi elektis lin kiel prezidanto>는 다음과 같은 의미입니다: <mi elektis lin, ĉar mi estas prezidanto>, 혹은 <mi elektis lin, kvazaŭ mi estus prezidanto>, 혹은 <mi elektis lin en tia maniero, en kia prezidanto elektas>. 그리고 <Mi elektis lin kiel prezidanton>은 다음과 같은 의미입니다: <kiel oni elektas prezidanton>, 혹은 <por *havi en li prezidanton*>. 따라서 만약 우리가 그 선출된 사람이 회장이라는 것을 표현하고자 한다면 다음과 같이 말할 수 있습니다: <mi elektis lin kiel prezidanton>, 혹은 <mi elektis lin prezidanto> (=ke li estu prezidanto). 그러나 <mi elektis lin kiel prezidanto>라고는 말할 수 없습니다. 왜냐하면 그렇게 되면 뜻이 완전히 달라지기 때문입니다.

Pri la akuzativo post «tra»
«Tra» 뒤의 목적격에 대하여

Povas esti, ke mi baldaŭ proponos al la voĉdonado de la Lingva Komitato, ke post prepozicio oni uzu la akuzativon nur en okazoj de nepra bezono, sed en ĉiuj iom dubaj okazoj oni ĝin ne uzu. Se la Lingva Komitato tion akceptos, tiam oni kredeble neniam uzos plu la akuzativon post la prepozicio «tra».

/ *povas esti, ke* ... 일 수 있다 / nur en okazoj de nepra bezono 꼭 필요한 경우에만 /

저는 곧 언어위원회에 표결을 제인하려고 합니다. 전치사 뒤에는 꼭 필요한 경우에만 목적격을 사용하고, 조금이라도 의심스러운 경우에는 목적격을 사용하지 말도록 말입니다. 만약 언어위원회가 그것을 받아들인다면, 그때에는 사람들이 틀림없이 전치사 <tra> 다음에 목적격을 더 이상 사용하지 않을 것입니다.

Sed ĝis nun la uzado de akuzativo post «tra» tute ne estas kontraŭregula. Nominativon ni uzas nur post tiuj prepozicioj, kies senco estas ĉiam egala; ekzemple la prepozicio «al» ne povas unu fojon signifi direkton kaj alian fojon ne, tial ni post «al» ĉiam uzas la nominativon; sed ekzistas prepozicioj (ekzemple «en», «sur» k.t.p.), kiuj *per si mem* ne montras direkton, tial, por esprimi direkton, ni uzas post ili la akuzativon.

/ egala 평등한, 일정한, 한결같은 / unu fojon … kaj alian fojon … 어떤 때에는 …, 또 어떤 때에는 … / *per si mem* 저절로 /

그러나 지금까지는 <tra> 다음의 목적격 사용이 절대 규칙에 어긋나는 것이 아닙니다. 언제나 그 의미가 일정한 전치사들 다음에는 주격을 사용합니다. 예를 들어 <al> 같은 전치사는 어떤 때엔 방향을 나타내고 또 어떤 때엔 그렇지 않다거나 그렇지는 않습니다. 그래서 <al> 다음에는 항상 주격을 쓰는 것입니다. 그러나 어떤 전치사들 (예를 들어 <en>, <sur> 등)은 그 자체로 방향을 나타내지 않습니다. 그래서 그럴 경우에는 방향을 표현하기 위해 우리는 그 뒤에 목적격을 쓰는 것입니다.

Al tiuj prepozicioj apartenas *interalie* ankaŭ «tra» kaj «kontraŭ», tial ni post la diritaj prepozicioj povas uzi ambaŭ kazojn, *malgraŭ ke* en la aliaj lingvoj oni uzas post ili ĉiam nur unu kazon (tiu ĉi lasta cirkonstanco kredeble estis la kaŭzo de via erara opinio, kvazaŭ ni post «tra» ĉiam devas uzi nur la nominativon). Estas vero, ke dum la diferenco inter «en» direkta kaj «en» sendirekta estas tre granda, la diferenco *inter «tra» direkta kaj sendirekta* estas tiel malgranda, ke en la plejmulto da okazoj ni povas *egale* bone uzi la nominativon, *kiel* la akuzativon; ekzistas tamen okazoj, kiam estas dezirinde fari *diferencon* inter *la ambaŭ* kazoj.

> / interalie = inter aliaj aferoj, (그 가운데) 특별히 / *malgraŭ ke*
> ~에도 불구하고 / kvazaŭ ni post «tra» ĉiam devas uzi 보통
> kvazaŭ 다음에는 가정법어미 –us가 쓰이지만, 여기서는 직설법
> 현재형어미 –as가 쓰였음 / tiel malgranda, ke 너무나 작아서 ~
> 하다 / *la ambaŭ* 이때에는 관사를 쓰지 않는 것이 좋겠다고
> 자멘호프 스스로 나중에 말하였음 /

그런 전치사들에 특별히 <tra>와 <kontraŭ>가 속합니다. 그래서 비록 다른 언어들에서는 그 전치사들 뒤에 항상 어느 하나의 격만 사용한다 할지라도 우리는 두 가지 격을 모두 다 쓸 수 있습니다. (우리가 <tra> 다음에 항상 주격만을 써야 하는 것처럼 그대가 오해한 것도 바로 이 때문이겠지요). 방향을 나타내는 전치사 <en>과 그렇지 않은 <en> 사이의 차이가 아주 큰 반면, 방향을 나타내는 <tra>와 그렇지 않은 <tra> 사이의 차이는 그리 크지 않아서 대부분의 경우 우리는 주격이나 목적격을 다 사용할 수 있다는 것은 사실입니다. 그러나 이 두 가지 격 사이에 구분을 해주는 것이 바람직한 경우들도 분명히 있습니다.

Ekzemple, irante tra la urbo, mi povas resti en ĝi sufiĉe longe aŭ eĉ tute ne forlasi ĝin; sed, irante tra la urbon, mi *celas* (tra la urbo) *eksteren* de la urbo. En «La Rabistoj», Schweizer tute bone povus diri «la sono de lia nazo povus peli homojn tra trueto de kudrilo»; tamen la esprimo «tra trueton» estas multe plı forta, ĉar ĝi montras, ke la efiko de la sono estas *tiel* granda, *ke* la homoj volus nepre *veni* eksteren; tie ne la trueto mem estas grava, sed nur la celado esti *kiel eble plej* baldaŭ ekstere de la trueto.

/ eksteren 밖으로 (방향 표시) / *kiel eble plej* 가능한 한 가장
–한, –하게 / la celado esti *kiel eble plej* baldaŭ ekstere de la
trueto가능한 한 가장 빨리 그 구멍 밖으로 나가 있고자 (나가
고자) 하는 목적 /

예를 들자면, 도시를 여기저기 두루 거닐면서 (irante tra la
urbo) 나는 그 도시 안에 오랫동안 머물 수도 있고, 또는 아예
그 도시를 떠나지 않을 수도 있습니다. 그러나 그 도시를 관
통하여 걸을 때에는 (irante tra la urbon) 나는 (그 도시를 통하
여) 그 도시의 밖으로 나가려고 하는 것입니다. <La Rabistoj>
에서 Schweizer 씨가 <그의 콧소리는 사람들을 그 바늘구멍
사이로 (tra trueto) 몰아낼 것만 같았다>라고 표현한다 해도
좋습니다. 그러나 <tra trueton>이라는 표현은 훨씬 더 강한 표
현입니다. 왜냐하면 그렇게 하면 그 소리의 효과가 너무나 커
서 사람들이 반드시 밖으로 나가려고 한다는 것을 표현하기
때문입니다. 거기서 "구멍"은 중요하지 않습니다. 가능한 한
가장 빨리 그 구멍 밖으로 나가려고 한다는 목적이 중요한 것
입니다.

Pri la akuzativo post verboj de movo
동작동사 뒤의 목적격에 대하여

Se la vorton «meti» (aŭ «ĵeti», «fali» k.t.p.) sekvas substantivo
aŭ pronomo kun la prepozicioj «antaŭ», «post», «inter» k. c.,
estus ordinare pli ĝuste uzi la substantivon aŭ pronomon en
akuzativo, ĉar ni tie ordinare havas la sencon de direkto;
ekzemple, «metu la korbon antaŭ la pordon». Tamen ofte oni
povas en tiaj okazoj uzi sen eraro ankaŭ la nominativon, se la
senco de direkto koncernas ne la substantivon aŭ la pronomon,

pri kiu ni parolas, sed ian alian vorton, kiun ni *subkomprenas*;

/ k.c. = kaj ceteraj 등등 = ktp. = k.t.p. / estus ordinare pli ĝuste
uzi ~을 사용하는 것이 보통 더 정확할 것이다 / subkomprenas
속으로 이해하다, 생략되다 /

만약 <meti>라는 동사 (혹은 <jeti>, <fali> 등) 뒤에 <antaŭ>,
<post>, <inter>와 같은 전치사를 가진 명사나 대명사가 온다
면, 그 명사나 대명사를 목적격으로 쓰는 것이 보통은 더 정
확합니다. 왜냐하면 그럴 경우에는 보통 이동의 방향을 뜻하
기 때문이지요. 예를 들면 <metu la korbon antaŭ la pordon>과
같습니다. 그러나 만약 그 이동의 방향이 우리가 말하고 있는
그 명사나 대명사에 관련된 것이 아니라 생략된 그 어떤 다른
단어에 관련된 것이라면, 그러한 경우에라도 종종 주격을 쓸
수 있습니다.

ekzemple, oni povas tute bone diri «oni metis antaŭ mi
manĝilaron», *komprenante sub tio*: «oni metis antaŭ mi sur la
tablon manĝilaron». En tiaj okazoj oni povas egale bone uzi la
nominativon aŭ la akuzativon, kaj ŝajnas al mi, ke decidi, ke oni
en tiuj okazoj uzu ekskluzive nur la nominativon aŭ nur la
akuzativon, ni ne bezonas. Se iam la libereco en tiu ĉi rilato
fariĝos por ni tro ĝenanta, kaj *la vivo* mem ne decidos iom post
iom tiun ĉi demandon, tiam ni proponosal la Lingva Komitato,
ke ĝi donu al ni por tiu ĉi demando ian ekskluzivigan decidon.

/ komprenante sub tio: ~ 그것을 ~처럼 이해하면서 / ekskluzive
오로지, 전적으로 / ĝenanta 성가시다, 귀찮게 하다 /
ekskluziviga decido 무엇을 제외시키는 결정 /

예를 들자면 <oni metis antaŭ mi manĝilaron>와 같이 말할 수
도 있는 것입니다. 이럴 때엔 다음과 같이 양해가 되는 것이

지요: <oni metis antaŭ mi sur la tablon manĝilaron>. 그러한 경우에는 주격이나 목적격이나 똑같이 잘 쓸 수 있습니다. 그리고 이런 경우 오로지 주격이나 목적격 중 그 어느 하나만을 써야 한다고 결정할 필요는 없을 것 같습니다. 만약 나중에 이러한 경우의 자유로움이 우리를 너무 귀찮게 하거나, 또 언어의 발전과정에서 이 문제가 전혀 해결되지 않는다면, 우리는 언어위원회에 이 문제에 대해 어떤 결정을 내려주기를 제안할 것입니다.

— Post «sidiĝi» ni povas egale bone uzi la akuzativon kaj la nominativon, *depende de* tio, ĉu ni volas esprimi movon aŭ komencon de nova stato. Tamen, ĉar la nominativo estas ĉiam pli simpla kaj pli facila, ol la akuzativo, tial ŝajnas al mi, ke *estus bone, se* ni alkutimiĝus en ĉiuj okazoj dubaj preferi la nominativon.

Respondo 41a, *La Revuo*, 1908, Majo

/ depende de tio, ĉu ~인지 아닌지에 따라 / *estus bone, se* ~하는 것이 더 좋을 것이다 / preferi 선호하다; *la viroj preferas la blondulinojn*; *tion mi certe preferas al la manĝoj el la kuirejoj de la plej bonaj hoteloj* [Z]; *preferi morti ol senhonoriĝi; aŭ eble vi preferas, ke mi publikigu miajn projektojn en ia gazeto alia?* [Z] /

— <Sidiĝi> 다음에 주격이나 목적격을 다 쓸 수 있습니다. 다만 우리가 그 어떤 동작을 표현하느냐 아니면 새로운 상태의 시작을 표현하느냐에 따라 다를 뿐입니다. 그러나 주격이 목적격보다는 항상 더 간단하고 쉽기 때문에 모든 의심스러운 경우에는 주격을 선호하는 것이 더 좋을 것 같습니다.

[Adjektivo]
[형용사]

Adverbo kaj adjektivo
부사와 형용사

En la tempo, kiam estis verkata la «Dua Libro», la demando, ĉu oni devas diri «estas varme» aŭ «estas varma», ne estis ankoraŭ absolute decidita kaj la uzado de unu formo estis *egale* bona, *kiel* la uzado de la dua. Nun tiu ĉi demando iom post iom per la uzado akceptis jam decidon pli difinitan.

/ ne estis ankoraŭ absolute decidita 아직 절대적으로 정해지지 않았습니다 / *egale* bona, *kiel* ~와 똑같이 좋은 / per la uzado 사용에 따라 / decidon pli difinitan 더 확정적인 결정을 /

<제2서>가 쓰일 때에는 우리가 "estas varme"로 말해야 할지, 아니면 "estas varma"로 말해야 할지 하는 문제가 그렇게 절대적으로 결정되지는 않았고, 이렇게 하나 저렇게 하나 다 괜찮았습니다. 그런데 지금은 이 문제가 조금씩 더 확정적인 결정에 이르고 있습니다.

La adjektivo difinas la substantivon aŭ la pronomon havantan sencon de substantivo (*responde la demandon kia*) kaj la adverbo difinas la verbon (*responde la demandon kiel*). Tial ni diras: «la vetero estas bona», «li kantas bone». Tamen en la okazoj, kie la difino apartenas precize nek al substantivo aŭ pronomo, nek al verbo, ni ofte ne povas decide diri, kian demandon (kia aŭ kiel) nia difino devas respondi kaj kian formon ni devas uzi. En ĉiu alia lingvo tiu ĉi duba demando estas decidata *per la sankcio de l'uzado*, — en nia lingvo ni konsilas uzadi en tiuj okazoj ĉiam la adverbon; ekzemple: «estas varme», «estas vere», «ĝi estas vera».

/ difini 자세히 한정하다, 자세히 한정하여 묘사하다 / la pronomon havantan sencon de substantivo 명사의 뜻을 가진 대명사 / *responde la demandon kia* kia라는 질문에 대한 답으로 / ne povas decide diri, kian 어떤 ~를 해야 할지 결정적으로 말할 수 없다 / *per la sankcio de l'uzado* 용례(관례)가 허용하는 데에 따라 /

형용사는 명사나 아니면 명사의 뜻을 가진 대명사를 한정합니다 (kia라는 질문에 대한 답으로). 그리고 부사는 동사를 한정합니다 (kiel이라는 질문에 대한 답으로). 그래서 우리는 <la vetero estas bona>, <li kantas bone>라고 말합니다. 그러나 그 한정이 정확히 명사나 대명사에 속하지도 않고, 또 동사에 속하지도 않는 그런 경우에, 우리는 kia의 질문과 kiel의 질문 가운데 그 어느 것에 대해 답을 해야 할지, 그리고 또 어떤 형태를 써야 할지 결정적으로 말할 수가 없습니다. 다른 언어에서는 이런 의심스러운 경우에는 관례에 따라 결정이 됩니다만 — 우리의 에스페란토에서는 그러한 경우에 항상 부사를 사용할 것을 권고합니다. 보기: <estas varme>, <estas vere>, <ĝi estas vera>.

La vorton «ĝi» ni konsilas ĉiam uzi nur por anstataŭi objekton aŭ aferon (kiel «li» anstataŭas personon); sed en esprimoj senpersonaj kaj senobjektaj ni konsilas neniam uzi la vorton «ĝi» (ekzemple: «hodiaŭ estas varme» kaj ne «hodiaŭ ĝi estas varme»).

La Esperantisto, 1891, p. 7

/ La vorton «ĝi» ni konsilas ĉiam uzi 주어: ni, 동사: konsilas, 목적어: vin (생략되었음, 또는 "al vi"가 생략되었다고 볼 수도

있음), 목적격보어: uzi, 목적격보어 uzi의 목적어: la vorton /
또는 konsilas의 목적어를 uzi로 볼 수도 있음 / esprimoj
senpersonaj kaj senobjektaj 사람이나 사물이 주어로 쓰이지 않
는 표현, 무주어문 같은 경우 /

단어 <ĝi>는 항상 사물이나 사실을 대신하는 데에 쓰기를 권
고합니다 (마치 <li>가 사람을 대신하듯이). 그러나 사람이나
사물이 주어로 쓰이지 않는 표현 (무주어문 같은 경우)에서는
단어 <ĝi>를 절대 쓰지 말기를 권고합니다. (보기: <hodiaŭ
estas varme>라고 해야지 <hodiaŭ ĝi estas varme>라고 해서는
안 됨)

[Artikolo]
[관사]

Ofte vi ripetas pri la maloportuneco de la artikolo la. Sed la artikolo estas ja vorto tute aparta kaj sur la konstruon de la frazoj ĝi havas nenian influon; tial, se vi volas, vi povas tute ĝin ne uzadi, almenaŭ ĝis la tempo kiam vi tute bone scios ĝian signifon.

La Esperantisto, 1890, p. 32

/ ripetas pri ~에 대하여 반복한다 (반복적으로 말한다), pri 대신 뒤의 명사를 바로 목적격으로 해도 됨 / konstruo de la frazo 문장의 구조 /

그대는 자주 관사 la의 불편함에 대해 (반복적으로) 말합니다. 그러나 관사는 완전히 독립적인 단어이며 문장의 구조에 대해서는 전혀 영향을 끼치지 않습니다. 그래서 그대가 원한다면, 적어도 그대가 그 뜻을 완전히 알 때까지는 그것을 전혀 쓰지 않아도 좋습니다.

Pri la uzado de la artikolo
관사의 사용에 대하여

Tute vane vi faras al vi multe da klopodoj kun la uzado de la artikolo. Vi devas memori, ke en nia lingvo la uzado de la artikolo ne estas deviga; sekve la plej bona maniero de agado estas jena: uzu la artikolon tiam, kiam vi scias certe, ke ĝia uzado estas necesa kaj postulata de la logiko, sed en ĉiuj dubaj okazoj tute ĝin ne uzu. *Pli bone* estas ne uzi la artikolon en tia okazo, kiam ĝi estas necesa, *ol* uzi ĝin tiam, kiam la logiko kaj la kutimoj de ĉiuj popoloj ĝin malpermesas.

그대는 관사의 사용법 때문에 괜한 수고가 많군요. 우리의 에
스페란토에서는 관사의 사용은 절대 강제적인 것이 아니라는
걸 기억하십시오. 따라서 가장 좋은 방식은 다음과 같습니다:
관사의 사용이 꼭 필요하고 논리적으로 요구될 때에만 관사를
사용하라. 그리고 다른 모든 의심스러운 경우에는 그것을 전
혀 사용하지 말라. 관사가 꼭 필요할 때 사용하지 않는 것이
차라리 논리적으로나 일반적인 관습에 비추어 쓰지 말아야 할
때에 그것을 사용하는 것보다는 더 낫다.

Se vi ekzemple diros «venis tago, kiun mi tiel longe atendis»,
via frazo estos ne tute bonstila, sed ne *rekte erara*, kvankam oni
devus tie ĉi diri «la tago»; sed sevi diros «hodiaŭ estas la
dimanĉo» anstataŭ «hodiaŭ estas dimanĉo», tiam vi faros rekte
eraron, kiu estos malagrabla *por la oreloj* de ĉiu bona
Esperantisto.

Respondo 2, La Revuo, 1906, Decembro

만약 그대가 <venis tago, kiun mi tiel longe atendis> (내가 그
렇게 오래 기다리던 날이 왔어요)라고 말한다면, 비록 여기서
<la tago>라고 말해야 하겠지만, 그것이 직접적인 잘못이라고
는 할 수 없고 단지 좋은 문체가 아닐 뿐이지요. 그러나 만약
그대가 <hodiaŭ estas dimanĉo> 대신 <hodiaŭ estas la dimanĉo>
라고 한다면 그것은 모든 훌륭한 에스페란티스토의 귀에 거슬

리는 직접적인 잘못이 되겠지요.

Pri uzado de «l'»
<l'>의 사용에 대하여

Se vi ne scias, kiam vi devas uzi la formon la kaj l', uzu ĉiam pli bone la formon la. La formon l' mi uzas ordinare nur post prepozicioj, kiuj finiĝas per vokalo (ekzemple de, tra k. c.); en ĉiaj aliaj okazoj mi uzas ordinare la plenan formon la, ĉar *alie* la senco povus fariĝi ne klara, eĉ la sono ne agrabla.

La Esperantisto, 1889, p. 24

> / uzu ĉiam pli bone la formon la 항상 la 형태를 사용하는 것이 더 좋습니다, 항상 la 형태를 더 잘 사용하세요(?) / en ĉiaj aliaj okazoj 다른 모든 경우에는, 이때 ĉiuj를 쓰지 않고 ĉiaj를 쓴 것에 유의; 자멘호프는 상관사 중 –a계열의 단어를 영어의 부정관사처럼 자주 씀 / *alie* 그렇지 않으면 /

만약 그대가 언제 la의 형태를 쓰고 또 언제 l'의 형태를 써야 할지 잘 모르겠다면, 항상 la의 형태를 쓰는 것이 더 좋겠습니다. L'의 형태는 저는 보통 모음으로 끝나는 전치사 (de, tra 등등) 뒤에만 씁니다. 다른 모든 경우에는 저는 보통 la의 형태를 사용합니다. 안 그러면 그 뜻이 분명해지지 않고 발음도 그렇게 좋지 않기 때문이지요.

La uzadon de «l'» (apostrofita «la») ni ne forigis; sed ĉar tiu ĉi formo estas ne tre necesa escepto el regulo kaj estas kreita precipe por mallongeco en la versoj, tial ni en prozo uzas nun ordinare la formon konstantan («la») kaj konservas la formon apostrofitan speciale por versoj. Tiel ni agas ordinare en nia gazeto; tamen ni tute ne faras el tio ĉi regulon; ĉiu povas kuraĝe uzadi ankaŭ en prozo la formon apostrofitan.

La Esperantisto, 1893, p. 127

> / estas ne tre necesa escepto el regulo 꼭 필요한 예외 규정이
> 아니다 / konservi 보관하다, 간수하다, 간직하다; rezervi 다음
> 을 위해서 (어떤 용도를 위해서) 남겨두다, 예약하다;
> konservejo 창고, rezervejo 보호구역 (인디언보호구역, 철새보호
> 구역, 사냥금지구역 등) /

(생략부호를 붙인) <l'>의 사용을 우리는 없애지 않았습니다.
그러나 이 형태가 꼭 필요한 예외 규정도 아니고, 또 주로 운
문에서 축약을 위해 사용하려고 만들어진 것이기 때문에 요즘
산문에서는 우리는 주로 그 온전한 형태인 <la>를 사용합니
다. 그리고 이 생략부호를 붙인 형태는 특별히 운문을 위해서
간직하고 있습니다. 우리는 그런 식으로 우리의 잡지에서 사
용하고 있습니다. 그러나 이것을 무슨 규칙으로 만들려고 하
지는 않습니다. 모든 사람은 산문에서도 이 형태를 과감히 쓸
수 있습니다.

Pri la apostrofado de la artikolo
관사에 생략부호를 사용함에 대하여

La esprimo «reunuigi l' homaron» estas efektive nebona, ĉar
apostrofi la artikolon oni povas nur post prepozicio, kiu finiĝas
per vokalo. Sed la neobservado de tiu ĉi regulo, kiu estis donita
ne en la gramatiko, sed nur en la «Ekzercaro» (§27), estas ne
eraro, sed nur peko kontraŭ boneco de la stilo. Sekve en prozo
tiu ĉi regulo devas esti observata, sed en versoj, kie pro «licentia
poetica» oni ofte permesas al si *deflankiĝojn* de la ordinara stilo,
la neobservado de la supre donita regulo (aŭ pli ĝuste konsilo)
ne estas eraro.

<reunuigi l' homaron>라는 표현은 그렇게 좋은 표현은 아닙니
다. 왜냐하면 관사에 생략부호를 사용하는 것은 주로 모음으
로 끝나는 전치사 뒤에서 할 수 있기 때문입니다. 그러나 이
규칙을 지키지 않는 것이 잘못은 아니며 단지 좋은 문체가 아
닐 뿐입니다. 왜냐하면 이 규칙은 문법에 들어 있는 것이 아
니라, <연습문 모음> (27항)에 들어 있을 뿐이기 때문입니다.
따라서 산문에서는 이 규칙이 지켜져야 하겠으나, 운문에서는
그렇게 하지 않아도 되겠습니다. "시적 허용"으로 인해 일반
적인 문체에서 벗어나는 것도 허용이 되는 운문에서는 위에서
말한 그 규칙 (더 정확하게 말하자면 "조언")을 지키지 않는
것이 잘못은 아닙니다.

En versoj ni devas nomi «eraro» nur deflankiĝojn de la
gramatiko (ekzemple la apostrofadon de adjektivo, uzadon de
diversaj kontraŭgramatikaj formoj k.t.p., kio estas tre ofte
renkontata ĉe la komencantaj esperantaj versistoj).

Respondo 4, *La Revuo*, 1906, Decembro

운문에서는 문법에서 좀 벗어나는 것을 "잘못"이라고 해서는
안 됩니다. (예를 들어 초보 에스페란토 작가들에게서 흔히
보이는 형용사에 생략부호를 쓴다거나 여러 가지 비문법적 형
태를 사용하는 것 등등).

Pri la artikolo antaŭ propra nomo kun adjektivo
형용사를 가진 고유명사 앞에 관사를 쓰는 문제

En «Pola Antologio» (p. 60) Kabe skribis: «Tre baldaŭ granda Ramzes foriros en la regnon de l'ombroj » ... «ĉar per la buŝo de l'estroj senmorta Oziris parolas». D^{ro} Zamenhof korektis: «la granda Ramzes», «la senmorta Oziris».

Presprovaĵoj korektitaj de Dro Zamenhof

/ granda Ramzes 람세스 대왕 / regno de l'ombroj 그림자 나라 / senmorta 불멸의 /

<Pola Antologio> (60쪽)에서 Kabe는 <Tre baldaŭ granda Ramzes foriros en la regnon de l'ombroj> ... <ĉar per la buŝo de l'estroj senmorta Oziris parolas>라고 썼다. 그런데 자멘호프 박사는 이렇게 고쳤다: <la granda Ramzes», «la senmorta Oziris>.

| Personaj pronomoj |
| 인칭대명사 |

Pri la uzado de «vi» kaj «Vi»
<vi>와 <Vi>의 사용에 대하여

Ordinare mi skribas «vi», kiam mi parolas al unu persono familiare, kaj «Vi», kiam mi parolas al multaj personoj aŭ al unu persono kun respekto. Vi trovas tiun ĉi diferencon ne *bezona*, kaj mi konsentas, ke vi estas prava. Tiu ĉi maniero de skribado estas nur mia persona kutimo kaj havas nenion komunan kun la gramatiko de nia lingvo. La ĉiama skribado de «vi» per malgranda litero estas ne sole tute regula, sed mi mem ankaŭ nun provos iom post iom forlasi mian ĝisnunan manieron de skribado, kiam miaj korespondantoj iom alkutimiĝos al la malgranda «vi».

/ familiare 친근하게 / havas nenion komunan kun ~와는 전혀 상관이 없다 / malgranda litero = minusklo 소문자; majusklo 대문자; uskl(ec)o 대소문자 구분하기: *atentu pri uskleco; usklecoblinda, usklecdistinga serĉo; usklecoŝanĝo.*/ regula 규칙(규정)에 맞는, 일정한, 규칙적인 /

저는 보통 어느 한 사람을 친근하게 말할 때에는 <vi>를 쓰고, 많은 사람이나 또는 어떤 사람을 존경해서 말할 때에는 <Vi>를 씁니다. 그대는 이런 구분은 불필요하다고 말하는데, 저는 그대가 옳다고 동의합니다. 이런 필기 방식은 순전히 저의 개인적인 습관일 뿐이며 우리 언어의 문법과는 아무 상관이 없습니다. 항상 소문자로 <vi>라고 쓰는 것은 규정에 맞을 뿐만 아니라 저 역시 앞으로는 저와 편지를 주고받는 사람들이 소문자 <vi>에 익숙해진다면 저의 지금까지의 필기 방식을 차츰차츰 고쳐 나가고자 합니다.

Ankaŭ «Estimata sinjoro», «Kara amiko» estas pli regula, ol «Estimata Sinjoro», «Kara Amiko» k.t.p., sed en tiuj ĉi okazoj oni ordinare simple pro ĝentileco skribas grandan literon, kie pli regula estus litero malgranda.

La Esperantisto, 1893, p. 16

/ regula 규칙(규정)에 맞는, 일정한, 규칙적인 / pro ĝentileco 예의상, 겸손하게, 격식을 차리기 위해 /

<Estimata sinjoro>, <Kara amiko> 역시 <Estimata Sinjoro>, <Kara Amiko>보다 더 규정에 맞는 것입니다. 그러나 이러한 경우에 우리는 보통 예의상 대문자를 씁니다만, 사실 소문자 가 규정에 더 맞는 것입니다.

Pri la pronomo «ci»
대명사 <ci>에 대하여

La neuzado de «ci» tute ne estas senkonscia imitado de la ekzistantaj lingvoj, — kontraŭe, ĝi estas specialaĵo de la lingvo Esperanto, specialaĵo bazita sur pure praktikaj konsideroj kaj esploroj. *La plej bona maniero kompreneble estus, se* ni al pli-ol-unu personoj dirus «vi» kaj al unu persono ĉiam «ci»; sed ĉiuj nuntempaj kulturaj popoloj tiel alkutimiĝis al la ideo, ke «ci» enhavas en si ion senrespektan, ke ni neniam povus postuli de la esperantistoj, ke ili al ĉiu unu persono diru «ci»; ni devus sekve havi apartan pronomon de ĝentileco (kaj tia pronomo efektive ekzistis en Esperanto antaŭ la jaro 1878).

/ bazita sur ~에 근거한 / tiel alkutimiĝis al la ideo, ke al unu
... ideo 뒤의 ke는 ideo를 꾸미는 수식어절; tiel...ke... 의 형식

에 따른 ke는 뒤에 나오는 ke ni neniam... / ion senrespektan 존경의 뜻이 없는 무엇; io, tio, ĉio, nenio, kio 등을 꾸미는 형용사는 그 낱말 뒤에 온다 / postuli de 전치사 de가 쓰였음에 유의, ke-절도 쓰임; *de muzikisto vi postulas, ke li sciu ludi* [Z]; *ŝi postulis, ke ŝi estu traktata konforme al tio* [Z]; / peti도 이와 유사함; *peti iun pri io*; *peti ion de iu*; *mi petas vin kredi, ke* [...] [Z]; / sekve 따라서, 결국, 여기서는 이 부분이 전체 문장에 포함되어 있기 때문에 조금 달리 이해해야 함 (그럴 경우에) /

<ci>를 사용하지 않는 것은 그 어떤 기존의 언어를 무조건 모방해서가 절대 아닙니다. 그 반대로 그것은 에스페란토의 특별한 점 가운데 하나이며, 아주 실제적인 고려와 연구 끝에 나온 것입니다. 물론 만약 우리가 두 사람 이상의 사람들에 대해서는 <vi>를 쓰고, 한 사람을 말할 때에는 언제나 <ci>를 쓴다면 가장 좋은 방식이 될 것입니다. 그러나 오늘날 많은 교양인들은 이 <ci>에는 존경의 뜻이 없다는 사고방식에 익숙해져 있어서 에스페란티스토들에게도 항상 한 사람을 말할 때에는 <ci>를 쓰라고 요구할 수가 없습니다. 그러할 경우 우리는 예의를 지키기 위해 다른 특별한 대명사를 쓸 수밖에 없을 것입니다. (그리고 그런 대명사는 1878년 이전의 에스페란토에는 실제로 있었습니다.)

Sed la praktiko de ĉiuj ekzistantaj lingvoj montris, ke tia «formo de ĝentileco» estas ofte tre embarasa, ĉar tre ofte ni ne scias, kiamaniere ni devas *nin turni al* tiu aŭ aliapersono (ekzemple al infano k.t.p.): «ci» ŝajnas al ni eble *ofenda, pronomo* de ĝentileco ŝajnas al ni *ridinde ceremonia*. En tiaj okazoj oni en la ekzistantaj lingvoj uzas diversajn artifikojn, kiuj tamen tre ofte estas tre embarasaj, *kiel* por la parolanto, *tiel* por la aŭskultanto (ekzemple anstataŭ «ci» kaj «vi» oni diras «li», «oni», «sinjoro», «fraŭlo» k.t.p.). Por forigi ĉiujn ĉi tiujn embarasojn, ekzistas nur unu rimedo: diri al ĉiu, ĉiuj kaj ĉio nur «vi».

/ embarasa 당황스러운, 황당한 / kiamaniere 어떤 식으로, kiel 과의 차이에 유의 / ni devas *nin turni al* ~에게 우리가 (어떤 식으로) 접근해야 하는가 / ofenda 공격적인, 화를 돋우는 / *ceremonia* 의식(의례)적인, 형식적인 / artifiko 기교, 인위적인 방법 / rimedo 수단, 방법 /

그러나 기존의 모든 언어에서 그러한 "예의바른 형태"는 종종 아주 황당할 뿐이었습니다. 왜냐하면 우리는 그 어떤 사람에게 과연 어떤 식으로 접근해야 할지 알 수 없기 때문이지요 (예를 들어 어린아이 등). <ci>는 좀 화나게 하는 것 같고, 또 예의바른 대명사는 좀 우스꽝스럽게 의례적인 것 같고 말이지요. 그러한 경우에 기존의 언어들에서는 여러 가지 인위적 방법을 동원하지만 그 모든 것이 그저 말할이에게나 들을이에게나 다 황당할 뿐입니다. (예를 들자면, <ci>와 <vi> 대신 <li>, <oni>, <sinjoro>, <fraŭlo> 등을 쓰는 일). 이 모든 황당함을 없애는 방법은 오직 하나밖에 없습니다: 모든 사람에게 <vi>라고만 말한다.

Malkompreniĝon tio ĉi neniam povas kaŭzi, ĉar en la tre maloftaj okazoj de neklareco ni povas ja precizigi nian parolon, dirante «vi, sinjoro», aŭ «vi ĉiuj», «vi ambaŭ» k.t.p. Por la personoj, kiuj tre sentas la bezonon de «ci» (ekzemple kiam ili sin turnas al Dio aŭ al amata persono), la uzado de «vi» ŝajnas neagrabla nur en la unua tempo (tiam ili ja havas la rajton uzi «ci»), sed post kelka praktiko oni *tiel* facile alkutimiĝas al la uzado de «vi», *ke* ĝi perfekte kontentigas kaj oni trovas en ĝi absolute nenion «malvarman». Ĉio *dependas* ja nur *de* la kutimo.

> / precizigi 분명(정확, 명확, 자세)히 하다 / tre sentas = tre multe (forte) sentas / neagrabla는 문장의 주격보어 (이것이 없으면 문장 전체가 이해가 안 됨) / kelka 본래 수적인 표현을 나타내는 말; iom은 양적인 표현 / kontentigas 다음에 목적어 (onin) 생략됨 / *dependi de* ~에 달리다 (의존하다) /

이것은 결코 그 어떤 오해도 야기하지 않습니다. 왜냐하면 혹시라도 불분명한 경우가 있다면 우리는 <vi, sinjoro> 혹은 <vi ĉiuj>, <vi ambaŭ> 등으로 더 정확히 표현할 수 있기 때문입니다. <ci>를 꼭 써야겠다고 생각하는 사람들은 (예를 들어, 신에게 다가갈 때에나 사랑하는 사람에게 말할 때에) 어쩌면 처음에는 <vi>의 사용이 좀 거북하게 느껴질지 모르지만 (그때에는 당연히 <ci>를 써도 되지요), 조금만 사용하다 보면 곧 익숙해져서 아주 만족스러워질 것이며, 또한 거기에서 그 어떤 "차가움"도 느끼지 못할 것입니다. 모든 것은 오직 습관에 달려 있습니다.

Pri «li», «ŝi», «ĝi»
«Li», «ŝi», «ĝi»에 대하여

La pronomoj «li» kaj «ŝi» estas uzataj nur por personoj; por aferoj, objektoj kaj ankaŭ por bestoj ni uzas la pronomon «ĝi», ĉar en tiaj okazoj la sekso ne ekzistas. Se ni tamen, parolante pri objektoj aŭ bestoj, volas esprimi difinitan sekson (viran aŭ virinan), tiam ni povas uzi «li» kaj «ŝi».

La Esperantisto, 1892, p. 79

> / afero 일, 사건; objekto 사물 / tamen = malgraŭ tio /

<보충 설명>

/ Sed, tamen, kontraŭe, dum /

Sed montras kontraŭecon aŭ limigan kondiĉon pli fortan ol **tamen**; **kontraŭe** montras kontraŭecon en loko aŭ en situacio de personoj,aferoj aŭ ideoj; **dum** ankaŭ povas montri kontraŭecon, sed nur ĉe samtempeco. /

대명사 <li>와 <ŝi>는 오직 사람을 위하여 쓰이고, 사실(사건)이나 사물, 짐승을 위해서는 대명사 <ĝi>가 쓰입니다. 왜냐하면 그런 경우에는 "성"이 없기 때문입니다. 그러나 사물이나 짐승에 대해 말을 하면서 어떤 성(남성이나 여성)을 표현하고 싶을 때에는 <li>나 <ŝi>를 쓸 수도 있습니다.

Pri «ĝi» anstataŭ «tio»
<Tio> 대신 <ĝi>를 사용함에 대하여

La vorton «ĝi» ni uzas, kiam ni parolas nek pri viro, nek pri virino, sed pri io, kio ne havas sekson aŭ kies sekso estas por ni nekonata aŭ *indiferenta*; sekve ni preskaŭ ĉiam povas tute bone uzi tiun ĉi vorton ankaŭ anstataŭ «tio», kies senco estas preskaŭ *tia sama*. Tial anstataŭ «tio (= la ‹io› kiun mi nun vidas antaŭ mi) estas vi, Ivan Karpoviĉ», mi povas tute bone diri «ĝi estas vi, Ivan Karpoviĉ».

Respondo 17, La Revuo, 1907, Junio

> / *indiferenta* 무관심한, 관심이 가지 않는, 신경 쓸 필요가 없는 / *tia sama* 그와 같은 것, 그러한 것 /

<ĝi>라는 단어는 우리가 남성이나 여성이 아닌 그 무엇에 대하여 말을 할 때 사용합니다. 즉, 성이 없을 경우나 또는 우리가 그 성을 모르거나 그것을 알 필요가 없을 때 사용합니다. 따라서 그것은 항상 <tio> 대신 사용해도 좋습니다. <tio>는

"그와 같은 것"을 의미합니다. 그래서 <tio (= 내가 지금 눈앞에 보고 있는 그 무엇) estas vi, Ivan Karpoviĉ> 대신 <ĝi estas vi, Ivan Karpoviĉ>라고 말해도 괜찮습니다.

Pri la pronomo por bestoj
짐승을 위한 대명사에 대하여

Kiam oni parolas pri bestoj, mi konsilas ĉiam uzi nur la senseksan pronomon «ĝi», — ne sole kiam (en la plimulto da okazoj) la sekso de la priparolata besto estas porni indiferenta, sed eĉ en tiaj okazoj, kiam ni parolas precize pri la sekso de la besto. En la tre maloftaj okazoj, kiam la precizeco povas nepre *postuli, ke* ni *montru* la seksonde la besto per la uzata pronomo, la teorio ne malpermesas al ni uzi la vorton «li» aŭ «ŝi»; sed en ĉiuj ordinaraj okazoj mi konsilus uzi la pronomojn «li» kaj «ŝi» nur por homoj.

Respondo 35, La Revuo, 1908, Majo

/ en tiaj okazoj, kiam ~한 그러한 경우에 / *postuli, ke* ni *montru* 우리가 보여주길 요구하다 / mi konsilus uzi 여기선 uzi 앞에 vin이 (또는 al vi) 생략되었다고 볼수도 있음, 혹은 uzi가 바로 동사의 목적어라고 볼 수도 있음; *la kuracisto konsilis al mi iri en ŝvitbanejon* [Z]; *la montritajn naŭ vortojn ni konsilas bone ellerni* [Z]; *la Eternulo, kiu konsilas min* [X]; *kiel vi konsilas respondi?* [X] /

짐승에 대하여 말을 할 때 저는 성이 없는 대명사 <ĝi>만을 쓸 것을 권합니다. 그 짐승의 성별이 우리에게 전혀 문제가 되지 않을 때뿐 아니라 (대부분의 경우), 그 짐승의 성별을 정확히 밝혀 말을 할 때에도 그렇습니다. 아주 드문 경우, 그 정확성을 대명사로써 분명히 나타내야만 할 때에는 물론 대명사

<li>와 <ŝi>를 쓸 수 있겠지요. 그러나 보통의 경우에는 저는 대명사 <li>와 <ŝi>는 사람에게만 쓰기를 권합니다.

Pri la uzado de «li» anstataŭ «ĝi»
<Ĝi> 대신 <li>를 사용함에 대하여

Vi skribis, ke, parolante pri infano, vi uzas «li» anstataŭ «ĝi», ĉar vi ne aprobas «la anglan kutimon starigi infanojn sur unu ŝtupon kun bestoj kaj objektoj». Kontraŭ la uzado de «li» en tiaj okazoj *oni nenion povus havi*; sed la kaŭzo, kial ni (kaj ankaŭ la lingvo angla) uzas en tiaj okazoj «ĝi», *estas ne tia, kiel vi pensas*. Nek la lingvo angla, nek Esperanto havis ian intencon malaltigi la indon de infanoj (ambaŭ lingvoj estas ja *tiel ĝentilaj, ke* ili diras «vi» ne sole al infanoj, sed eĉ al bestoj kaj objektoj).

/ starigi infanojn sur unu ŝtupon kun bestoj kaj objektoj 어린아이를 짐승이나 사물과 같은 선상에 놓다 / Kontraŭ ~ *oni nenion povus havi* ~에 대해 어느 누구도 아무것도 반박할 수 없다 / la kaŭzo, kial ~하는 이유(원인) / *estas ne tia, kiel vi pensas* 그대가 생각하는 것처럼 그렇지 않다 /

그대는 "어린아이를 동물이나 사물과 같은 선상에 놓는 영어 식 관습"에 찬동하지 않기 때문에 어린아이에 대하여 말을 할 때 <ĝi> 대신 <li>를 쓴다고 했습니다. 그러한 경우에 <li>를 쓴다는 것에 대해서는 아무도 반박할 수 없습니다. 그러나 우리가 (그리고 영어도) 그러한 경우에 <ĝi>를 사용하는 이유는 그대가 생각하는 것처럼 그렇지 않습니다. 영어나 에스페란토 모두 어린아이의 가치를 낮추어 보려는 의도는 없습니다. (두 언어 모두 어린아이뿐만 아니라 동물이나 사물에 대해서도 <vi>라고 말을 할 정도로 예의바른 언어입니다.)

La kaŭzo estas tute natura sekvo de la konstruo de *la* ambaŭ diritaj lingvoj. En ĉiu lingvo ĉiu vorto havas (tute ne logike) difinitan sekson, kaj tial, uzante por ĝi pronomon, ni prenas tiun, kiu respondas al la gramatika sekso de la vorto (tial la franco diras pri infano «il», la germano diras «es»); sed en la lingvoj angla kaj Esperanto la vortoj havas nur sekson naturan, kaj tial, parolante pri infanoj, bestoj kaj objektoj, kies naturan sekson ni ne scias, ni *vole-ne-vole* (sen ia ofenda intenco) uzas pronomon mezan inter «li» kaj «ŝi» — la vorton «ĝi». Tiel same ni parolas ankaŭ pri «persono». Cetere, parolante pri infano, pri kiu ni scias, ke ĝi ne estas knabino(aŭ almenaŭ ne scias, ke ĝi estas knabino), ni povas uzi la vorton «li».

La Esperantisto, 1893, p. 16

> / *la* ambaŭ 여기서 관사는 사용하지 않는 게 좋음 / sekso 자연적 성; genro (gramatika sekso) 문법적 성 / *vole-ne-vole* 어쩔 수 없이 / persono 여기서는 "성인"을 의미함 /

그 원인은 그 두 언어의 구조상 자연스러운 결과입니다. 모든 언어에서 각 단어는 (전혀 논리적이지 않지만) 그 어떤 "성"을 가지고 있습니다. 그래서 그 단어를 위한 대명사를 사용할 때, 우리는 그 단어의 "문법적 성"에 따른 대명사를 취하게 됩니다. (그래서 불어에서는 어린아이를 <il>이라 부르고, 독어에서는 <es>라 부릅니다.) 그러나 영어와 에스페란토에서는 단어에 자연적 성밖에 없습니다. 그래서 그 자연적 성을 모르는 어린아이와 동물이나 사물에 대해 말을 할 때에는 어쩔 수 없이 (그 어떤 나쁜 의도 없이) <li>와 <ŝi>의 중간인 <ĝi>를 사용하는 겁니다. "성인"에 대해서도 그렇게 똑같이 말합니다. 그리고 여자아이가 아닌 어린아이에 대해 말을 할 때에는 (혹은 적어도 여자아이라는 걸 우리가 모를 때) 우리는 <li>를 사용할 수 있습니다.

Pri pronomo por «homo»
"사람"을 위한 대명사에 대하여

Kiam ni parolas pri homo, ne montrante la sekson, tiam estus regule uzi la pronomon «ĝi» (kiel ni faras ekzemple kun la vorto «infano»), kaj se vi tiel agos, vi estos gramatike tute prava. Sed ĉar la vorto «ĝi» (uzata speciale por «bestoj» aŭ «senvivaĵoj») enhavas en si ion malaltigan (kaj ankaŭ kontraŭkutiman) kaj por la ideo de «homo» ĝi estus iom malagrabla, tial mi konsilus al vi fari tiel, kiel oni faras en la aliaj lingvoj, kaj uzi por «homo» la pronomon «li».

> / estus regule uzi ~을 사용하는 것은 규정에 맞다고 할 수 있다 / ion malaltigan 좀 낮추어 보는 무엇인가를 / konsilus al vi fari tiel, kiel ~처럼 그렇게 하기를 권하고 싶습니다 /

성별을 나타내지 않으면서 사람에 대해 말을 할 때에는 대명사 <ĝi>를 사용하는 것이 규정에 맞다고 할 수 있습니다 (우리가 "어린아이"에 대해 말을 하는 경우와 같이). 그리고 그대가 그렇게 하는 것은 문법적으로 완전히 옳은 것입니다. 그러나 (짐승이나 사물에 대해 쓰이는) <ĝi>가 좀 낮추어 보는 (또는 관습에 맞지 않는) 그 무엇인가를 가지고 있기 때문에 "사람"에 대해서는 조금 거북할 수도 있습니다. 그래서 저는 다른 여러 말에서와 마찬가지로 사람에게는 대명사 <li>를 쓰기를 그대에게 권고합니다.

Nomi tion ĉi kontraŭgramatika ni ne povas; ĉar, se ni ĉiam farus diferencon inter «homo» kaj «homino», tiam ni devus por la unua uzi «li» kaj por la dua «ŝi»; sed ĉar ni silente interkonsentis, ke ĉiun fojon, kiam ni parolas ne speciale pri sekso virina, ni povas uzi la viran formon por ambaŭ seksoj (ekzemple «homo» = homo aŭ homino, «riĉulo» = riĉulo aŭ riĉulino k.t.p.), per tio mem ni ankaŭ interkonsentis, ke la pronomon «li» ni povas uzi por homo en ĉiu okazo, kiam lia sekso estas por ni indiferenta.

> / nomi 이름 붙이다, 여기서는 "~라고 말하다"의 뜻 / <homo>, <homino> 여기서는 <남자>, <여자>의 뜻 / por la unua 전자를 위해서 / silente 묵시적으로 / lia sekso 그 사람의 성별, 여기서 바로 자멘호프는 "사람의"의 뜻으로 "lia"를 쓰고 있다 /

이것을 비문법적이라 할 수는 없습니다. 왜냐하면 만약 우리가 항상 "남자"와 "여자"에 대해 구별을 해야 한다면 전자를 위해서는 <li>를 쓰고 후자를 위해서는 <ŝi>를 써야 하겠지만, 그러나 우리는 여성의 성별에 대해 특별히 말하지 않을 때에는 항상 두 성별 모두를 위해 남성의 형태를 사용할 수 있다고 묵시적으로 동의를 하였기 때문입니다. (예를 들면, <homo> = homo 혹은 homino, <riĉulo> = riĉulo 혹은 riĉulino 등). 그러므로 우리는 성별이 그렇게 중요하지 않을 때에는 언제나 "사람"을 위해서 대명사 <li>를 쓸 수 있다는 것 역시 동의한 것입니다.

Se ni volus esti *pedante gramatikaj*, tiam ni devus uzi la vorton «ĝi» ne sole por «homo», sed ankaŭ por ĉiu alia analogia vorto; ekzemple ni devus diri: «riĉulo pensas, ke ĉio devas servi al ĝi» (ĉar ni parolas ja ne sole pri riĉaj viroj, sed ankaŭ pri riĉaj virinoj).

Respondo 23, *La Revuo*, 1901, Aŭgusto

> / pedanta 규정에 맞게 하려고 너무 애쓰는, 시시콜콜 너무 따지는 / analogia 유사한 = analoga /

만약 우리가 너무 문법에 맞게만 하려고 한다면, 그때에는 우리는 <ĝi>를 "사람"에만 아니라 모든 유사한 단어에도 써야 할 것입니다. 예를 들면, <riĉulo pensas, ke ĉio devas servi al ĝi>라고 말을 해야 할 것입니다. (왜냐하면 이때 우리는 남성 부자뿐 아니라 여성 부자에 대해서도 말을 하니까요.)

[Refleksivaj pronomoj]
[재귀대명사]

Pri la vorto «siatempe»
<Siatempe>에 대하여

Diri «iam» anstataŭ «siatempe» ni en la plimulto da okazoj ne povas, ĉar la senco de ambaŭ vortoj estas malsama. «Iam» esprimas tempon nedifinitan, dum «siatempe» esprimas tempon, kvankam ne klare nomitan, tamen *pli-malpli* difinitan.

> / en la plimulto da okazoj 많은 경우, (과반의 경우), "en la plej multo da okazoj"와 비교 / nedifinita 특정되지 않은, 막연한 / kvankam ne klare nomita 비록 분명하게 언급되지는 않았지만 / *pli-malpli* 대체로, 어느 정도, 비교적, 등등, "pli malpli"로 쓰기도 함 /

많은 경우 <siatempe> 대신 <iam>을 사용할 수는 없습니다. 왜냐하면 그 두 단어의 뜻이 다르기 때문입니다. <Iam>은 분명히 특정되지 않은 어떤 때를 표현하는 반면, <siatempe>는 어느 정도 특정된 때를 표현하기 때문입니다.

«Mi volis siatempe proponi regulon» = «mi volis proponi en tiu tempo, kiam, laŭ mia opinio, la cirkonstancoj tion postulis». Se anstataŭ «siatempe» vi diros «ĝiatempe», vi ne faros eraron; sed ŝajnas al mi, ke en la plimulto da okazoj «siatempe» estas pli bona ol «ĝiatempe». Tiamaniere uzas la vorton ne sole tiuj lingvoj, kiuj por «sia» kaj «ĝia» uzas la saman vorton, sed ankaŭ tiuj lingvoj (ekzemple la slavaj), kiuj severe faras diferencon inter «sia» kaj «ĝia». Laŭ mia opinio oni povas *klarigi ĝin al si* per tio, ke «sia» montras *pli grandan* intimecon inter la faro kaj la tempo, *ol kiom* montrus la vorto «ĝia».

<Mi volis siatempe proponi regulon> = <mi volis proponi en tiu
tempo, kiam, laŭ mia opinio, la cirkonstancoj tion postulis>.
<siatempe> 대신 <ĝiatempe>를 써도 틀린 것은 아닙니다. 그러
나 제 생각으로는 많은 경우 <ĝiatempe>보다는 <siatempe>가
더 좋을 것 같습니다. <sia>와 <ĝia>를 구분하지 않고 같은 단
어를 쓰는 언어에서뿐만 아니라, (슬라브어와 같이) 그 둘을
아주 엄격하게 구분하는 언어들에서도 그렇게 쓰고 있습니다.
우리는 <sia>가 <ĝia>보다 행위와 시간 사이에 더 큰 연관성
을 나타내는 것으로 이해하면 될 것 같습니다.

Gvidi nin per teoriaj postuloj gramatikaj en tiu ĉi okazo ni ne
povas, ĉar al kio ni povus rilatigi la vorton «ĝia»? Ŝajnas al mi,
ke en la esprimo «faro ĝiatempa» la tempo apartenas (t. e. estas
konvena, konforma k.t.p.) al io alia, dum en «faro siatempa» la
tempo apartenas al la faro mem. Kompreneble, mia klarigo ne
prezentas ion absolute konvinkan; sed mi volis nur montri al vi,
ke ne ekzistas ia grava kaŭzo, por ke ni *la ĝis nun komune
uzatan «siatempe»* anstataŭigu per «ĝiatempe».

Respondo 43, La Revuo, 1908, Aŭgusto

이 경우 너무 문법적이요 이론적인 요구에만 맞추려 해서는 안 됩니다. 왜냐하면 우리는 그 단어 <ĝia>를 과연 그 무엇에 관련을 시킬 수 있을지 알 수 없기 때문입니다. 제가 보기에는 <faro ĝiatempa>에서는 "시간"이 그 어떤 다른 것에 속하는 것 같습니다 (즉, 더 어울리거나 더 적당한 것 같습니다). 반면 <faro siatempa>에서는 "시간"이 바로 그 행위에 속하는 것 같습니다. 물론 저의 설명이 절대적으로 옳은 것은 아닙니다. 그러나 저는 단지 우리가 지금까지 모두 함께 잘 사용해 오던 <siatempe>를 <ĝiatempe>로 바꿀 그 어떤 중요한 이유가 없다는 것을 말씀드리고 싶을 뿐입니다.

[Rilataj pronomoj]
[관계대명사]

Kiu, tiu, kia, tia
<Kiu, tiu, kia, tia>에 대하여

La diferenco inter kiu, tiu k. c. kaj kia, tia k. c. estas sekvanta: la formoj kun u estas puraj pronomoj kaj la formoj kun a estas pronomaj adjektivoj signifantaj econ. Kia = kian econ havanta k. c. Al la vorto 'kiu' vi povas respondi per substantivo, dum al la vorto 'kia' vi devas respondi per adjektivo. Ekzemple: je la demando «kiu domo» vi respondas: tiu domo, tiu ĉi domo, la domo de la patro k. c.; sed je la demando «kia domo» vi respondas; tia domo, tia domo kiel mia, alta domo, longa domo, bela domo k. c.

La Esperantisto, 1891, p. 15

/ estas sekvanta = estas jena 다음과 같다 / pronoma adjektivo 대명사(로도 쓰이는) 형용사; 현재 PIV에서는 "비한정 명사"로 설명하고 있음: *la sinjoro estas nobelo k vi ne estas tia* [Z] / 한국어에서는 "그 집"에서 "그"가 이에 해당한다고 할 수 있다. "그"는 이렇게 관형사로도 쓰이지만, 또 대명사로도 쓰인다 (보기: 그가 왔다). 한국어에서는 (영어에서도) 이 둘의 모습이 똑같지만, 에스페란토에서는 다르다. / 에스페란토의 mia, via, 등이 "나의, 너의"의 뜻도 있지만, "내 것, 네 것"의 뜻도 있는 것과 같다고 할 수 있다. /

Kiu, tiu, 등의 단어와 kia, tia, 등의 단어의 차이는 다음과 같습니다. <u>가 쓰인 형태는 순수한 대명사이고, <a>가 쓰인 형태는 "성질"을 의미하는 대명사적 형용사입니다. "Kia = kian econ havanta" 등과 같습니다. "Kiu"라는 단어에 대해서는

명사로 대답을 해야 하고, "kia"라는 단어에 대해서는 형용사로 대답을 해야 합니다. 보기: <kiu domo>라는 질문에는 "그 집, 이 집, 아버지의 집" 등으로 대답해야 하고, <kia domo>라는 질문에는 "그러한 집, 나의 집과 같은 그런 집, 높은 집, 긴 집, 아름다운 집" 등으로 대답해야 합니다.

[Nedifinitaj pronomoj]
[비한정 대명사]

Tia, tiela
<Tia, tiela>에 대하여

La diferenco inter la senco de 'tia' kaj 'tiela' estas *tiel* malgranda, *ke* la okazoj por 'tiela' estas tre maloftaj. Ekzemple: se brulas granda domo kaj la brulo estas stranga, jen hela, jen subite estingiĝanta por momento, jen saltanta k. c. — ni povus diri (kvankam ne necese): «ĉu vi vidis tiun brulon (= la brulon de tiu ĉi domo)? tian brulon (= tiel grandan k. c.) mi ofte vidas, sed neniam mi vidis brulon tielan (= tiamanieran).»

La Esperantisto, 1891, p. 21

/ tia 그러한; tiela 그런 방식(모습)의 / *tiel* malgranda, *ke* 너무나 작아서 ~하다 /

"tia"와 "tiela"의 차이는 너무나 작아서 "tiela"를 쓸 일은 별로 없습니다. 보기: 만약 큰 불이 났고, 또 그 불이 아주 이상하게 한쪽에서는 강하게 (밝게) 타고 다른 쪽에서는 순간 갑자기 꺼져 가고, 또 다른 쪽에서는 불꽃이 튀는 등 그렇다면, — 우리는 (꼭 그럴 필요는 없지만) 이렇게 말할 수 있습니다: <그대는 그 불을 (이 집에 난 불을) 보았나요? 그런 불을 (그렇게 큰 불 등등) 저는 자주 봅니다만, 그러나 이런 식으로 타는 불은 본 적이 없습니다.>

Pri la vorto «tiela»
<tiela>에 대하여

Via opinio, ke mi ĝis nun neniam aprobis la vorton «tiela», estas erara. Al la vortoj «tiela» kaj «tiele», kiuj estas kreitaj tute regule laŭ la leĝoj de nia lingvo, mi ne sole ne rifuzis mian aprobon, sed mi eĉ mem jam de longa tempo uzas ilin de tempo al tempo. *Mi ne povas nur laŭdi, kiam oni trouzas* tiujn vortojn, kaj *kiam* oni uzas ilin tute senbezone anstataŭ la pli simplaj vortoj «tia» kaj «tiel», aŭ ankoraŭ pli, *kiam* oni volas uzadi ilin ĉiam anstataŭ la vortoj fundamentaj; sed en ĉiuj okazoj, kiam oni volas uzi la sencon de la vortoj «tia» kaj «tiel» en formo pli akcentita, mi trovas la vortojn «tiela» kaj «tiele» tre bonaj, ne sole permesindaj, sed eĉ rekomendindaj.

Respondo 8, *La Revuo*, 1907, Februaro

/ de longa tempo 오랫동안, 오래전부터 = de longe / ankoraŭ pli 더더욱 / mi trovas la vortojn «tiela» kaj «tiele» tre bonaj 저는 <tiela>와 <tiele>가 아주 좋다고 생각합니다 /

제가 지금까지 한 번도 <tiela>의 사용을 찬성하지 않았다는 그대의 의견은 틀렸습니다. 에스페란토의 규칙에 맞게 만들어진 <tiela>와 <tiele>에 대하여 저는 찬성을 거부한 적도 없을 뿐만 아니라 저 자신 오래전부터 종종 그것들을 사용하고 있습니다. 그러나 사람들이 그 단어들을 너무 자주 쓴다거나 전혀 필요없이 더 간단한 단어인 <tia>와 <tiel> 대신 사용한다면, 그리고 더더욱 기본 단어들 대신 항상 그것들을 사용하려고 한다면 저는 그저 칭찬만 하고 있을 수는 없습니다. 그러나 <tia>와 <tiel>을 좀더 강조하여 사용하고 싶을 때에는 <tiela>와 <tiele>도 아주 좋다고 저는 생각합니다. 이것은 허용뿐 아니라 권유까지 할 만합니다.

Pri la senco de «certa»
<Certa>의 의미에 대하여

Krom sia ĉefa senco, la vorto «certa» havas *ankoraŭ* la sencon de «iu» (ne en la senco de «kiu ajn», sed en la senco de «iu difinita»); la uzado de «certa» en la senco de «iu» tute ne estas *franclingvaĵo*, ĉar tiel same oni uzas tiun vorton en la lingvoj germana, rusa, pola kaj aliaj.

Respondo 57, La Oficiala Gazeto, IV, 1911, p. 223

> / certa 확실한, 확신하는, 그 어느 (존재 자체는 분명하지만 꼭 자세히 설명할 필요가 없는 것); *mi estas certa pri tiu informo*; *tiam ni nenion faros al vi, vi povas esti certa!* [Z]; *mi revis tiam, ke pasos certa nombro da jaroj k ĉio ŝanĝiĝos* [Z]; *la E-ismo estas forte ligita kun certa interna ideo* [Z] / iu difinita 한정직인 그 어느 (것) /

<certa>는 그 주된 의미 외에도 <iu>의 뜻도 가지고 있습니다 ("아무거나"라는 뜻이 아닌, "한정적인 그 어느"라는 뜻으로). "그 어느"라는 뜻을 가진 <certa>는 절대 프랑스말의 특이한 용법이 아닙니다. 그 말은 독일어, 러시아어, 폴란드어 등 여러 말에서 다 그렇게 쓰입니다.

Pri la formo «ĉio ĉi»
<Ĉio ĉi>의 형태에 대하여

Anstataŭ «ĉio tio ĉi» vi povas tre bone diri «ĉio ĉi», ĉar la vorto «ĉi» jam per si mem signifas proksiman montron.

La Esperantisto, 1889, p. 15

> / <ĉio tio ĉi> 이 모든 것 / per si mem 저절로, 스스로 /

<ĉio tio ĉi> 대신 <ĉio ĉi>를 써도 아무 문제가 없습니다. 왜냐하면 <ĉi>가 벌써 그 스스로 근접을 의미하기 때문입니다.

Pri la vortoj kun «ĉi»

<Ĉi>와 함께 쓰이는 단어에 대하여

Ni havas egalan rajton uzi la «ĉi» antaŭ aŭ post la pronomo (aŭ adverbo); sed ĉar la «ĉi» estas tiel forte ligita kun sia pronomo, ke ili ambaŭ *prezentas kvazaŭ unu vorton*, kaj ĉar tiu kvazaŭ-unu-vorto per la loko de sia akcento faras impreson de neharmonia escepto inter ĉiuj vortoj de Esperanto, tial pro belsoneco ordinare estas preferinde starigi la «ĉi» antaŭ la montra vorto. La uzado de streketo inter la montra vorto kaj «ĉi» (t. e. skribado «tiu-ĉi» aŭ «ĉi-tiu» anstataŭ «tiu ĉi» aŭ «ĉi tiu») ŝajnas al mi nur simpla erara kutimo, kiun *nenio pravigas*.

Respondo 52, *La Oficiala Gazeto,* IV, 1911, p. 2

/ havas egalan rajton uzi 똑같이 사용할 수 있다 / 본문에 ĉar 가 두 번 나옴, 뒤의 tial은 없어도 됨 / *prezentas kvazaŭ unu vorton* 마치 하나의 단어처럼 보인다 / estas preferinde -i ~하는 것이 바람직하다 / starigi 세우다, 놓다 / *nenio pravigas* 아무것도 ~을 정당화 시켜주지 못한다 /

<보충 설명>

/ 자멘호프는 여기서 이렇게 말을 하고 있지만, 실제 이 책 안에서도 거의 모든 경우 <ĉi>를 지시사 뒤에 쓰고 있다. 이것은 분명 그가 <tio, tie> 같은 말에서 모음의 연결체 <io, ie>등을 마치 하나의 복모음처럼 생각했기 때문일 것이다. /

<ĉi>는 대명사 (혹은 부사)의 앞이나 뒤에 똑같이 쓸 수 있습니다. 그러나 이 <ĉi>가 그 대명사와 너무 긴밀히 연결되어 있어서 마치 그 둘이 하나의 단어처럼 보입니다. 그리고 또 그 하나의 단어처럼 보이는 그것이 악센트의 자리에 있어 다른 모든 에스페란토 단어들과는 어울리지 않는 예외적인 인상

을 주게 됩니다. 그래서 발음의 아름다움을 위해서 보통 이 <ĉi>를 지시사 앞에 놓는 것이 바람직합니다. 지시사와 <ĉi> 사이에 조그만 연결선을 사용하는 것은 제가 보기에 변명할 수 없는 그저 단순한 실수일 뿐입니다.

Pri «onin» kaj «onia»
<Onin>과 <onia>에 대하여

Akuzativo kaj pronomo poseda de la vorto «oni» estas *per si mem* formoj tute regulaj, kaj ĉiu havas plenan rajton ilin uzi, ĉar nenie en la «Fundamento» estas dirite, ke «oni» *prezentas escepton* el ĉiuj aliaj analogiaj pronomoj. Nur en la praktiko oni ĝis nun ne uzadis la formojn «onin» kaj «onia», ĉar preskaŭ en ĉiuj plej gravaj lingvoj la vorto «oni» ne ŝanĝiĝas kaj la akuzativigo kaj adjektivigo de tiu ĉi vorto sonus tre strange en la oreloj de la plimulto de la esperantistoj.

/ estas dirite, ke ~라고 말해져 (쓰여) 있다 / *prezentas* 많은 경우 이것은 estas와 같다 (격을 목적격에서 주격으로 바꾸면서) / sonus tre strange 이상하게 들릴 것이다 /

단어 <oni>의 목적격형이나 소유대명사형은 그 자체로 규정에 맞는 것입니다. 그리고 누구라도 그렇게 쓸 수 있습니다. <에스페란토 규범> 그 어디에도 <oni>가 다른 모든 유사한 대명사와는 다른 예외적인 것이라고 말하고 있지 않기 때문입니다. 다만 실제에 있어 사람들은 지금까지 <onin>과 <onia> 같은 형태들을 잘 사용하지 않았습니다. 왜냐하면 거의 모든 주요 언어들에서 이 <oni>라는 단어는 변화형이 없으므로 이 단어의 목적격형이나 형용사형은 대부분의 에스페란티스토들에게 아주 이상하게 들릴 것이기 때문이었지요.

Sed en Esperanto la «nekutimeco» ne prezentas gravan kaŭzon

por neuzado; tial, kvankam mi persone ĉiam evitas la diritajn formojn, tamen, se iu ilin uzus, *mi neniel povus vidi en tio ĉi ian pekon* kontraŭ la reguloj aŭ kontraŭ la komuna spirito de nia lingvo.

Respondo 22, *La Revuo*, 1907, Aŭgusto

/ Persone 개인적으로, 몸소; private 사적으로, 사사로이 / *peko* 죄, 잘못 /

그러나 에스페란토에서는 <익숙하지 않음>이 "사용할 수 없음"의 중요한 원인이 될 수 없습니다. 그래서 비록 저는 개인적으로 항상 이러한 형태들을 피합니다만, 그러나 만약 누군가가 그런 형태들을 사용한다 해도 절대 그것이 규정을 어겼다거나 에스페란토의 공통의 정신에 위배되었다고 말하지는 않겠습니다.

Pri «ioj», «tioj», «kioj» k.t.p.
<Ioj>, <tioj>, <kioj>에 대하여

Teorie la ĵus diritaj formoj tute bone povas havi multenombron *tiel same, kiel* ili havas akuzativon; sed en la praktiko mi ne konsilas al vi uzi la diritajn vortojn en *multenombro*, ĉar laŭ mia opinio ilia senco tion ĉi ne permesas. «Tio» prezentas ja ne ian difinitan objekton, sed ian bildon (aŭ abstraktan ideon), kaj bildo restas ĉiam ununombra sendepende de tio, ĉu ĝi konsistas el unu objekto aŭ el multaj.

/ multenombro = pluralo 복수 / ia difinita objekto 어떤 한정적이고 구체적인 사물 / bildo 그림, 머릿속에 떠오르는 개념 / sendepende de ~에 관계없이 / tio, ĉu ~인지 아닌지 하는 그것 / konsistas el ~로 구성되어 있다 /

이론적으로는 방금 말한 그 형태들이 복수형을 취하는 데 아무 문제가 없습니다. 마치 그것들이 목적격형을 취하듯이 말입니다. 그러나 실제에 있어서는 저는 그것들을 복수형으로 사용하는 것은 권하지 않습니다. 왜냐하면 제 의견으로는 그것들의 의미가 이것을 허용하지 않기 때문입니다. <Tio>는 그 어떤 구체적인 한정된 사물을 나타내는 게 아니라 하나의 그림(혹은 추상적인 생각)을 나타냅니다. 그리고 그 그림은 그것이 하나의 사물로 이루어져 있느냐 아니면 여러 개의 사물로 이루어져 있느냐에 상관없이 항상 단수로 존재합니다.

Tamen se aperas ia tre malofta okazo, kiam la logiko postulas, ke ni uzu la diritajn vortojn en multenombro, tiam la gramatiko de nia lingvo tion ĉi ne malpermesas. Ekzemple: «Lia potenco konsistas el diversaj *ioj*, el *kiuj* ĉiu aparte per si mem estas ne grava, sed ĉiuj kune donas al li grandan forton».

Respondo 18, *La Revuo*, 1907, Junio

/ Tamen se aperas ia tre malofta okazo, kiam 아주 드문 일이지만 혹시 ~한 경우가 생긴다면 / diversaj *ioj*, el *kiuj* 본래 선행사가 io이면 관계대명사는 kio가 되어야 하지만, 그 선행사 앞에 diversa라는 형용사가 붙어서 이 io를 한정시키기 때문에 이때에는 관계대명사가 kiu가 된다 /

그러나 만약 아주 드문 일이지만 혹시 논리적으로 우리가 그 낱말들의 복수형을 써야만 하는 경우가 생긴다면 그때에는 에스페란토 문법은 이것을 금지하지 않습니다. 보기: <그의 권력은 여러 가지 *것*들로 이루어져 있다. *그것*들 가운데 하나하나는 그렇게 중요한 것이 아니지만, 모두 합쳐져서는 그에게 큰 힘을 주고 있다.>

Pri «neniigi»[1]

\<Neniigi\>에 대하여[1]

Ĉiuj vortoj de la «interrilata tabelo» konsistas el du partoj: a) radiko, b) karakteriza finiĝo (ekzemple ki-al, ki-o, neni-u, neni-a k.t.p.). Ĉar pro diversaj kaŭzoj, pri kiuj mi ne povas nun paroli detale, la karakterizaj finiĝoj de la diritaj vortoj ne povis esti fiksitaj kiel finiĝoj sendependaj kaj ĝeneralaj (ekzemple mi estis devigita preni la finiĝojn «e» kaj «u», kiuj kiel sendependaj finiĝoj havis jam alian sencon), *tial* mi devis *alkroĉi* ilin nedisigeble *al* la radiko.

([1] S-ro J. E. demandis nian Majstron, ĉu «neni» estas radikvorto, ĉu la formoj neniigi kaj neniiĝi estas ĝustaj, kaj ĉu nenioigi kaj nenioiĝi ne estus preferindaj.)

/ interrilata tabelo 상관사 목록, 자멘호프표, zamenhofa tabelo /
karakteriza finiĝo 특정어미 / *alkroĉi* ilin nedisigeble *al* la radiko
그것들을 분리할 수 없도록 어근에 붙이다 /

상관사 목록의 모든 단어는 두 부분으로 이루어져 있습니다: a) 어근, b) 특정어미 (예: ki-al, ki-o, neni-u, neni-a 등). 제가 지금 자세히 말씀드릴 수 없는 여러 이유로 인하여 그 단어들의 특정 어미들은 "독립적이며 일반적인 어미"로 확정시킬 수가 없습니다. (예를 들어, 저는 이미 다른 뜻의 독립어미로 쓰이고 있는 \<e\>와 \<u\>를 이 특정어미로 쓸 수밖에 없었습니다.) 그래서 저는 그것들을 분리할 수 없도록 어근에 완전히 붙일 수밖에 없었습니다.

([1] S-ro J. E.는 우리의 스승에게 \<neni\>가 하나의 "어근어"인지, 또 \<neniigi, neniiĝi\> 같은 형태가 옳은지, 그리고 \<nenioigi, nenioiĝi\> 같은 형태가 바람직하지 않은 것인지 물었습니다.)

Tiamaniere ilia uzado sendependa (ekzemple en formoj «ali-u», «ali-es», «kelk-om», k.t.p., kiuj per gramatika instinkto estis uzataj de kelkaj Esperantistoj) estas kontraŭregula. Sed en tiuj du kolonoj, kiuj finiĝas per «a» kaj «o», la finiĝoj estas ne kondiĉe interrilataj, sed pure adjektivaj kaj pure substantivaj, kvankam ili, pro unuformeco, estas presataj en la vortaro kune kun la radiko (oni povus tamen tre bone presi ilin ankaŭ sen la finiĝo). Tial la forĵetado de la pure substantiva «o» kaj ĝia anstataŭigado per diversaj aliaj finiĝoj kaj sufiksoj ŝajnas al mi tre bone permesebla.

> / ne kondiĉe interrilataj, sed pure adjektivaj kaj pure substantivaj, 상관사라는 조건에서만 쓰이는 게 아니라, 순수하게 형용사와 명사의 어미로 쓰인 것이다 / pro unuformeco 통일성 때문에 /

그런 식으로 그것들을 독립적으로 사용하는 것은 (예를 들자면 몇몇 에스페란티스토들이 문법적 직감으로 쓴 <ali-u, ali-es, kelk-om> 등) 규정에 맞지 않습니다. 그러나 <a>와 <o>의 두 열에 나오는 어미들은 상관사에서만 쓰이게 만들어진 것이 아니라 순수히 형용사와 명사의 어미입니다. 비록 통일성의 이유로 그것들이 사전에서는 하나의 어근으로 인쇄가 되어 있지만 말입니다 (그러나 이것들을 어미 없이 인쇄할 수도 있습니다). 그래서 순수 명사어미인 <o>를 빼고 대신 다른 여러 가지의 어미나 접미사들을 사용한다 해도 그건 허용될 수 있는 일이라 저는 생각합니다.

Kompreneble, se tio ĉi donus ion novan, kontraŭan al la ĝisnunaj kutimoj, ni devus tion ĉi eviti, ĉar absoluta kaj laŭlitera reguleco tion ĉi ne permesus; sed, ĉar la vortoj «neniigi» kaj «neniiĝi» estas jam de longa tempo tre bone konataj kaj uzataj de ĉiuj Esperantistoj, tial mi opinias, ke malpermesi la uzadon de tiu ĉi formo estus tute senbezone.

Respondo 14, *La Revuo*, 1907, Aprilo

/ laŭlitera reguleco 문자적인 규정, 엄격한 규정 / de longa
tempo 오래전부터 /

물론 만약 이것이 지금까지의 관습에 반하는 그 어떤 새로운
것을 야기한다면 우리는 이것을 피해야 하겠지요. 왜냐하면
절대적이고 문자적인 규정이 이것을 허용하지 않을 테니까 말
이지요. 그러나 이 <neniigi>와 <neniiĝi>라는 단어가 벌써 오
래전부터 모든 에스페란티스토들 사이에 잘 알려져 쓰이고 있
기 때문에 저는 이 형태의 사용을 금지하는 것은 전혀 불필요
한 일이라 생각합니다.

Pri «neniu» kaj «nenia»
<Neniu>와 <nenia>에 대하여

La vorto «neniu» (tiel same, kiel ankaŭ la vortoj «iu», «kiu»,
«tiu», «ĉiu») havas sencon pure pronoman, dum la vorto «nenia»
(kiel ankaŭ la vortoj «ia», «kia», «tia», «ĉia») havas sencon
adjektivan kaj esprimas specon, karakteron. La vortoj «iu, kiu,
tiu, ĉiu, neniu» povas esti uzataj aŭ kun substantivo, aŭ sen
substantivo (en tiu ĉi lasta okazo oni *subkomprenas* ĉe ili la
vorton «homo»).

/ havas sencon pure pronoman 순수히(오로지) 대명사의 뜻만
가지고 있다 / en tiu ĉi lasta okazo 후자의 경우에는 /

<보충 설명>

/ 현재 PIV에서는 –u계열의 상관사를 관형사(determinanto, 형
용사의 일종)로도 보고 대명사로도 본다. /

단어 <neniu>는 (<iu>, <kiu>, <tiu>, <ĉiu>도 마찬가지) 오로지 대명사의 뜻만 가지고 있습니다. 반면 <nenia>는 (<ia>, <kia>, <tia>, <ĉia>도 마찬가지) 오로지 형용사의 뜻만 가지고 있으며, 종류와 성질을 표현합니다. <iu, kiu, tiu, ĉiu, neniu>는 뒤에 명사가 올 수도 있고 오지 않을 수도 있습니다. (후자의 경우에는 그 뒤에 <homo>라는 말이 생략된 것으로 이해하면 됩니다.)

La formoj kun «u» enhavas en si ĉiam la ideon de nomo aŭ pronomo, dum la formoj kun «a» enhavas en si la ideon de adjektivo. La diferencon inter la diritaj serioj da vortoj vi komprenos plej bone el la sekvantaj ekzemploj: Kiu venis? Venis Petro; venis botisto; venis li.

> / enhavas en si ĉiam la ideon de 항상 ~의 개념을 내포하고 있다 /

<u>가 쓰인 형태들은 항상 명사나 대명사의 개념을 내포하고 있으며, <a>가 쓰인 형태들은 형용사의 개념을 내포하고 있습니다. 이 두 가지 계열의 낱말들의 차이는 다음의 보기에서 가장 잘 이해할 수 있습니다: Kiu venis? Venis Petro; venis botisto; venis li.

— En kiu urbo vi loĝas? Mi loĝas en Parizo; mi loĝas en tiu ĉi urbo. En kia urbo vi loĝas? Mi loĝas en bela urbo; en granda urbo. — Ĉu vi vidis la ĉambristinon aŭ la kuiristinon? Mi vidis neniun servistinon. Ĉu vi vidis junan servistinon aŭ maljunan? Mi vidis nenian servistinon. Inter la vortoj «tiu-tia» kaj «ĉiu-ĉia» la diferenco estas pli granda kaj pli klara, ol inter la vortoj «kiu-kia», «iu-ia», «neniu-nenia»; tial oni neniam povas diri «tia» aŭ «ĉia» anstataŭ «tiu» aŭ «ĉiu», sed ofte oni povas sen eraro diri «ia, kia, nenia» anstataŭ «iu, kiu, neniu» (kvankam estas bone ĉiam eviti *kiom eble* la intermiksadon de tiuj ĉi vortoj) .

Respondo 29, *La Revuo*, 1908, Februaro

/ ĉambristino 방 청소부 / oni povas sen eraro diri ~라고 말해도 틀리지는 않습니다 / *kiom eble* 가능한 한 /

— En kiu urbo vi loĝas? (그대는 어느 도시에 살고 있나요?) Mi loĝas en Parizo (저는 파리에 살고 있습니다); mi loĝas en tiu ĉi urbo (저는 이 도시에 살고 있습니다). En kia urbo vi loĝas? (그대는 어떤 도시에 살고 있나요?) Mi loĝas en bela urbo (저는 아름다운 도시에 살고 있습니다); en granda urbo (큰 도시에). — Ĉu vi vidis la ĉambristinon aŭ la kuiristinon? (그대는 방 청소부를 보았나요, 요리사를 보았나요?) Mi vidis neniun servistinon (저는 어느 하인도 보지 않았습니다). Ĉu vi vidis junan servistinon aŭ maljunan? (그대는 젊은 하인을 보았나요, 아니면 늙은 하인을 보았나요?) Mi vidis nenian servistinon (저는 그 어떤 하인도 보지 않았습니다). <tiu-tia>와 <ĉiu-ĉia> 사이의 차이는 <kiu-kia>, <iu-ia>, <neniu-nenia>와 같은 단어들 사이의 차이보다 훨씬 더 크고 분명합니다. 그래서 우리는 <tiu, ĉiu> 대신 <tia, ĉia>라고는 말할 수 없지만, 종종 <iu, kiu, neniu> 대신 <ia, kia, nenia>라고는 말할 수도 있습니다. (물론 가능한 한 이 낱말들을 섞어서 사용하는 것은 피하는 게 좋겠지요.)

[Verboj]
[동사]

Pasivebleco de verboj
동사의 수동형에 대하여

La esprimo «estu timata» estas uzita tute bone kaj regule. En la rusa lingvo la vorto «timi» ne havas pasivon, sed tio ĉi ja *tute ne montras ankoraŭ, ke* ankaŭ en Esperanto ĝi ne devas havi pasivon. En ĉiu vivanta lingvo estas permesite uzi nur tiujn formojn, kiujn aliaj personoj jam uzis antaŭ vi; sed en la lingvo internacia oni devas obei sole nur la logikon. La logiko diras, ke ĉia verbo povas havi pasivon, se nur la senco ĝin permesas. Sed en la verbo «timi» la senco tute bone permesas pasivon, kiel en aliaj verboj.

/ *tute ne montras ankoraŭ, ke* ~라는 것까지 뜻하지는 않습니다 / estas permesite uzi 주어가 동사원형이라서 보어가 부사가 됨 / obei 복종하다, 지키다, *obei la patron* [Z], *al la patro* [Z]; *respektu Dion k reĝon k obeu la leĝon* [Z]; *deziro k inklino ordonon ne obeas* [Z]. / 여기 쓰인 <Sed>는 없어도 되겠음 /

<estu timata>라는 표현은 잘 된 표현이며 규정에 맞는 것입니다. 러시아어에서는 <timi>라는 단어가 수동형이 없지만, 그러나 그렇다고 에스페란토에 서도 그것이 수동형이 없어야 한다는 뜻은 아닙니다. 모든 살아있는 자연어에서는 여러분 이전의 다른 사람들이 이미 써오던 형태만을 써야 하지만, 그러나 국제어에서는 오로지 논리만을 따라야 합니다. 의미가 허용한다면 모든 동사는 수동형을 가질 수 있다고 논리는 말합니다. 그 의미를 볼 때 <timi>라는 동사에서 수동형은 다른 여러 언어에서와 마찬가지로 완전히 가능한 것입니다.

- 181 -

Ĉe la timado ni havas ĉiam du personojn aŭ objektojn: unu, kiu timas, kaj unu, kiun oni timas, aŭ kiu estas timata. «De l' malamikoj vi estu timata» signifas: ke la malamikoj timu vin (= je vi aŭ antaŭ vi). Vere, ke en la rusa lingvo oni diras ne «timi lin», sed «timi de li»; sed tio ĉi estas aparteco de la rusa lingvo, kiu tute ne estas deviga ankaŭ por ĉia alia lingvo. Jam la senco mem permesas tute bone uzi la verbon «timi» kun la akuzativo (en tia maniero ĝi ankaŭ estas uzata en multaj lingvoj, kie ĝi tiel ankaŭ havas pasivon);

/ aparteco 특수성 (참조: rusismo, anglismo, koreismo ktp) / deviga 강제적인 /

두려움에는 항상 두 명의 사람이나 두 개의 사물이 있습니다. 하나는 두려움을 느끼는 쪽이고, 다른 하나는 두려움의 대상이 되는 (두려워하는) 쪽입니다. <De l' malamikoj vi estu timata>라는 표현은 이런 걸 의미합니다: "적들이 당신을 두려워하라". 러시아어에서는 <timi lin>이라고 말하지 않고, <timi de li>라고 말합니다. 그러나 이것은 러시아어의 특수성일 뿐 모든 다른 언어에도 강제적인 것은 아니지요. 그 의미를 볼 때 <timi>라는 동사는 목적어와 함께 사용할 수 있습니다. (그런 식으로 다른 여러 말에서도 사용되고 있으며, 거기에서 또 수동형이 쓰이고 있습니다.)

sed *se la senco ĝin ankaŭ ne dirus*, ĝin diras ja tute klare nia gramatiko, laŭ kiu en ĉia duba okazo oni povas uzi la prepozicion «je» aŭ la akuzativon sen prepozicio. Eĉ de vortoj, kiuj per si mem ne postulas la akuzativon, vi povas en nia lingvo libere ĉiam fari pasivon, se nur la senco de tiu ĉi pasivo estos komprenebla. Tiel ekzemple en la versaĵo «Al la Esperantisto» estas ne malregule uzita la esprimo «la celo estos

- 182 -

alvenita» (= oni alvenos al la celo).

La Esperantisto, 1890, p 32

/ Je 만능전치사, 적당한 전치사가 없을 때 사용할 수 있음, 이걸 생략하고 뒤의 명사를 목적격으로 할 수도 있음 / alvenita 도달된, 도착한, alveni는 본래 자동사 (PIV에는 타동사로 나오지만, 예문은 모두 자동사처럼 되어 있음), *ili ne alvenis en sia loko de destino* [Z]; *li alvenis al tiu ĉi vorto de nia lingvo kun kutimoj latinaj* [Z]; *ni vidos, ke nia komuna celo estos alvenita* [Z] / (에스페란토에서 자동사와 타동사의 문제가 아주 혼란스러움, 여러 민족어의 영향인 듯) /

그러나 만약 그 의미로도 명확하지 않다면, 우리의 문법이 그걸 밝혀 줄 것입니다. 우리의 문법에 따르면 모든 불분명한 경우에 우리는 전치사 <je>를 쓸 수 있고, 또 그것을 쓰지 않고 대신 목적격을 쓸 수 있습니다. 목적어를 필요로 하지 않는 단어에서조차 여러분은 에스페란토에서 자유롭게 항상 수동형을 만들 수 있습니다. 다만 이 수동의 의미가 이해만 된다면 말이지요. 그 예를 들면 <Al la Esperantisto>라는 시에서 <la celo estos alvenita>라는 표현은 잘못 쓰인 것이 아닙니다.

Pri la participo-substantivo
분사의 명사형에 대하여

Participo-substantivo en Esperanto signifas ordinare personon (aŭ objekton, kiu plenumas ian funkcion); se ni deziras doni al la participo alian sencon, ni devas uzi sufikson (ekzemple aĵ aŭ ec). Tial, laŭ mia opinio, la vorto «estonto» povas signifi nur «estonta persono», sed ĝi ne povas signifi «estonta tempo» aŭ «estonta afero», kiujn mi rekomendus traduki per la vortoj «estonteco» kaj «estontaĵo».

/ rekomendus traduki : "rekomendus vin traduki"라고 할 수도 있겠음 / Rekomendi (타): *ni rekomendas al vi antaŭ ĉio la prezidanton* [Z]; *la kuracisto rekomendis al li ĉesigi la fumadon*; *rekomendi al iu paciencon* [B]; *mi nepre rekomendas, ke vi ne pretervidu tiun ekspozicion.* /

에스페란토에서는 분사의 명사형은 보통 사람 (혹은 어떤 기능을 행하는 사물)을 뜻합니다. 만약 우리가 그 분사에 다른 의미를 부여하고 싶다면, 우리는 접미사 (예를 들어 aĵ나 ec)를 써야 합니다. 그래서 제 의견으로는 <estonto>는 <미래의 사람>을 뜻하지, <미래의 시간>이나 <미래의 일>을 뜻할 수는 없습니다. 이런 말들은 <estonteco>나 <estontaĵo>로 하기 바랍니다.

Pri la vorto <estonteco>
<Estonteco>라는 단어에 대하여

En «Pola Antologio» (pp. 76-77) Kabe skribis : «pensoj pri trankvila estonto, kiu komenciĝas», D[ro] Zamenhof korektis «trankvila estonteco».

Presprovaĵoj korektitaj de D[ro] Zamenhof.

/ estonto를 estonteco로 고침, "미래"라는 뜻 /

<Pola Antologio> (pp. 76-77)에서 Kabe가 <pensoj pri trankvila estonto, kiu komenciĝas>로 쓴 것을 자멘호프 박사는 <trankvila estonteco>로 고쳤음.

Ankoraŭ pri la senco de la participa sufikso
분사 접미사의 의미에 대하여 다시 한 번

Se anstataŭ la kunsufiksa vorto «estanta» ni uzus ian simplan sensufiksan vorton (ekzemple: «nuna»), tiam ĝia substantiva formo kompreneble neniel povus signifi homon, sed povus signifi nur abstraktaĵon; sed la sufikso de participo enhavas en si mem la ideon pri io konkreta (iu aŭ io, kiu ... as), sekve verbo, substantivigita per participa sufikso, povas esprimi nur konkretaĵon (ulon aŭ aĵon). Kaj ĉar en la grandega plimulto da okazoj la participa sufikso, laŭ sia senco mem, esprimas ulon, tial *laŭ la principo de sufiĉo* ni ne bezonas konstante aldonadi al ĝi la sufikson «ul», kaj nur en tiuj maloftaj okazoj, kiam per la dirita sufikso ni volas esprimi ne ulon, sed aĵon, ni aldonas la sufikson «aĵ».

Respondo 50, *La Oficiala Gazeto,* IV, 191:1, p.1

/ kunsufiksa 접미사가 쓰인 / sensufiksan 접미사가 쓰이지 않은 / sufikso de participo = participa sufikso 분사접미사 / ulo 사람 / en la grandega plimulto da okazoj 대부분의 경우 / *laŭ la principo de sufiĉo* 충분의 법칙(?)에 따라 /

만약 접미사가 쓰인 <estanta> 대신 접미사가 없는 간단한 단어를 쓴다면 (예: nuna), 그때에는 그 명사형은 당연히 사람을 뜻할 수는 없고, 단지 어떤 추상성을 뜻할 뿐입니다. 그러나 분사 접미사는 어떤 구체적인 것에 대한 개념 (~을 하는 사람이나 사물)을 그 자체가 내포하고 있기 때문에 그 분사 접미사로 명사화 된 동시는 오로지 구체적인 것 (사람이나 사물)을 표현할 뿐입니다. 그리고 대부분의 경우 분사 접미사는 그 의미로 볼 때 사람을 표현하므로 충분의 법칙에 따라 접미사 <ul>을 계속해서 덧붙일 필요는 없습니다. 그리고 아주 간혹 우리가 그 분사 접미사로써 사람이 아니라 사물을 표현하고자 한다면, 그때에는 접미사 <aĵ>를 덧붙입니다.

Komplemento de la participo-substantivo
분사 명사의 보충어에 대하여

'Defendinto la patron' mi ne *konsilas* uzi, sed mi preferas 'defendinto de la patro'.

El privata letero, citita de P. Fruictier en Esperanta Sintakso, p.13

/ **Komplemento** 보충어; 여기서는 suplemento가 더 어울릴 듯 / *konsili* 조언하다, 충고하다, *la kuracisto konsilis al mi iri en ŝvitbanejon* [Z]; *pri tio mi jam konsilas al vi ne maltrankviliĝi* [Z]; *la montritajn naŭ vortojn ni konsilas bone ellerni* [Z]; *la Eternulo, kiu konsilas min* [X]; *kiel vi konsilas respondi?* [X] / defendi (공격으로부터) 보호하다, 변호하다, *defendi sian patrujon*; *la delegito fervore defendis la projekton* [Z] /

'Defendinto la patron'이라고 하지 말기 바랍니다. 저는 'defendinto de la patro' (아버지를 변호하는 사람)라고 하겠습니다.

«Okupita» aŭ «okupata»?
<Okupita>냐, <okupata>냐?

Kiam pro ia laboro mi ne estas libera, mi diras ordinare «mi estas okupita». Kelkaj personoj trovas, *ke* tio estas neĝusta; *ke* ĉar mi parolas pri laboro, kiu daŭras nun, mi devas diri «okupata». Kelkfoje ŝajnis al mi, ke tiuj personoj estas pravaj, kaj tiam mi provis uzi «mi estas okupata»; mi tamen tuj forĵetis tiun formon, *kontraŭ kiu protestis mia lingva sento*.

/ ke가 두 번 쓰였음 / *kontraŭ kiu protestis mia lingva sento* 저의 언어적 감각이 그것을 허용하지 않았습니다, 저의 언어적

감각에 맞지 않았습니다 / **Protesti** : *li protestis kontraŭ mia decido*; *protesti kontraŭ arbitra agado de la estraro* [B] /

어떤 일로 인해 제가 자유롭지 못할 때, 저는 보통 <mi estas okupita>라고 말합니다. 몇몇 분은 그것이 틀렸다고 말합니다. 그리고 제가 지금도 계속되고 있는 일에 관해서 말을 하고 있으니까, <okupata>라고 말해야 된다고 합니다. 어떤 경우에는 그분들이 옳은 것같이 보였습니다. 그리고 제가 <mi estas okupata>라고 말을 해보려 하다가 곧 그만두었습니다. 왠지 저의 언어적 감각이 그것을 허용하지 않았습니다.

Ĉu ni devas uzi en tiu esprimo la pasivon nuntempan aŭ pasintan, pri tio la lingvoj franca kaj angla ne povas doni al ni respondon, ĉar ili ne havas apartajn formojn por tiuj ambaŭ pasivoj; sed la lingvoj slavaj kaj germana uzas en la dirita okazo la pasivon pasintan, sekve ĉi tio estas jam sufiĉe grava motivo, *por ke* ankaŭ en Esperanto ni tiel *agu*.

/ *por ke ~u* ~하도록, 쉼표를 ke 앞에 찍기도 함 /

우리가 그러한 표현에서 현재 수동형을 써야 할지 아니면 과거 수동형을 써야 할지, 그것에 대해서는 프랑스어와 영어로써는 해결할 수가 없습니다. 왜냐하면 그 말들에는 그 두 가지 수동형을 위한 특별한 형태가 없기 때문입니다. 그러나 슬라브어와 독일어에는 그러한 경우에 과거 수동형을 씁니다. 따라서 이것만으로도 에스페란도에서 우리가 그렇게 할 충분한 동기가 되지 않을까요?

Sed eble la formo estas kontraŭlogika? Ne. Se iu ion okupas (en la senco «prenas en posedon»), tiam en tiu momento *la io* estas okupata de *la iu*; ekzemple kiam la malamikoj okupas nian urbon, ĝi estas en tiu momento okupata de ili; se mi estis tute libera, sed en la nuna momento oni donas al mi ian laboron, kiu min ekokupas, mi povas diri, ke mi estas nun okupata de tiu laboro, t. e. ĝi forprenas en sian posedon mian tempon; sed se mi parolas pri laboroj, kiuj estis donitaj al mi jam antaŭe, t. e. se mi parolas ne pri la ago de ekokupo mem, sed pri la stato, en kiu mi troviĝas, tiam mi devas diri «mi estas okupita».

/ *la io*, *la iu* : io와 iu를 강조하기 위하여 쓴 표현 / forprenas en sian posedon 빼앗아 가다 / la stato, en kiu mi troviĝas 제가 처한 상태, 상황 /

그러나 그 형태가 논리적이지 않다고 말할 수도 있겠지요. 아닙니다. 누가 무엇을 okupi 한다면 (<빼앗아 간다>는 의미에서) 그때 그 순간 그 무엇이 그 누군가에 의해서 okupi 당하는 거지요. 예를 들어 적들이 우리의 도시를 okupi 하면 그 순간 그 도시는 그들에 의해 okupata 되는 겁니다. 그리고 제가 완전히 자유롭다가 바로 이 순간 일이 생겨서 그 일을 해야 한다면, 저는 지금 그 일에 의해 okupata 되는 겁니다. 즉, 그것이 지금 저의 시간을 빼앗아 가는 거지요. 그러나 만약 제가 벌써 이전부터 하던 일에 대해서 말을 한다면, 즉, 그 빼앗는 행위 자체에 대해 말을 하는 게 아니라 제가 처한 상태에 대해서 말을 한다면, 그때 저는 <mi estas okupita>라고 말을 해야 하는 겁니다.

Estas vero, ke, transformante la pasivan formon de la citita frazo en aktivan, ni ofte uzas la formon nuntempan («laboroj min tre okupas»), sed tion ni faras por tio, ke la formo «okupis» *ne pensigu, ke* mia okupiteco jam pasis. En la pasiva formo ni ne bezonas timi tiun malkompreniĝon, ĉar «mi estas okupita» montras, ke io min okupis kaj la okupiteco ankoraŭ daŭras. La senco de «okupi» havas du nuancojn: preni en posedon kaj teni en posedo; per la formo «mi estas okupita» ni esprimas samtempe ambaŭ nuancojn, dum la formo «mi estas okupata» esprimus nur la unuan nuancon.

/ *ne pensigu, ke* ~라고 생각하지 못하도록 / nuanco 섬세한 (어감의) 차이 / **Preni** : *preni sian kapon per ambaŭ manoj* [Z]; *preni al si edzinon* [Z]; *mi neniam prenas kun mi multon da pakaĵo* [Z]; *tempo venos, zorgon prenos* [Z]; *neniu prenis serioze tiun parolon* [Z]; *sed ni prenu, ke mi fantazias* [Z]; *la oficisto, kiun ni prenis por revizoro, estis ne revizoro!* [Z] / **Teni** : *teni la bastonon en la mano* [B]; *teni iun en malliberejo* [B]; *teni la piedojn sur benketo* [Z]; *skatoleto, en kiu oni tenas cigarojn, estas cigarujo* [Z] /

위에서 말한 그 문장에서 수동의 형태를 능동으로 바꿀 때 우리는 종종 현재형을 쓴다는 것은 사실입니다 (<laboroj min tre okupas>). 그러나 우리가 그렇게 하는 것은 <okupis>라는 형태가 마치 나의 바쁜 상태가 이미 지나간 듯이 사람들이 오해하지 않도록 하기 위하여 그러는 것입니다. 수동형에서는 그런 오해를 걱정할 필요가 없습니다. 왜냐하면 <mi estas okupita>라는 말이 그 무엇이 나를 점령했고 또 그 점령의 상태가 계속 지속되고 있다는 것을 나타내 주기 때문입니다. <okupi>는 두 가지 섬세한 어감의 차이를 가지고 있습니다. Preni en posedon (무엇을 (그 순간) 취하다)과 teni en posedo (무엇을 지니고 있다)의 뜻이 있습니다. <mi estas okupita>의 형태로써 우리는 그 둘 모두를 동시에 표현할 수 있지만, <mi estas okupata>라는 형태는 그 첫째 어감만을 표현합니다.

Cetere pri la vorto «okupi» mi devas ripeti tion, kion mi diris pri multaj aliaj lingvaj demandoj: ĉiufoje, kiam la logiko ne donas al ni respondon tute klaran kaj senduban, kiu ne ofendus nian lingvan senton, ni devas peni *konformigi nin al* la ekzistantaj kutimoj; kaj la kutimo de la popoloj, kiel mi supre montris, postulas, ke ni diru «mi estas okupita».

Respondo 48, La Oficiala Gazeto, III, 1911, p 293

> / ĉiufoje, kiam ~할 때마다 매번 / kiu-절의 선행사는 앞의 respondon이다 / konformigi nin al ~에 맞추다 / **Ofendi** : 화나게 하다, 깔보다, 무시하다, *kiu premas malriĉulon, tiu ofendas lian Kreinton* [X]; *muso la katon ĉiam ofendis* [Z]; *ofendi ies pudoron* /

그 외에 <okupi>라는 단어에 대하여 저는 다른 많은 언어 문제에 대한 답에서와 마찬가지로 또 이런 말을 해야만 하겠습니다: 우리의 언어감각을 해치지 않는 그 무언가 분명하고 의심없는 해답을 논리가 우리에게 주지 못한다면 우리는 항상 기존의 관습에 우리 자신을 맞추도록 해야 합니다. 그리고 제가 위에서도 말씀드렸듯이 사람들의 관습은 우리로 하여금 <mi estas okupita>로 말하도록 요구합니다.

Pri la verbo kiel komplemento
보충어로 쓰이는 동사에 대하여

La esprimo «mi estas feliĉa akceptonte vin» estas bona, kvankam mi *preferus diri* pli simple «mi estas feliĉa, ke mi vin akceptos». La frazo «mi inklinas ne faronte tion» ne ŝajnas al mi bona; mi dirus: «mi estas inklina ne fari tion»

Respondo 40, La Revuo, 1908, Majo

> / komplemento 보충어; 문장에서 동사와 관계되는 모든 문장성분; *oni povas konsideri, ke ankaŭ la subjekto estas komplemento.* /

<mi estas feliĉa akceptonte vin>이라는 표현은 좋습니다. 그러나 저는 더 간단하게 <mi estas feliĉa, ke mi vin akceptos>라고 말하겠습니다. <mi inklinas ne faronte tion>이라는 문장은 좋아 보이지 않습니다. 저는 <mi estas inklina ne fari tion>이라고 말하겠습니다.

Pri duobla senco de kelkaj verboj
몇몇 동사의 이중적 의미에 대하여

Vi trovas, ke kelkaj verboj havas duoblan sencon kaj tial oni ne scias precize, kiamaniere oni devas ilin uzi. Tiuj verboj postulas duoblan komplementon, kaj tial la uzantoj ne scias, kiu el la komplementoj, laŭ la senco de la vortoj, estas la rekta kaj devas esti esprimata per akuzativo, kaj kiu estas malrekta kaj devas esti esprimata per prepozicio.

> / precize 자세하게, 정밀하게, 정확하게 / kiamaniere 어떻게, 어떤 방식으로 = kiel / duoblan komplementon 여기서 자멘호프가 복수로 쓰지 않았음에 유의 / 여기 쓰인 rekta, malrekta는 "직접목적어, 간접목적어"라는 뜻 /

그대는 몇몇 동사는 이중적 의미를 지니고 있어서 우리가 그것을 어떻게 사용해야 좋을지 잘 모르겠다고 합니다. (그리고 또 말하길) 그 동사들은 이중의 보충어를 필요로 합니다. 그래서 사용자들은 그 단어의 의미로써는 그 보충어들의 어느 것이 목적격을 써야 하는 직접목적어이고 또 어느 것이 전치사로 표현해야 하는 간접목적어인지 잘 모릅니다.

Ekzemple oni ne scias, ĉu oni devas diri: «mi instruas mian infanon pri Esperanto», aŭ: «mi instruas Esperanton al mia infano». — Laŭ mia opinio la neklareco tute ne ekzistas, sed ĝi estas kreata nur arte. En unu kunveno esperantista iu faris la demandon, ĉu oni devas diri: «mi amas vin», aŭ «mi vin amas», kaj la kunvenintoj varmege kaj tute *senrezultate* disputadis pri tio ĉi tutan vesperon; tamen la respondo estis ja tute simpla: «ambaŭ frazoj estas bonaj!»

/ 여기 쓰인 ĝi는 "이런 질문 자체"의 뜻 / arte 일부러, 인공적으로, 억지로 / *senrezultate* 아무 결론도 없이; rezultato = rezulto (rezulti) /

예를 들어 사람들은 <mi instruas mian infanon pri Esperanto>라고 해야 할지 아니면 <mi instruas Esperanton al mia infano>라고 해야 할지 모릅니다 (라고 말합니다). — 제 의견으로는 거기에는 불분명함이 전혀 없습니다. 그 질문 자체는 억지로 만들어진 것입니다. 어느 에스페란토 모임에서 누군가가 이런 질문을 했습니다: <mi amas vin>이라 해야 하나, 아니면 <mi vin amas>이라 해야 하나? 그리고 모인 사람들은 온 저녁을 뜨겁게 논쟁을 했고 결국 아무 결론도 없었습니다. 그러나 생각해 보십시오. 그 해답은 아주 간단했습니다. <두 문장 모두 좋다!>입니다.

Tia sama respondo laŭ mia opinio devas esti donata al la demando pri la verboj kun duoblaj komplementoj. Kiu devigas nin diri, ke el la du supre cititaj frazoj pri instruado nepre unu devas esti rigardata kiel bona kaj la dua kiel malbona? Ili ja ambaŭ estas konstruitaj tute regule laŭ la leĝoj de nia lingvo, ambaŭ estas tute klaraj kaj egale elegantaj, sekve ambaŭ estas tute bonaj, kaj la uzado de la unua aŭ de la dua devas esti libere lasata al la persona gusto de ĉiu uzanto aŭ al la stilaj postuloj de la teksto. Eĉ se vi aliformigos la frazon aktivan en frazon pasivan, vi ankaŭ ricevos nenian malklarecon, ĉar kiu povas havi ian dubon pri la senco de la esprimoj «homo instruita» kaj «scienco instruita»?

/ Kiu devigas nin diri, ke 누가 우리로 하여금 ~라고 말하라 합니까? 누가 그럽니까? / eleganta 우아한, 돋보이는 / gusto 맛, 입맛, 취향 /

저는 그와 같은 해답은 이 이중적인 보충어를 가진 동사의 문제에 대해서도 똑같이 적용될 수 있다고 생각합니다. 위에서 언급한 그 가르침과 관련한 문장들 중에 반드시 어느 하나만이 옳고 다른 하나는 틀렸다고 누가 그런답니까? 그 둘은 모두 우리의 문법에 아주 정확하게 맞는 것이며 또한 분명하고 우아한 것입니다. 따라서 그 둘 모두 좋으며, 어느 것을 취할 것인가 하는 것은 개인의 취향이나 그 문장의 문체에 맡겨야 할 것입니다. 그대가 그 능동의 문장을 수동의 문장으로 바꾼다 해도 전혀 문제가 될 것이 없습니다. 왜냐하면 <homo instruita> (교육을 받은 사람)나 <scienco instruita> (교육된 학문)와 같은 표현의 의미에 대해 아무도 의문을 가지지 않을 것이기 때문입니다.

Cetere la personoj, kiuj nepre deziras diferencigi la francajn «instruire» kaj «enseigner», povas tre bone en la unua okazo uzi «instrui» kaj en la dua «lernigi» (t. e. instrui iun pri io, lernigi ion al iu).

Respondo 12, *La Revuo*, 1907, Aprilo

/ cetere 그 외에, 게다가 / diferencigi 구분하나, 차이를 두나 /

그리고 프랑스어의 <instruire>와 <enseigner>를 꼭 구분하고 싶은 사람은 첫째의 경우에는 <instrui>를 쓰고 둘째의 경우에는 <lernigi>를 쓰면 되겠습니다 (즉, "instrui iun pri io, lernigi ion al iu", "무엇에 대해서 누구를 가르치다, 무엇을 누구에게 가르치다").

Pri la participa sufikso antaŭ verba finiĝo
동사 어미 앞의 분사 접미사에 대하여

La formoj «amatas», «amitas» k. t. p, anstataŭ «estas amata», «estas amita», *per si mem* ne prezentus ian rompon en nia lingvo, kaj, se la Lingva Komitato volus ilin aprobi, oni povus tre bone ilin uzi. Tamen, se la privataj aŭtoroj *per sia propra iniciativo* volus uzi tiujn formojn, mi tion ĉi ne konsilus. Privataj aŭtoroj povus enkonduki tiun ĉi novan formon nur en tia okazo, se «as», «is» k.t.p. signifus «estas», «estis»; sed, kvankam pli aŭ malpli frue la verbaj finiĝoj eble ricevos la signifon de la verbo «esti», tamen ĝis nun ili tiun ĉi signifon ne havas.

Respondo 15, La Revuo, 1907, Aprilo

/ *per si mem* 그 자체로, 스스로, 저절로 / volus, povus가 가정법으로 쓰인 것에 유의 / *per sia propra iniciativo* 본인의 주도 아래, 본인이 맨 먼저 / en tia okazo, se 만약 ~할 경우; 이때 se 대신 kiam을 써도 됨 /

<estas amata>, <estas amita> 대신 <amatas>, <amitas> 등을 쓰는 것은 그 자체로는 우리 문법에 틀리지 않습니다. 그리고 만약 언어위원회가 그것들을 인정한다면, 우리는 그것을 잘 쓸 수 있을 것입니다. 그러나 만약 어떤 작가들이 개인적으로 그러한 형태를 먼저 나서서 사용하려고 한다면 저는 그것을 권하지 않겠습니다. 개별 작가들은 <as>, <is>가 <estas>, <estis>를 뜻하게 될 경우에만 이런 새로운 형태를 도입할 수 있을 것입니다. 비록 조만간 동사어미가 동사 <esti>의 뜻을 가지게 된다 할지라도 아직까지는 그렇지 않습니다.

Pri la infinitivo en kelkaj specialaj okazoj
몇몇 특별한 경우의 동사 불변화사(부정사)에 대하여

Kiel ni diras «mi vidis lin sana» (= «ke li estas sana») tiel laŭ mia opinio ni povas ankaŭ diri «mi vidis lin kuri» (= «ke li kuras»), «mi aŭdis lin paroli» (= «ke li parolas»); sed la esprimojn «li faris ĉion sen ridi» aŭ «li restis du tagojn sen manĝi» mi ne konsilus al vi uzi. Prepozicion antaŭ verbo mi konsilus uzi nur en okazo de neceseco, *se alie* ni ne povas bone esprimi nian penson. Sed anstataŭ «sen ridi» aŭ «sen manĝi» ni povas ja tre bone diri «sen rido», «sen manĝo» aŭ «neniom ridante», «nenion manĝante».

Respondo 20, *La Revuo*, 1907, Junio

/ Kiel ~, tiel ~의 구문; ~하듯이 그렇게 ~ / nur en okazo de 오직 ~한 경우에만, okazo 대신 kazo를 써도 됨 / *se alie* 그렇지 않으면 = *se ne* ; *mi ja bezonas manĝi, alie mi povas tute maldikiĝi!* [Z]; *obeu, alie vi estos punata.* / 여기 쓰인 Sed는 번역할 때 조심해야 함 /

제 생각으로는, 우리가 <mi vidis lin sana> (= <ke li estas sana>)라고 말하듯이, <mi vidis lin kuri> (= <ke li kuras>), <mi aŭdis lin paroli> (= <ke li parolas>)라고 도 말할 수 있다고 봅니다. 그러나 <li faris ĉion sen ridi>나 <li restis du tagojn sen manĝi> 같은 표현은 쓰기를 권유하지 않습니다. 동사 앞에 전치사를 쓰는 것은 아주 특별히 필요한 경우에만 사용하기를 권고합니다. 그렇지 않으면 우리는 우리의 생각을 제대로 표현할 수 없습니다. 그리고 <sen ridi>나 <sen manĝi> 대신 <sen rido>, <sen manĝo> 혹은 <neniom ridante>, <nenion manĝante> 등으로 잘 말할 수 있습니다.

Pri infinitivo post verbo
동사 뒤에 오는 불변화사에 대하여

Mi ne tute klare komprenis la esencon de via demando. Ŝajnas al mi, ke vi ne demandas pri io, sed vi simple esprimas vian opinion, *ke* en Esperanto oni uzas la infinitivon nur *aŭ* en formo de rekta komplemento (ekzemple «mi amas danci»), *aŭ* en formo de nerekta komplemento kun la prepozicioj «por», «antaŭ (ol)», «anstataŭ», *kaj ke* en ĉiuj okazoj, kiam oni bezonas uzi la infinitivon kun iu alia prepozicio, oni devas uzi anstataŭ ĝi participon aŭ substantivon kun prepozicio (ekzemple: «li foriris, ne preminte lian manon» aŭ «sen premado de lia mano» anstataŭ «sen premi lian manon»). Via opinio ŝajnas al mi ĝusta.

Respondo 30, *La Revuo*, 1908, Februaro.

/ 이 문장에는 ke와 aŭ가 두 번씩 쓰였음 / en ĉiuj okazoj, kiam ~하는 모든 경우에 / Via opinio ŝajnas al mi ĝusta. 주어: Via opinio, 서술어: ŝajnas al mi, 보어: ĝusta = Ŝajnas al mi, ke via opinio estas ĝusta. / **Ŝajni** ~처럼 보이다, 주어 없이 쓰이기도 함; *nia lingvo devas ne ŝajni bona, sed esti bona* [Z]; *tio ŝajnas oro*; *li ŝajnas heziti* [K]; *ŝajnas al mi, ke mi la mian patron vidas* [Z]; *jen, ŝajnas, ili* [Z]; *ŝi aŭskultis k — kiel ŝajnis — komprenis ŝiajn vortojn* [Z] /

저는 그대의 질문의 핵심을 분명하게 이해하지 못했습니다. 제가 보기엔 질문이라기보다는 그저 그대의 의견을 표현한 것 같아 보입니다. 즉, 에스페란토에서 불변화사는 직접목적어의 형태로나 (예: <mi amas danci>) 전치사 <por, antaŭ (ol), anstataŭ> 등과 함께 쓰이는 간접목적어의 형태로만 쓰여야 한다는 의견, 그리고 또 불변화사를 어떤 전치사와 꼭 함께 써

야 할 경우 그 대신 분사를 쓰거나 아니면 <전치사+명사>를 써야 한다는 의견은 (예: <sen premi lian manon> 대신 <li foriris, ne preminte lian manon> 혹은 <sen premado de lia mano> 사용) 옳다고 생각합니다.

Pri prepozicio antaŭ infinitivo
부정사 앞의 전치사에 대하여

Ĉiu prepozicio, laŭ sia logika esenco, povas esti uzata nur antaŭ substantivo. Sekve se antaŭ vorto, kiu havas verban sencon, ni deziras uzi prepozicion, ni devas doni al tiu verbosenca vorto la formon de substantivo; ekzemple: anstataŭ «kun saluti», «sen respondi» ni devas diri «kun saluto», «sen respondo».

> / laŭ sia logika esenco 논리적인 본질에 따라 / kiu havas verban sencon 앞의 vorto를 꾸미는 관계절, 삽입절 / verbosenca vorto 동사적 의미를 가진 단어 /

<보충 설명>

/ 현재 PIV에서는 **por**는 전치사로만 보고 있고, 그 다음에 부정법도 쓰고 있음 (*prepozicio uzebla ankaŭ kun infinitivo*); *ne estis akvo por la popolo por trinki* [X]; *por hundon dronigi, oni nomas ĝin rabia* [Z]; *preni plumon por skribi; li estis invitita por kanti; ili havis nenion por manĝi* [Z] / **anstataŭ**는 전치사와 종속접속사(*subjunkcio*)로 보고 있음; *anstataŭ babili, laboru.* /

모든 전치사는 그 논리적 본질에 의하면 명사 앞에서만 쓰여야 합니다. 따라서 만약 우리가 동사의 의미를 가진 단어 앞에 전치사를 쓰고 싶다면 우리는 그 동사적 의미를 가진 단어를 명사의 형태로 바꾸어야 합니다. 예를 들면: <kun saluti>, <sen respondi> 대신에 <kun saluto>, <sen respondo>라고 해야 합니다.

Se la vortoj «por» kaj «anstataŭ» estas uzataj kun la infinitivo, ili tute ne prezentas ian escepton, sed la kaŭzo de tia uzado estas alia, nome: la vortoj «por» kaj «anstataŭ», uzataj antaŭ infinitivo, havas la sencon ne de pura prepozicio, sed preskaŭ de konjunkcio, kaj en tiuj okazoj la uzado de substantivo apud ili estas ne ebla; ekzemple, en la frazo «anstataŭ stari li sidas» ni ne povas anstataŭigi la formon «stari» per «staro», dum ĉe ĉiu alia prepozicio pura ni ĉiam povas uzi la verbosencan vorton en formo de substantivo (ekzemple, «sen ia diro» anstataŭ «sen ion diri»).

Respondo 37 a, La Revuo, 1908, Majo.

/ ne prezentas ian escepton 그 어떤 예외가 아니다 / estas alia 다른 것이다 /

만약 <por>와 <anstataŭ>가 부정형과 함께 쓰인다면 그것들은 전혀 그 어떤 예외가 아닙니다. 그런 용법의 원인은 다른 데 있습니다: 부정법 앞에 쓰인 <por> 와 <anstataŭ>는 순수한 전치사의 의미를 가지지 않고 거의 접속사와 같은 의미를 가지게 됩니다. 그리고 그럴 경우 그 옆에 명사를 쓰는 것은 불가능합니다. 예를 들면, <anstataŭ stari li sidas>와 같은 문장에서 <stari>를 <staro>로 바꿀 수 없습니다. 그렇지만 다른 모든 순수 전치사의 경우에 우리는 항상 동사적 의미를 가진 단어를 명사의 형태로 사용할 수 있습니다 (보기: <sen ion diri> 대신 <sen ia diro>로).

[Adverboj, Adverbaj formoj]
[부사, 부사적 형태]

Pri la uzado de «ambaŭ»
<ambaŭ>의 사용에 대하여

«Ambaŭ» signifas: «ĉiuj du», t. e. ĝi estas uzata anstataŭ «ĉiuj», kiam ni parolas nur pri du personoj aŭ objektoj. Tial la konjunkcian uzadon de «ambaŭ» en la frazo «ni loĝas en Londono ambaŭ en somero kaj en vintro» mi trovas tute ne aprobinda (estas konsilinde diri: «kiel en somero, tiel ankaŭ en vintro», aŭ «ne nur en somero, sed ankaŭ en vintro»). Kvankam mi ofte uzis la formon «la ambaŭ», tamen mi opinias nun, ke *pli logike estas uzi la vorton «ambaŭ» sen artikolo.*

Respondo 54, *La Oficiala Gazeto*, IV, 1911, p. 221

/ la konjunkcian uzadon de «ambaŭ» "ambaŭ"의 접속사적 용법; (PIV에 따르면) 이것은 대명사와 형용사임 / *pli logike estas uzi* 주어가 동사원형 *uzi*이므로 보어가 부사 *logike*가 되었음 /

"Ambaŭ"는 "둘 모두"를 뜻합니다. 즉, 우리가 그 어느 두 사람이나 두 개의 사물에 대해서만 말을 할 때, 그 경우의 "모두" 대신 사용하는 것입니다. 그래서 <ni loĝas en Londono ambaŭ en somero kaj en vintro> (우리는 여름과 겨울 모두 런던에 살고 있습니다)와 같은 문장에 쓰인 ambaŭ의 "접속사적 용법"은 인정할 수 없습니다. (<kiel en somero, tiel ankau en vintro> 또는 <ne nur en somero, sed ankaŭ en vintro>라고 말하기를 권고합니다). 제가 비록 종종 <la ambaŭ>라는 형태를 사용하였습니다만, 지금 제 생각으로는 관사 없이 그냥 <ambaŭ>라고 하는 것이 더 논리적입니다.

Pri «multe da» kaj «multa»
<multe da>와 <multa>에 대하여

La formoj «multe da laboro» kaj «multa laboro» estas egale bonaj. Egale bonaj ankaŭ estas la esprimoj «mi konas tiom homojn» kaj «mi konas tiom da homoj», sed ne bone estus diri «mi konas tiom da homojn», ĉar en la lasta esprimo la formo «homoj» dependas ne de la vorto «konas», sed de la prepozicio «da», kiu ne postulas la akuzativon.

La Esperantisto, 1890, p 60

/ dependas de ~에 달려 있다, 매여 있다, 의존하다 /

<multe da laboro>라는 형태와 <multa laboro>라는 형태는 둘다 똑같이 좋습니다. 그래서 <mi konas tiom homojn>과 <mi konas tiom da homoj>라는 표현도 둘 다 똑같이 좋습니다. 그러나 <mi konas tiom da homojn>이라고 말하는 것은 좋지 않습니다. 왜냐하면 거기 쓰인 <homoj>는 <konas>라는 단어에 걸린 게 아니라 목적격을 요구하지 않는 전치사 <da>에 걸린 것이기 때문입니다.

Estas diferenco inter «multaj homoj» kaj «multe da homoj»: «multaj homoj» = diversaj homoj (ĉiu aparte); «multe da homoj» = granda nombro da homoj (kune).

La Esperantisto, 1893, p 96

/ Estas diferenco inter ~ 사이에 차이가 있다 / granda nombro da 많은 (수의) ~ /

<multaj homoj>와 <multe da homoj> 사이에는 차이가 있습니다. <multaj homoj>는 여러 부류의 (각각 따로따로의) 사람들

을 말하고, <multe da homoj>는 많은 수의 (모두 함께) 사람들을 말합니다.

Pri la esprimoj «jam ne …» kaj «ne … plu»
<jam ne …>와 <ne … plu>라는 표현에 대하여

Por tre multaj okazoj ambaŭ esprimoj ŝajnas al mi egale bonaj, kaj mi tute ne vidas ian kaŭzon, kiu devigus nin diri: uzu nur la unuan aŭ nur la duan esprimon. Kial senbezone forpreni de ni la liberecon en tiuj okazoj, kiam ĝi prezentas nenian maloportunaĵon? Tamen ne ĉiam ambaŭ esprimoj povas reciproke anstataŭi unu la alian. Ekzemple anstataŭ «ne parolu plu» ni ne povas diri «jam ne parolu».

/ Por tre multaj okazoj 많은 경우에, 전치사 por가 쓰였음에 유의, En을 써도 됨 / Kial senbezone forpreni de ni 왜 우리로부터 ~을 빼앗아 가는가? 여기 부정법(동사원형)이 쓰였음에 유의 / reciproke anstataŭi unu la alian 서로를 대체하다 /

많은 경우 그 두 표현은 똑같이 좋아 보입니다. 그리고 저는 꼭 그 첫째 또는 둘째 표현만을 쓰라고 말해야 할 이유를 찾을 수 없습니다. 아무런 불편함도 없는 경우에 왜 우리로부터 필요없이 그 자유로움을 빼앗아 갑니까? 그러나 그 두 표현이 항상 서로를 대체할 수 있는 것은 아닙니다. 예를 들어 <ne parolu plu> 대신 <jam ne parolu>라고 말할 수는 없습니다.

Doni tute precizan klarigon de tiaj nedifineblaj vortoj, kiel «jam» aŭ «plu» estas tre malfacile, kaj oni facile povus erari; tial mi limigas min nur per tio, ke mi donos klarigon proksimuman, *ne garantiante, ke mia klarigo taŭgos por ĉiuj okazoj*. «Jam» laŭ mia opinio efektive enhavas en si la ideon de ŝanĝo de stato, kiel montris «The British Esperantist»; «plu» enhavas la ideon de daŭrado. «Jam ne» povas rilati ankaŭ al io, kio antaŭe ne ekzistis, sed estis nur intencata aŭ esperata, — «ne plu» rilatas al io, kio ekzistis jam antaŭe.

/ Doni가 주어이므로 보어는 부사 malfacile / estis nur intencata aŭ esperata 다만 의도했거나 바랐거나 했다 /

<jam>이나 <plu> 같은 그런 한정하기 어려운 단어들을 자세히 설명하기란 참 어려운 일입니다. 그래서 쉽게 실수할 수 있습니다. 그래서 저는 대강의 설명을 드리는 것으로 끝내려 합니다. 제 설명이 모든 경우에 다 적당할 것이라 보장할 수는 없습니다. 제 생각으로는 <jam>은 <The British Esperantist>지가 보여 주었듯이 상태의 변화라는 개념을 내포하고 있습니다. 그리고 <plu>는 지속의 개념을 내포하고 있고요. <Jam ne>는 의도하고 바라긴 했지만 실제 존재하지는 않았던 그 무엇인가와 관련이 있는 듯하고, — <ne plu>는 이전부터 존재했던 그 무언가하고 관련이 있을 것 같습니다.

Ekzemple, se mi eĉ neniam vizitis vin, sed nur intencis tion fari, mi povas diri «mi jam ne vizitos vin» (se mi ŝanĝis mian intencon), sed «mi vin ne vizitos plu» mi povas diri nur en tia okazo, se mi jam antaŭe vizitadis vin.

/ nur intencis tion fari 그것을 하려고만 했었다 /

예를 들어 만약에 제가 그대를 한 번도 방문하지 않았고 다만 그러려고 생각만 하고 있었다면, 저는 <mi jam ne vizitos vin> (나는 그만 당신을 방문하지 않겠어요)이라고 말할 수 있겠지요 (만약에 제가 그 생각을 바꾸었다면 말이지요). 그러나 전에도 이미 여러 차례 그대를 방문한 적이 있다면, 그러한 경우에 저는 <mi vin ne vizitos plu> (나는 더 이상 당신을 방문하지 않겠어요)라고 말할 수 있습니다.

La esprimon «ne jam» (kiu signifas ion tute alian ol «jam ne») mi tute ne konsilas uzi, ĉar ĝi povus kaŭzi malkompreniĝon; anstataŭ ĝi mi konsilas uzi «ankoraŭ ne». — Diri «pli» anstataŭ «plu» oni povas tre ofte, sed ne ĉiam. «Pli» = pli multe, «plu» = daŭre, pli malproksimen; «pli» signifas kvanton, multecon, — «plu» signifas daŭradon (en loko aŭ tempo); en abstraktaj okazoj ni ofte povas uzi unu esprimon anstataŭ la dua, ĉar tiam ilia senco fariĝas preskaŭ la sama; sed kiam ni volas paroli rekte pri kvanto aŭ pri daŭrado (aŭ malproksimiĝado), tiam ni ne povas intermiksi *la ambaŭ* vortojn.

Respondo 26, *La Revuo*, 1907, Oktobro

> / ion tute alian ol ~과는 전혀 다른 그 무엇을 /mi konsilas uzi «ankoraŭ ne» = mi konsilas *vin* uzi «ankoraŭ ne» / uzi unu esprimon anstataŭ la dua 여기서 앞에 unuan이 쓰이지 않았음에 유의; "어느 하나를 사용하고 그 다음에는 그 나머지 둘째의 것을" / *la ambaŭ* 관사 la는 안 쓰는 게 옳다 /

(<jam ne>와는 전혀 다른 것을 뜻하는) <ne jam>이라는 표현은 쓰지 말기를 권고합니다. 왜냐하면 오해를 불러일으킬 수 있기 때문입니다. 그 대신 저는 <ankoraŭ ne>를 쓰기를 권합니다. — <plu> 대신 <pli>를 종종 말할 수 있지만, 항상 그렇게 해서는 안 됩니다. <pli>는 "더 많이", 그리고 <plu>는 "계속해서, 더 멀리"와 같습니다. <pli>는 양이나 많음을 의미하고, — <plu>는 지속 (장소나 시간에서)을 의미합니다. 추상적인 경우에는 그 의미가 거의 같아지기 때문에 종종 그 둘을 바꾸어 쓸 수도 있겠습니다만, 우리가 수량이나 지속 (혹은 멀어져감)에 대하여 직접적으로 말하려고 한다면 그때에는 이 두 단어를 섞어 써서는 안 됩니다.

La vorto «jam»
단어 <jam>

Jen estas la teksto de la artikolo en *The Bristish Esperantist* aprobe aludita de D^{ro} Zamenhof en la antaŭa respondo : En la angla, la franca, la germana, kaj aliaj neslavaj lingvoj ne ekzistas vorto, kiu ĝuste tradukas la esperantan vorton «jam», kaj pro tio ĉi kelkaj Esperantistoj trovas la nomitan vorton malfacila. La ŝlosilo troviĝas en la ideo, ke «jam» montras, ke ŝanĝo estas okazinta — ke la nuna stato, aŭ la priparolata stato de aferoj, malsimilas antaŭan staton. Prenu ekzemple la jenan frazon: «*Mi ne povas jam saluti vin, kiel mi faris tiom multe da fojoj, — mi salutas malĝoje vian cindron, kara, neforgesebla amiko!*» (D^{ro} Zamenhof, en La Revuo, p. 291.)

/ aprobe 찬성의 뜻으로, 긍정적으로 / la nomitan vorton 그 언급된 단어를 / La ŝlosilo troviĝas en la ideo, ke ~라고 생각하면 됩니다 / *ne povas jam saluti vin* 이제 더 이상 그대에게 인사를 할 수 없어요 /

여기 지난번 답변에서 <*The Bristish Esperantist*>지에 실린 자멘호프의 긍정적인 기사가 있습니다: 영어, 불어, 독일어, 그리고 다른 여러 비슬라브어 말들에는 에스페란토 단어 <jam>을 정확하게 번역할 단어가 없습니다. 그래서 몇몇 에스페란티스토 들은 이 단어를 어렵게 생각합니다. 이렇게 생각하면 됩니다. 즉, <jam>은 변화가 생겼다는 것입니다. 다시 말해 지금 일어나는 일의 형편은 이전과는 다르다는 것입니다. 예를 들어 봅시다: <*Mi ne povas jam saluti vin, kiel mi faris tiom multe da fojoj, — mi salutas malĝoje vian cindron, kara, neforgesebla amiko!*> (D^{ro} Zamenhof, en La Revuo, p. 291.)

La vorto «jam» tie ĉi atentigas, ke antaŭe li povis saluti ĝoje, sed ŝanĝo estas okazinta kaj nun li jam ne povas saluti ĝoje. Ni prenu duan ekzemplon «*Ĉar en la nuna tempo neniu esploranto en la tuta mondo jam dubas pri tio, ke lingvo internacia povas esti nur lingvo arta...*» (Oficiala Deklaracio pri la Esperantismo.) Antaŭe esplorantoj dubis, sed ŝanĝo estas okazinta kaj ili jam ne dubas — la nuna stato de aferoj malsimilas la antaŭan.

> / antaŭe 이전에는 / *lingvo arta* 인공어 / ili jam ne dubas 이제 그들은 더 이상 의심하지 않는다 /

<jam>이라는 단어는, 그가 전에는 기쁘게 인사를 할 수 있었으나 변화가 생겨서 이제는 더 이상 기쁘게 인사를 할 수 없다는 것을 의미하는 것입니다. 둘째 보기를 봅시다. <*Ĉar en la nuna tempo neniu esploranto en la tuta mondo jam dubas pri tio, ke lingvo internacia povas esti nur lingvo arta* > (오늘날에는 세계 어느 연구자도 국제어는 인공어만이 될 수 있다는 것을 더 이상 의심하지 않습니다...) (에스페란토주의 선언문). 전에는 연구자들이 의심을 했습니다. 그러나 변화가 생겨서 이제 더 이상 의심을 하지 않는 겁니다. — 지금의 상황은 이전의 상황과 다릅니다.

Estas utile kompari la vorton «jam» kun «ankoraŭ», ĉar kiel «jam» montras, ke ŝanĝo estas okazinta, tiel «ankoraŭ» montras, ke ŝanĝo *ne estas okazinta*. «*Tre granda kaj vasta estas jam nia literaturo, ... kaj al neniu klera homo en la mondo la nomo de nia afero estas jam nekonata ... Mi rememoras kortuŝite pri la unuaj pioniroj, kiuj laboris por nia afero en tiu malĝoja tempo, kiam ni ĉie renkontadis ankoraŭ nur mokon kaj persekuton.* [Ŝanĝo ne estis okazinta.] *Multaj el ili vivas ankoraŭ* [ŝanĝo ne estas okazinta] ... *Sed, ho ve, multaj el niaj pioniroj jam ne vivas.*» (D^{ro} Zamenhof en Boulogne.)

> / kiel … tiel … ~한 것처럼 그렇게 ~ / *klera homo* "교양인"
> 정도의 뜻 / *ni ĉie renkontadis ankoraŭ nur mokon kaj*
> *persekuton* 우리는 어디서나 여전히 조롱과 핍박을 받았습니다
> / jam *ne vivas* 이제 더 이상 살아 있지 않습니다 /

<jam>을 <ankoraŭ>와 비교해 보는 것이 좋겠습니다. 왜냐하면
<jam>이 변화가 생긴 것을 나타낸다면 <ankoraŭ>는 변화가 생
기지 않았다는 것을 나타내니까요. <우리의 문학은 이제 아주
크고 방대합니다.... 그리고 이 세계 어느 교양인도 우리의 일
을 모르는 사람이 없습니다. 저는 우리가 가는 곳마다 조롱과
핍박을 받던 그 시절에 열심히 일했던 초기의 선구자들을 가
슴 아프게 기억합니다. [변화가 없었음.] 그들 중 많은 분들이
아직 살아 계십니다. [변화 가 없음] ... 그러나 슬프게도 또
많은 선구자들이 이제 더 이상 살아 계시지 않습니다.> (D^{ro}
Zamenhof en Boulogne.)

«Ne … ankoraŭ» havas tian saman signifon, kiel «ankoraŭ ne».
Ekzemple, *Ĝi ne estas ankoraŭ finita* estas preskaŭ samsignifa,
kiel *Ĝi ankoraŭ ne estas finita*. Simile, «ne … jam» estas
samsignifa, kiel «jam ne». Ekzemple, *Volapük ne estas jam*
parolata signifas, preskaŭ same, kiel *Volapük jam ne estas*
parolata. Kelkaj Esperantistoj uzas «jam» post «ne», por montri,
ke ŝanĝo *ne* estas okazinta, sed eble okazonta. Ekzemple, *Ne ĉiuj*
ovoj jam estas elkovitaj. Tio ĉi, tamen, estas kontraŭa al la stilo
de D^{ro} Zamenhof: ĝi devus esti *Ne ĉiuj ovoj estas ankoraŭ*
elkovitaj.

> / "Ne … ankoraŭ" 아직 ~하지 않다 / tian saman signifon, kiel
> ~와 같은 의미를 / Simile 이와 마찬가지로, 비슷하게 / "ne …

jam" 더 이상 ~하지 않다 / *elkovita* 부화한 / estas kontraŭa al ~과는 반대된다 /

<Ne ... ankoraŭ>는 <ankoraŭ ne>와 같은 뜻을 가지고 있습니다. 예를 들어, "*Ĝi ne estas ankoraŭ finita (그것은 아직 끝나지 않았다)*"는 "*Ĝi ankoraŭ ne estas finita*"와 거의 같은 뜻입니다. 비슷하게 <ne ... jam>도 <jam ne>와 같은 뜻입니다. 예를 들어, "*Volapük ne estas jam parolata (볼라퓌크는 더 이상 쓰이지 않는다)*"는 "*Volapük jam ne estas parolata*"와 거의 같습니다. 몇몇 에스페란티스토들은 그 변화가 이미 끝난 게 아니라 앞으로 있을 가능성이 있다는 걸 표현하기 위하여 <jam>을 <ne> 뒤에 사용합니다만 (보기: "*Ne ĉiuj ovoj jam estas elkovitaj*" (*모든 알이 이미 부화한 것은 아니다*)) 그러나 이것은 자멘호프의 문체와는 반대되는 것입니다. 자멘호프의 문체로는 "*Ne ĉiuj ovoj estas ankoraŭ elkovitaj*"가 되어야 합니다.

La sekvanta serio da frazoj elmontras en ordo la uzadon de «ankoraŭ» kaj «jam».

1. La infano ploras.
2. La infano ne ploras.
3. La infano ankoraŭ ploras.
4. La infano ankoraŭ ne ploras.
5. La infano jam ploras.
6. La infano jam ne ploras.

/ sekvanta 다음의, sekva로 해도 됨 / serio da 일련의 / en ordo 차례대로, 정상적으로, 질서있게 등등 /

다음 일련의 문장들은 <ankoraŭ>와 <jam>의 사용법을 차례대로 보여 줍니다.

1. 그 아이가 운다.

2. 그 아이가 울지 않는다.

3. 그 아이가 계속해서 운다.

4. 그 아이가 계속해서 울지 않는다. (울지 않는 상태가 계속되고 있다)

5. 그 아이가 이미 운다. (이전에는 울지 않았음)

6. 그 아이가 이미 울지 않는다. (이전에는 울었음, 울지 않는 상태가 이미 시작되었다)

Frazoj 1 kaj 2 simple priskribas la nunan staton de la infano. Frazoj 3 kaj 4 aldonas, ke la nuna stato estas daŭrigo de antaŭa stato. Kaj frazoj 5 kaj 6 donas samajn sciigojn, kiel frazoj 1 kaj 2, kaj aldonas, ke la nuna stato malsimilas la antaŭan staton. La sola malfacilo ja estas, ke ni ankoraŭ ne alkutimiĝis al tia plena reguleco kaj logikeco.

W. W. P.

The British Esperantist, vol. IIIa, n° 29, Majo 1907, p. 92).

> / aldonas 추가한다, 덧보탠다 / daŭrigo de ~의 지속 / donas samajn sciigojn 같은 정보를 준다 / malsimilas la antaŭan staton = malsimilas al la antaŭa stato / alkutimiĝi al ~에 익숙해지다 /

1, 2번의 문장은 단순히 그 아이의 현재의 상태를 설명합니다. 3, 4번의 문장은 현재의 상태가 이전의 상태의 지속임을 추가해서 알려 줍니다. 그리고 5, 6번의 문장은 1, 2번의 문장과 같은 것을 알려주는 동시에 현재의 상황이 이전의 상황과는 다르다는 것을 추가로 알려 줍니다. 오직 한 가지 어려운 점은 우리가 아직도 그러한 완전한 규칙성과 논리에 익숙해지지 않았다는 것입니다.

Komparindaj kun la ekzemploj en la supra artikolo estas la

sekvantaj frazoj de D^{ro} Zamenhof en letero al D^{ro} Corret (30-XII-08): «La Adresaro 29 (kiu eliros en Marto aŭ Aprilo 1909) estos la lasta; novajn enskribojn mi *nun jam* ne akceptos *plu*. Tial, se iu volos sin enskribigi per Vi, Vi povas lin sciigi, ke enskriboj *jam ne* estas akceptataj».

> / 주어는 la sekvantaj frazoj / 자멘호프는 달 이름을 대문자로 썼음 / estos la lasta 마지막이 될 것이다 / enskribo 서명 / se iu volos sin enskribigi per Vi 만약 누군가가 그대를 통해서 서명을 하기를 원한다면 / Vi povas lin sciigi 그대는 ~을 알려줄 수 있습니다 = 알려주십시오 /

D^{ro} Corret에게 보낸 자멘호프 박사의 편지 (30-XII-08)에 나오는 아래의 문장들은 위의 글에 나온 예문들과 비교할 만한 것들입니다: <(1909년 3월이나 4월에 나올) "주소록 29"는 마지막이 될 것입니다. 새로운 서명을 저는 *이제 더 이상* 받지 않겠습니다. 그래서 만약 누군가가 그대를 통해서 서명을 하기를 원한다면, 그대는 그 사람에게 *이제 더 이상* (제가) 서명을 받지 않는다고 알려주시기 바랍니다.>

Pri adverbo prepozicia
전치사적인 부사에 대하여

Kiam la senco tion postulas, ni tre bone povas uzi adverbon en la senco de prepozicio; pri la formo, en kiu ni devas tion fari, mi ne konsilus kateni nin per ia unu regulo por ĉiuj okazoj, sed mi konsilus konformiĝi ĉiufoje al la specialaj bezonoj de la frazo. Ekzemple, se la adverbo devenas de verbo transira (kiu postulas akuzativon), tiam ankaŭ la adverbo-prepozicio konservas tiun saman econ kaj estas uzata kun la akuzativo (ekzemple, «koncerne tion» = kio koncernas tion, «rilate tion» = kio rilatas tion);

> / kateni 구속하다, 옭아매다 / mi konsilus konformiĝi ĉiufoje al 매번 ~에 조화롭게 (합당하게) 하기를 권고하고 싶습니다 / konservas tiun saman econ 그와 같은 특성을 유지한다 /

의미상 필요할 때에는 우리는 부사를 전치사처럼 사용할 수 있습니다. 그러한 형태가 필요할 때에 저는 그 어떤 하나의 규칙으로 우리를 옭아매지 말고 매번 그 문장의 필요에 따라 합당하게 할 것을 권고합니다. 예를 들어, 그 부사가 (목적격을 요구하는) 타동사로부터 온 것이라면 그때에는 그 부사-전치사 역시 그러한 특성을 그대로 이어받아 목적격과 함께 쓰입니다. (보기: <koncerne tion> (그것에 관해서) = kio koncernas tion, <rilate tion> (그것과 관련하여) = kio rilatas tion.)

se la adverbo anstataŭas vorton, kiu povas ligiĝi kun substantivo nur per ia prepozicio, tiam ankaŭ la adverbo akceptas post si tiun prepozicion (ekzemple, «kaŭze de tio» = pro la kaŭzo de tio, «responde al via demando» = kiel respondo al via demando); se la adverbo estas vorto ne devena, sed originala, kiu per si mem havas la sencon de prepozicio, tiam ĝi, kiel ĉiu alia prepozicio, ligiĝas kun la substantivo senpere, t. e. sen alia prepozicio kaj sen akuzativo (ekzemple «spite mia malamiko»).

> / vorto ne devena 파생어가 아닌 단어 / senpere 직접(적으로) / spite mia malamiko 나의 원수(임)에도 불구하고, 무시하고; *자멘호프는 spite를 전치사처럼 보았음*; PIV에서는 spiti라는 동사의 부사형으로 보고 있음, 그래서 "spite al"이라는 표현을 사용함; *vi diras nur por fari spite!* [Z]; *spite al vi, barbaroj!* [Z]; *spite miajn malamikojn liberigu min!* [Z] /

만약 그 부사가 어떤 전치사를 써야만 명사와 연결되는 그런 단어를 대신한다면 그때에는 그 부사 역시 뒤에 그 전치사를 가져야 합니다 (보기: <kaŭze de tio> = pro la kaŭzo de tio (그 것 때문에), <responde al via demando> = kiel respondo al via demando (당신의 질문에 대한 답으로)). 만약 그 부사가 어떤 파생어가 아니고 스스로 전치사의 뜻을 가진 원래의 단어라면 그때에는 다른 모든 전치사와 마찬가지로 그것은 명사와 직접 연결이 됩니다. 즉, 다른 전치사나 목적격을 쓰지 않습니다. (보기: <spite mia malamiko> 나의 원수(임)에도 불구하고, 나의 원수를 무시하고)

Tamen en ĉiu duba okazo vi ne faros eraron, se vi post adverbo-prepozicio uzos la prepozicion «je» aŭ la akuzativon, ĉar vi ja scias, ke laŭ nia gramatiko en ĉiu okazo, kiam la prepozicia rilato inter du vortoj estas ne klara, ni povas uzi la prepozicion «je», kaj anstataŭ la prepozicio «je» ni povas ĉiam uzi la akuzativon.

> / vi ne faros eraron, se vi ~ 만약 당신이 ~한다면 그건 잘못 (실수)이 아닙니다, 실수를 하지 않으려면 ~하면 됩니다 / adverbo-prepozicio 부사-전치사, 전치사처럼 쓰이는 부사 / vi ja scias, ke 그대는 ~을 잘 알고 있습니다, 그대가 ~을 잘 알 다시피 / **(바로 이 전치사 <je> 때문에 에스페란토에서는 자동 사와 타동사의 구분이 애매해 짐)** /

그러나 모든 의심스러운 경우에 만약 그대가 부사-전지사 다 음에 전치사 <je>를 쓴다면 실수를 하지 않게 됩니다. 왜냐하 면 그대도 알다시피 우리의 문법에 따르면 두 낱말 사이에 전 치사의 관계가 분명하지 않은 모든 경우에 우리는 전치사 <je>를 쓸 수 있고, 또 그 전치사 <je> 대신 항상 목적격을 쓸 수 있기 때문입니다.

Kompreneble, mi devas atentigi vin, ke pri ĉiuj viaj tri demandoj mi donis al vi nur mian personan opinion, sed ne ian devigan decidon. Se vi trovas, ke estus necese permesi la uzadon *de* ĉiu prepozicio kun infinitivo, *de* aparta vorto por «laktumo» kaj *de* unuforma regulo por ĉiuj adverboj-prepozicioj, vi povas peni akiri por tio la oficialan pervoĉdonan decidon de la Lingva Komitato.

Respondo 37 c, La Revuo, 1908, Majo

/ devigan decidon 강제적, 의무적 결정을 / estus necese permesi ~을 허용하는 것이 필요할 것이다 / la uzadon *de* ~의 사용을, 이하 de가 세 번 나옴 / vi povas peni akiri ~을 얻기를 힘쓸 수 있다, 힘써야 할 것이다 / oficialan pervoĉdonan decidon 투표에 의한 공식적인 결정을 /

물론 그대의 세 가지 질문에 대해 그 어떤 강제적인 결정이 아니라 그저 저의 개인적인 의견을 말씀드렸음을 알아주시기 바랍니다. 만약 그대가 그 세 가지 사용을 (전치사 다음의 부정법 사용, <laktumo>를 위한 하나의 독립된 명사 사용, 모든 부사-전치사를 위한 획일적인 규정 사용) 허용하는 것이 필요하다고 판단한다면 언어위원회의 투표를 통한 공식적인 결정을 얻도록 노력해야 할 것입니다.

Pri la vorto «ĉu»
<Ĉu>에 대하여

Vian opinion, ke la vorton «ĉu» ni devas, *kiom eble*, uzadi nur en senco demanda, mi trovas tute prava. Ni povas ĝin uzi ankaŭ en la senco de necerteco, aŭ de dubo, aŭ en aliaj similaj sencoj, kiam ni ne havas pli bonan vorton (kiel en via ekzemplo «ĉu pro timo, ĉu pro fiereco, li nenion respondis»), sed mi neniam konsilus uzi ĝin tute senbezone anstataŭ «jen», «aŭ» k.t.p. Prave vi diras, ke la frazoj «ŝi kutimas havi ĉe sia zono ĉu rozon, ĉu diamanton» kaj «diru tion ĉu al la kapitano, ĉu al la leŭtenanto» estas ne tre bonaj; en la unua okazo mi preferus «jen», en la dua «aŭ».

Respondo 21, *La Revuo*, 1907, Junio

> / *kiom eble* 가능한 한 = kiel eble / ĉu 의문의 부사, 접속사, ~ 이냐? ~인지 아닌지 / Prave vi diras, ke 그대가 ~라고 말하는 것은 옳습니다 /

우리는 가능한 한 의문의 뜻에만 <ĉu>를 써야 한다는 그대의 의견은 옳습니다. 우리는 그것을 불확실하거나 의심스러운 경우, 그리고 더 좋은 적당한 단어가 없을 때에도 쓸 수 있습니다 (그대가 보여준 예문 <ĉu pro timo, ĉu pro fiereco, li nenion respondis>에서 보듯이). 그러나 저는 이것을 필요없이 <jen>이나 <aŭ> 등을 대신해서 쓰는 것은 권고하지 않겠습니다. <ŝi kutimas havi ĉe sia zono ĉu rozon, ĉu diamanton>과 <diru tion ĉu al la kapitano, ĉu al la leŭtenanto>이라는 문장은 썩 좋지 않다는 그대의 말은 옳습니다. 그러한 경우에 저는 첫 문장에서는 <jen>을 쓰고, 둘째 문장에서는 <aŭ>를 쓰겠습니다.

Pri «ablativo absoluta»
<절대탈격 (자립분사구문)>에 대하여

Ablativo absoluta estas speciala formo, uzata nur en kelkaj tre malmultaj lingvoj; en Esperanto ĝi ne ekzistas. Kvankam ĝi nenie estis rekte malpermesita, tamen ĝia uzado estus kontraŭ la spirito de nia lingvo. En Esperanto la adverba participo ĉiam rilatas la subjekton de la ĉefa propozicio.

> / Ablativo absoluta 절대탈격 (자립분사구문) / nenie estis rekte

절대탈격 (자립분사구문)은 몇몇 소수의 언어에서만 쓰이는
아주 특별한 형태입니다. 에스페란토에는 존재하지 않습니다.
비록 그 어디에서도 직접적으로 금지되어 있지는 않습니다만
그것의 사용은 에스페란토의 정신에 위배됩니다. 에스페란토
에는 부사분사구문은 항상 주절의 주어와 관련이 있습니다.

Sekve oni povas diri «farinte (= kiam la leono faris) la dividon,
la leono diris», sed oni ne povas diri «la divido estante farita (=
kiam la divido estis farita), la leono diris». Enkonduki la latinan
aŭ francan ablativon absolutan (kiu por la plimulto da nacioj
prezentus ion nenaturan) ni tute ne bezonas, ĉar ni ĉiam povas
ĝin anstataŭigi per formo pli natura. En via frazo («la reĝo
kunvokis siajn konsilistojn, por ke, ĉiu el ili eldirante sian
opinion, li povu fari decidon») ni povas ja tute bone anstataŭigi
la substrekitan esprimon per «kiam ĉiu el ili eldiros sian
opinion», aŭ per la pli mallonga «aŭdinte la opiniojn de ĉiuj».

Respondo 19, *La Revuo*, 1907, Junio

따라서 <farinte (= kiam la leono faris) la dividon, la leono
diris>라고 말할 순 있으나 <la divido estante farita (= kiam la
divido estis farita), la leono diris>라고는 말할 수 없습니다. 라
틴어와 프랑스어의 절대탈격 (대부분의 민족들에게는 아주 부
자연스러운 것)을 도입하는 것은 우리에게는 불필요한 일입니
다. 왜냐하면 우리는 항상 더 자연스러운 형식으로 그것을 대

신할 수 있기 때문입니다. 그대의 문장 <la reĝo kunvokis siajn konsilistojn, por ke, <u>ĉiu el ili eldirante sian opinion</u>, li povu fari decidon>에서 그 밑줄 친 부분을 우리는 <kiam ĉiu el ili eldiros sian opinion> 혹은 더 짧게 <aŭdinte la opiniojn de ĉiuj> 으로 바꿀 수 있습니다.

Pri la uzo de la adjektivaj kaj adverbaj participoj
형용사형 분사와 부사형 분사의 사용에 대하여

Via opinio pri la adverba participo estas *tute prava*: adverba participo povas esti uzata nur tiam, kiam ĝi rilatas al la subjekto de la frazo. Se ni deziras per participo esprimi la sencon : *kiu...* *–as*, tiam ni devas uzi nepre la adjektivan formon de la participo; la adverban formon ni uzas nur anstataŭ *kiam li (ĝi, ŝi, k. t. p.)... –as* aŭ *ĉar ...–as*. Anstataŭ: *La unuaj vojaĝantoj kiuj traveturas Eŭropon*, ni devas diri: *traveturantaj*. La vorto «*traveturante*» signifus : kiam ili traveturas.

Respondo al Dr M. S., en La Belga Sonorilo, 1906, Aprilo.

> / povas esti uzata nur tiam, kiam ĝi rilatas al la subjekto de la frazo 그것이 문장의 주어와 연결될 때에만 사용될 수 있다 /

부사형 분사에 대한 그대의 의견은 옳습니다: 부사형 분사는 그것이 문장의 주어와 연결될 때에만 사용할 수 있습니다. 만야 분사로써 <*kiu... –as*>라는 의미를 나타내고 싶으면 그때에는 반드시 분사의 형용사형을 써야 합니다. 부사형 분사는 오직 <*kiam li (ĝi, ŝi, 등)... –as*> 혹은 <*ĉar ... –as*> 대신 써야 합니다. <*La unuaj vojaĝantoj kiuj traveturas Eŭropon*> 대신 우리는 <*traveturantaj*>라고 말해야 합니다. <*traveturante*>라는 단어는 <kiam ili traveturas>를 뜻합니다.

[Konjunkcio]
[접속사]

Pri la vorto «kaj»
<Kaj>에 대하여

Pli malpli 5-6 monatojn post la apero de la unua lernolibro de nia lingvo ni ricevis de unu sinjoro leteron, en kiu li skribis, ke nia lingvo estas tre bona, bonega, sed nur la vorto «kaj» forte malplaĉas al li, *tiel* malplaĉas, *ke* li sendis al ni promeson, ke li ellernos nian lingvon *kun la kondiĉo, ke* ni elĵetu la vorton «kaj»! Kaj tiu ĉi sinjoro tute ne estas *humoristo*, li skribis tute serioze!

/ konjunkcio (등위)접속사; subjunkcio 종속접속사 / pli malpli 대략, 어느 정도 / 5-6 monatojn post la = je 5-6 monatoj post la / plaĉas al 동사 plaĉi 다음에는 전치사 al을 쓴다, 주어는 마음에 드는 대상이 된다; *Ĝi plaĉas al mi* / kun la kondiĉo, ke ~라는 조건으로 / humoro 기분, bonhumora 기분이 좋은; humuro 유머, humura 유머가 있는; 여기서는 *humuristo*가 더 적당함 /

에스페란토 제1서가 발행되고 나서 약 5-6개월이 지난 후 어떤 신사분으로부터 한 통의 편지를 받았습니다. 그는 말하기를 에스페란토가 아주 좋다고 했습니다. 그러나 <kaj>라는 단어가 아주 마음에 들지 않는다고 말했습니다. 그래서 그는 우리가 이 <kaj>라는 단어를 내버린다는 조건으로 에스페란토를 학습하겠다고 약속을 보내 왔습니다! 그 신사분은 아주 심각하게 글을 써 보냈으며, 절대 우스갯소리로 한 게 아니었습니다.

Ĉu la vorto «kaj» estas bona aŭ malbona, — tiu ĉi ekzemplo

(kiu ne estas la sola en sia maniero) montras, ke kelkaj tute ne komprenas la karakteron de nia afero kaj *rigardas ĝin de punkto de vidado pure persona*. Anstataŭ analizi, ĉu la proponita sensignifa reformeto estas efektive necesa por la afero mem, la dirita sinjoro diris, ke li persone ne ellernos la lingvon, se la vorto «kaj» ne estos ŝanĝita! Se ni eĉ supozus, ke la vorto «kaj» per si mem estas tre facile ŝanĝebla, — ĉu povas iam ekzisti lingvo tutmonda, se ĉiu lernanto volos, ke oni ĉion ŝanĝu en ĝi laŭ lia persona plaĉo?

/ ne estas la sola en sia maniero 이런 식의 것이(요구가) 이것 하나만이 아니다 / *rigardas ĝin de punkto de vidado pure persona* 아주 개인적인 시각으로 그것을 보고 있다 / Se ni eĉ supozus, ke 설령 ~라 할지라도 / lingvo tutmonda 세계어, 국제어 / persona plaĉo 개인적 취향 /

<kaj>라는 단어가 좋은가 좋지 않은가 — 이 예는 (이런 식의 것이(요구가) 이것 하나만이 아님) 몇몇 사람들이 우리가 하는 이 일의 성격을 전혀 이해하지 못하고 오직 자신의 개인적인 시각으로만 이 일을 보고 있음을 나타내는 것입니다. 그 제안된 의미 없는 조그만 수정이 실제적으로 이 일에 필요한 것인지 아닌지 알아보지는 않고, 그 신사분은 단어 <kaj>가 바뀌지 않으면 자기는 이 언어를 배우지 않겠다고 했습니다! 설령 이 단어가 그렇게 쉽게 바뀔 수 있다 할지라도 — 만약 모든 학습자들이 자신의 개인적 취향에 띠리 모든 것을 바꾸려 한다면 과연 국제어가 존재할 수 있을까요?

Se ni volas havi lingvon tutmondan, ni devas antaŭ ĉio kutimi *meti niajn personajn gustojn sur la lastan planon*. Nun ni supozu, ke la reformo de «kaj» havas efektive gravan celon ne personan, sed komunan, kaj ni rigardu, kion oni povas fari kun tiu ĉi vorto. Je kio *propre* la vorto «kaj» *estas kulpigata?* Ĉu ĝi estas malbonsona? Tro longa? Ne preciza? Elvokanta konfuzon kun aliaj vortoj? Ni forte dubas, ĉu iu respondos tiujn ĉi demandojn *alie, ol* per absoluta «ne»! Kio do? La proponinto diras, ke anstataŭ la «arbitre elpensita 'kaj'» devus esti prenita la *ĉiukonata* «et» aŭ «e».

/ kutimi ~을 습관화하다, ~에 익숙해지다(kutimiĝi) / *meti niajn personajn gustojn sur la lastan planon* 우리의 개인적 취향은 마지막으로 생각하다 / *propre* 고유하게, 그 자체로 / *Je kio ~ estas kulpigata?* ~가 뭐가 잘못되었는가, ~가 무슨 죄가 있는가? / elvokanta konfuzon 혼동을 불러일으키는 / *alie, ol* ~가 아닌 다른 것으로, ~말고 달리 / Kio do? 그러면 무엇인가? / *ĉiukonata* = de ĉiu konata 모두에게 알려진 /

만약 우리가 국제어를 원한다면, 우리는 무엇보다도 우리의 개인적 취향은 가장 뒤로 미루는 데 익숙해져야 합니다. <Kaj>의 수정에 어떤 개인적 목적이 아니라 실제적으로 중요한 공동의 목적이 있다고 가정해 봅시다. 그리고 이 단어로써 무엇을 할 수 있을지를 한번 생각해 봅시다. 이 단어 <kaj>가 도대체 그 자체로 무슨 잘못이 있단 말입니까? 그것이 뭐 소리가 나쁩니까, 너무 깁니까, 뜻이 불분명합니까, 다른 단어와 혼동을 불러일으킵니까? 여기에 대해 "절대 그렇지 않다"는 답 외에 누가 다른 답을 할 수 있을지 정말 의심스럽습니다. 그렇다면 이게 뭡니까? 그걸 제안한 사람은 <자의적으로 고안된 "kaj"> 대신 모두가 다 잘 아는 <et>나 <e>로 해야 한다고 말합니다.

Ne irante ankoraŭ pli malproksimen, ni jam povus respondi, ke tiu ĉi bagatelo povus servi kiel motivo *tiam, se* ni havus ankoraŭ tute liberan elekton inter «kaj» kaj «e, et», sed fari pro tia bagatela motivo rompon en la lingvo tute ne estas inde. Sed *se ni iros pli malproksimen*, ni vidos, ke eĉ tiam, kiam la vorto ne estis ankoraŭ kreita, estus granda demando, ĉu «et, e» estas pli bona ol «kaj». La vorto «kaj» ne sole ne estas maloportuna, sed ĝi ankaŭ tute ne estas arbitre elpensita (ĝi estas vorto greka = la latina «et»).

/ *Ne irante ankoraŭ plimalproksimen* 멀리 갈 필요도 없이, 조금만 생각해 봐도 / povus servi kiel motivo *tiam, se* ~한다면 그때에는 동기가 될 수 있다 / *se ni iros pli malproksimen* 좀 더 생각해 보면 / estus granda demando, ĉu ~일까 하는 큰 의문이 있을 수 있다, ~일까 하고 물어보지 않을 수 없다 /

조금만 생각해 봐도 대답을 할 수 있습니다. 만약 우리에게 아직도 <kaj>와 <e, et> 사이에 선택의 기회가 있다면 이 사소한 것이 그 어떤 동기가 될 수도 있지만, 그러나 그러한 사소한 동기로 인해 에스페란토를 손상시키는 것은 전혀 가치가 없는 일입니다. 그러나 조금 더 생각해 보면, 이 단어가 아직 만들어지기 전이라 해도, 과연 <et, e>가 <kaj>보다 더 좋은가 하는 것은 커다란 의문이 아닐 수 없습니다. 이 <kaj>라는 단어는 불편하지도 않을 뿐 아니라 자의적으로 만들어진 것도 아닙니다. (그것은 라틴어 <et>에 해당하는 그리스어 단어입니다.)

Sekve la motivoj kontraŭ «kaj» estas tiel bagatelaj, ke eĉ en la tempo de la kreado ni devus preni «et, e» anstataŭ «kaj» nur tiam, se la uzebleco de ambaŭ formoj estus egala; sed ilia uzebleco ne estis egala: dum la vorto «kaj» estas tute libera, la vortoj «e» kaj «et» estis necesaj por la finiĝo de l' adverbo kaj por la sufikso de malgrandeco, por *kiuj* ni ne povis doni aliajn *vortojn* (uzi tiun saman formon *por* finiĝo gramatika aŭ sufikso kaj *por* sendependa vorto ni ne povis, ĉar laŭ la konstruo de nia lingvo [pro la senlerna uzebleco de la vortaro] la finiĝoj kaj sufiksoj estas sendependaj vortoj).

/ la motivoj kontraŭ «kaj» <kaj>에 반대하는 동기 / uzebleco 사용 가능성 / *kiuj* 이 관계대명사의 선행사는 앞에 나오는 두 개의 명사구 "finiĝo de l'adverbo"와 "sufikso de malgrandeco" / *vortojn* 자멘호프는 초기에 "vorto"와 "formo(morfemo)"를 구분 없이 종종 사용하였음 / konstruo de nia lingvo 에스페란토의 구조 /senlerna uzebleco de la vortaro 미리 이 언어를 배우지 않고도 단어장을 사용할 수 있는 가능성 / sendependaj vortoj 독립적인 단어 / (참고: 에스페란토의 모든 형태소는 독립적인 단어로 쓰일 수 있음) /

따라서 <kaj>에 반대하는 이유들이 아주 사소하여서, 에스페란토를 처음 만들 때에 만약 그 두 형태의 사용 가능성이 동등했더라면, 어쩌면 <kaj> 대신 <et, e>를 선택했을지도 모릅니다. 그러나 그 사용 가능성은 동등하지 않았습니다. <kaj>는 자유롭게 사용할 수 있었지만, <e>와 <et>는 부사어미와 축소 접미사로 필요했던 것입니다. 그리고 이 둘을 위해서 다른 단어(형태소)를 쓸 수가 없었습니다. (문법적 어미와 접미사를 위한 형태와 같은 형태를 독립적인 단어로 쓸 수는 없었습니다. 왜냐하면 에스페란토의 구조에 따르면 [사전에 미리 배우지 않고도 단어장을 사용할 수 있도록 하는 특성 때문에] 어미와 접미사는 독립적인 단어(형태소)이기 때문입니다.)

Se ni volus *doni* «e» aŭ «et» por «kaj», ni devus doni ian sovaĝan formon al la tuta kategorio de la adverboj aŭ la tuta kategorio de la vortoj etaj; inter tuta kategorio da vortoj kaj unu simpla vorteto ni elektis la unuan, kaj tial la ofero devis fali sur la flanko de la lasta. La neprenado de «e», «et», «i» kaj tiel plu estis sekve de nia flanko ne simpla «netrovo de la bono», sed intenca faro. Ĉu ni estis pravaj aŭ ne, ne estas nun tempo priparoli; sed se jam tiam la forĵeto de «e», «et» k.t.p. estis ne tute sen motivoj, *tiom pli ne ekzistas kaŭzo* por nun enkonduki ĝin *per oferoj de rompado*.

/ ni elektis la unuan 우리는 첫째의 것을 선택했다 (tuta kategorio da vortoj) / la ofero devis fali sur la flanko de la lasta 후자는 희생이 될 수밖에 없었다 / sekve de niaflanko 따라서 우리의 입장으로는, 우리의 입장에 따르자면 / se jam tiam 만약 이미 ~라면 / *tiom pli* 그만큼 더 / *per oferoj de rompado* 손상의 희생을 감수하고, 손상을 입히면서 /

만약 <kaj>를 위해 <e>나 <et>를 사용하려고 했다면, 우리는 부사의 모든 범주와 축소접미사의 모든 범주에 그 어떤 이상한 형태를 사용할 수밖에 없었을 것입니다. 모든 범주의 단어들과 하나의 간단한 단어 사이에서 우리는 전자를 선택했던 것입니다. 그래서 후자는 희생이 될 수밖에 없었던 거지요. 따라서 <e>와 <et>, <i> 등을 선택하지 않은 것은 우리의 입장에서는 그저 단순히 <좋은 것을 발견하지 못함>이 아니었으며, 의도적인 일이었던 것입니다. 우리가 옳았는지 아니었는지는 것은 지금 논할 때가 아닙니다. 그러나 적어도 <e>, <et> 등의 폐기가 그저 아무 생각 없이 한 일이 절대 아니라면, 지금 손상의 희생을 감수하면서 그것을 도입할 이유는 그만큼 없는 것입니다.

Tuŝante la novajn vortojn en la Plena vortaro, reformoj en apartaj vortoj povas esti farataj sen granda malutilo; sed en la vortoj de la fundamenta vortareto kaj precipe entiaj vortoj kiel «kaj», kiuj estas tro konataj kaj uzataj sur ĉiu paŝo de la unua tago de ekzistado de nia lingvo, reformoj sen gravaj motivoj ne devas esti farataj.

> / Plena vortaro 제1서에 딸린 단어장이 아닌, 1909년 프랑스 파리에서 Émile Boirac에 의해 출판된 Esperanto-Esperanta kaj Esperanto-franca vortaro / fundamenta vortareto 제1서에 딸린 단어장 Universala Vortaro (Ŝlosilo)를 의미함 / sur ĉiu paŝo de la unua tago 첫날부터 계속적으로 /

"Plena vortaro"에 수록된 새 단어들 중 개별적인 것을 건드리는 수정은 큰 해로움이 없이 가능합니다. 그러나 기본단어장에 들어 있는 단어들, 특히 <kaj> 같은 단어들은 이미 에스페란토 발표 첫날부터 지금까지 계속적으로 너무나도 많이 알려져 있고 또한 쓰이고 있기 때문에 아주 특별한 동기가 없으면 수정이 되어서는 안 됩니다.

Pri la sensignifa vorteto «kaj» ni parolis tiel vaste ne por solvi la demandon pri la vorteto mem, sed nur ĉar ĝi donis al ni la okazon turni la *atenton* de niaj amikoj *sur la manieron*, en kiu la dirita reformo estis al ni proponita; kaj ni ripetas nian opinion, ke la *obeado al la personaj gustoj* en tiel komuna afero, kiel la nia, estas tre malutila.

> / turni la *atenton ... sur la manieron* 그 방식에 주의를 환기시키다, al la maniero라 해도 됨 / *obeado al la personaj gustoj* 개인적인 입맛에 기울어짐 (입맛을 따름) /

그 사소한 단어 <kaj>에 대해 이렇게 장황하게 말씀드리는 것은 그 단어 자체의 문제를 해결하려고 이러는 것이 아닙니다. 다만 그 수정안을 제출하는 방식에 대해 여러분의 주의를 환기시킬 기회가 되었기 때문입니다. 그리고 다시 한 번 말씀드립니다만, 우리의 일과 같은 이런 공동의 일에 있어 개인적인 취향에 기울어지는 일은 아주 유해한 일입니다.

- 222 -

Se ni tiel energie batalas kontraŭ ĉia sennecesa reformo, ni faras ĝin *ne el amo al* niaj propraj formoj aŭ el malamo al fremdaj opinioj, kiel kelkaj eble pensas, *sed el amo kaj zorgo por* nia afero mem, kiu kompreneble baldaŭ tute detruiĝus, se ĉiu aparte volus ĝin el pura persona *opiniamo* ŝiri *laŭ sia plaĉo* kaj sen grava neceso *montri sur ĝi siajn talentojn.*

La Esperantisto,1891, p. 49

/ Se ni 여기서는 "Eĉ se ni"로 봐도 무방함 / *ne el amo al* ~ 를 사랑해서가 아니라 / kiel kelkaj eble pensas 몇몇 사람들이 생각하는 것처럼 / ĉiu aparte 모든 사람이 개별적으로 / el pura persona *opiniamo* 순전히 개인적인 의견에 집착해서 / *montri sur ĝi siajn talentojn* 그것 위에서 자신의 재능을 드러내다, 그것으로 자신의 재능을 돋보이려 하다 /

우리가 모든 불필요한 수정에 대항하여 이렇게 열심히 싸우는 것은 우리가 처음 제안한 그 형태를 좋아해서거나 또는 몇몇 사람들이 생각하듯이 그렇게 다른 의견들을 배척해서가 아니라, 오직 우리의 일 자체를 위한 애정과 걱정 때문입니다. 만약 모두가 개별적으로 순전히 개인적인 의견에 집착해서 자신의 입맛대로 에스페란토를 찢어버린다면, 그리고 꼭 필요하지도 않은데 자신의 재능을 드러내기 위해서 그렇게 한다면 에스페란토는 머지않아 완전히 망가지고 말 것입니다.

[Prepozicioj]
[전치사]

«Krom» kaj «ekster»
<Krom>과 <ekster>

En la plena vortaro ni donis la vorton «krom»; sed poste, vidante ke kelkaj amikoj per la vorto «ekster», kiu ekzistas en la malgranda fundamenta vortareto, kvankam sub iom alia senca nuanco, tute bone esprimas ankaŭ la sencon de «krom», ni komencis ankaŭ uzadi tiun ĉi vorton en la senco de «krom».

La Esperantisto, 1891, p. 7

> / 전체 문장의 주어와 동사는 끝부분에 나오는 "ni komencis" / kvankam sub iom alia senca nuanco 비록 그 어감은 조금 다를지라도 /

Plena vortaro에 <krom>이라는 단어가 나옵니다. 그러나 나중에 몇몇 에스페란티스토들이 그 조그만 기본단어장에 들어 있는 <ekster>라는 단어로써, 비록 그 어감은 조금 다를지라도, 이 <krom>의 의미를 잘 표현하는 것을 보고는 우리 역시 <krom>의 의미로 이 단어를 사용하기 시작했습니다.

Pri la vorto «krom»
<Krom>에 대하여

La prepozicio «krom» antaŭ iu vorto signifas, *ke* tiu vorto staras ekster la temo de nia parolado, *ke* ni rigardas ĝin kiel ion apartan; tial ĝi povas havi egale bone la sencon de escepto kaj la sencon de aldono, *depende de la cirkonstancoj*, en kiuj ĝi estas uzata. «Krom» per si mem esprimas nek escepton, nek aldonon, ĝi esprimas nur apartigon; sed ĉu tiu apartigo estas farata por ion forigi, aŭ kontraŭe, por ĝin pli akcenti, tion montras la senco de la frazo mem.

/ staras ekster la temo de nia parolado 우리 대화의 주제 밖에 있다 / ĝi esprimas nur apartigon 그것은 오직 "따로 분리시킴" 만을 표현합니다 / ĉu tiu apartigo ..., 그 분리시킴이 ...인지 아닌지는 /

어떤 단어 앞에 쓰인 전치사 <krom>은 그 단어가 우리 대화의 주제 밖에 있음을 의미합니다. 그리고 또 우리가 그것을 분리된 것으로 간주하고 있음을 의미합니다. 그래서 그것은 그 쓰인 환경에 따라 "제외"의 의미와 함께 "추가"의 의미도 가지고 있습니다. <Krom> 그 자체는 제외도 의미하지 않고 추가도 의미하지 않으며, 단지 분리된 것임을 의미할 뿐입니다. 그러나 그 분리가 무엇을 없애기 위함인지 아니면 반대로 무엇을 강조하기 위함인지는 그 문장의 의미 자체가 나타내 줍니다.

Ekzemple, kiam mi diras: «tie estis ĉiuj miaj fratoj krom Petro», ĉiu komprenas, ke mi apartigas Petron, por montri, ke li ne estis inter la «ĉiuj»; sed kiam mi diras: «krom Petro tie estis ankaŭ ĉiuj aliaj miaj fratoj», oni facile komprenas, ke ĉi tie mi apartigis Petron *nur tial, ke* pri li ni jam parolis, aŭ pri li oni jam scias, ke li tie estis, aŭ *ke* li tie *devis* esti. Kompreneble, la vorto «krom» povas iufoje kaŭzi neprecizecon aŭ malkompreniĝon; sed en tiaj okazoj ni devas eviti la vorton «krom» kaj uzi anstataŭ ĝi la pli precizajn esprimojn «esceptinte» aŭ «ne sole, sed ankaŭ».

Respondo 32, *La Revuo*, 1908, Majo

/ li tie *devis* esti 그가 거기에 있어야 했다, 그가 거기에 틀림

예를 들어, 제가 <tie estis ĉiuj miaj fratoj krom Petro (거기에
Petro를 제외한 나의 모든 형제들이 있었다)>라고 할 때에는
모든 사람들이 제가 Petro가 그 "모두들" 사이에 들어 있지 않
다는 것을 보이기 위해 그를 따로 분리시켰음을 이해합니다.
그러나 제가 <krom Petro tie estis ankaŭ ĉiuj aliaj miaj fratoj>
라고 말할 때에는 사람들은 제가 Petro를 제외시킨 이유가 그
에 대해서 우리가 이미 말을 했거나 또는 그에 대하여 이미
사람들이 그가 거기에 있(었)다는 것을 알고 있거나, 또는 그
가 거기에 반드시 있어야 했기 때문이었다는 것을 쉽게 이해
합니다. 물론 <krom>이라는 단어는 어떤 때에는 불명확하거나
오해를 불러일으키기도 하지요. 그러나 그러한 경우에는 우리
는 이 단어 <krom>을 피하고 대신 <esceptinte (~을 제외하
고)>나 <ne sole, sed ankaŭ (~뿐만 아니라 ~도 역시)> 같은 더
정확한 표현들을 사용해야 합니다.

Pri «al» anstataŭ akuzativo
목적격 대신 <al> 사용에 대하여

En tre multaj okazoj la prepozicio «al» povas tre bone esti uzata,
por esprimi direkton; tamen ne en ĉiuj okazoj oni povas tion
fari. Anstataŭ «mi veturas Londonon» oni povas tre bone diri
«mi veturas al Londono»; sed se anstataŭ la frazo «la muso
kuris sub la liton» ni dirus «al sub la lito», la senco de la frazo
iom ŝanĝiĝus. «Al» ordinare montras nur la celadon, la vojon al
iu loko, dum la akuzativo povas enhavi en si ankaŭ la *ideon de
atingo de la celo*; sekve la frazo «la muso kuris al sub la lito»
montrus, kela muso kuris en la direkto al sub la lito, sed pro ia
kaŭzo ĝi ne atingis la lokon sub la lito, aŭ almenaŭ ni ne vidis

tiun atingon.

> / ne en ĉiuj okazoj oni povas tion fari 모든 경우에 다 그렇게 할 수 있는 건 아닙니다 / <al subla lito> 침대 아래쪽 방향으로 / la *ideon de atingo de la celo* 목적(목표)을 달성(도달)했다는 개념을 /

많은 경우 전치사 <al>은 방향을 표시하기 위해 잘 쓰일 수 있습니다. 그러나 모든 경우에 다 그렇게 할 수는 없습니다. <mi veturas Londonon> 대신 <mi veturas al Londono>라고 말할 수 있습니다. 그러나 <la muso kuris sub la liton> 대신 <al sub la lito>라고 말한다면 그 문장의 뜻은 조금 달라질 것입니다. 보통 <al>은 목적(목적지)만을, 즉, 어느 곳으로 가는 길을 가리킬 뿐이지만, akuzativo(목적격)는 그 자체로 "목적을 달성함(목적지에 도달함)"의 개념도 나타낼 수 있습니다. 따라서 <la muso kuris al sub la lito>라는 문장은 그 쥐가 침대 아래쪽으로 달렸지만, 그 어떤 이유로 그것이 침대 아래쪽은 결국 도달하지 못했다는 것을, 혹은 적어도 우리가 그 도착을 보지 못했다는 것을 나타낼 수도 있는 것입니다.

Tamen mi ripetas, ke en la plimulto da okazoj la diferenco inter «al» kaj akuzativo estas *tiel* malgranda, *ke mi volis siatempe eĉ proponi komunan regulon*, ke anstataŭ akuzativo de direkto oni povas ĉiam uzi la prepozicion «al» kun nominativo. La personoj, por kiuj la akuzativo de direkto *prezentas ian malfacilaĵon*, povas eĉ nun *sen ia peko kontraŭ la gramatiko* uzi en tiaj okazoj la prepozicion «al». Se ekzemple anstataŭ «venu ĉi tien» vi diros «venu al ĉi tie», oni povos diri, ke via stilo estas ne tute klasika, sed oni ne povos diri, ke vi faris gramatikan eraron.

Respondo 36, La Revuo, 1908, Majo

그러나 다시 반복합니다. 대부분의 경우 <al>과 목적격의 차
이는 아주 작아서 저는 당시에 방향을 나타내는 목적격 대신
언제나 전치사 <al>을 주격과 함께 사용할 수 있다는 것을 하
나의 공동의 규칙으로 제안하고도 싶었습니다. 방향을 나타내
는 목적격을 사용하는 데 어려움이 있는 사람들은 지금이라도
그 어떤 문법적 오류 없이 그러한 경우에 전치사 <al>을 사용
할 수 있습니다. 예를 들어 만약 <venu ĉi tien> 대신에 그대가
<venu al ĉi tie>라고 말한다면 그것은 그대의 문체가 정통적이
지 않다고는 말할 수 있어도, 그대가 문법적 오류를 범했다고
는 말할 수 없을 것입니다.

Pri la prepozicio «da»
전치사 <da>에 대하여

La esprimo «dum la frua parto da la jaro» ŝajnas al mi nebona;
mi preferas «de la jaro», ĉar en la dirita frazo la vorto «parto»
signifas ne *mezuron*, sed nur *limigitan apartaĵon*. Tiel ekzemple
«monato» estas parto da tempo, ĉar ĝi esprimas simple mezuron,
sed «Januaro» estas parto de jaro, ĉar ĝi esprimas ne mezuron,
sed difinitan limigitan apartaĵon; «kvaronjaro» (=mezuro) estas
parto da jaro, sed «printempo» (=speciale montrita parto) estas
parto de jaro. Oni devas memori, ke «parto», «peco» k.t.p. havas
la sencon de mezuro ofte, sed ne ĉiam.

<dum la frua parto da la jaro>라는 표현은 제가 보기에 좋지 않습니다. 저는 차라리 <de la jaro>라 하겠습니다. 왜냐하면 그 문장에서 <parto>는 분량을 뜻하지 않고 단지 한정된 한 부분만을 뜻하기 때문입니다. 그런 식으로 예를 들어 <monato>는 단순히 분량을 표현하기 때문에 "parto da tempo" (일정 양의 시간)입니다. <kvaronjaro>(=분량)는 한 해의 한 분량이지만, <printempo>(=특별히 지시된 부분)는 한 해의 한 부분입니다. 우리는 <parto>, <peco> 등이 종종 분량의 의미를 나타내기도 하지만 항상 그런 건 아니라는 걸 기억해야 합니다.

Dum la vorto «da» (kiu cnhavas kaŝite la sencon de «ia») montras, ke ni parolas pri kvanto da ia aĵo, sed ne pri ĝia individueco (ekzemple peco da viando = peco da ia viando), la artikolo «la» montras, ke ni parolas pri objekto individue difinita (aŭ pri ĉiuj objektoj de la sama speco), de kiu ni prenas parton (ekzemple «peco de la viando, kiun mi havas antaŭ mi»); tial ni povas diri, ke, kvankam teorie la kombinado de «da» kun «la» ne estas malpermesata, sed en la praktiko tia kombinado estas uzebla nur en tre maloftaj okazoj, *tiel malofte, ke* ni eĉ povas simple konsili, ke oni neniam uzu «da» antaŭ «la» (krom la okazoj, en kiuj la senco tion ĉi nepre kaj tute sendube postulas).

Respondo 16, *La Revuo*, 1907, Junio

/ pri kvanto da ia aĵo 어떤 물건의 양에 대하여 / objekto individue difinita 개별적으로 한정된 사물 / en la praktiko 실제에 있어서는 / *tiel malofte, ke* 너무나 드물어서 ~한다 /

(내적으로 <ia>라는 뜻을 품고 있는) <da>는 우리가 그 어떤 물건의 개별성에 대해서가 아니라 그것의 양에 대해서 말한다

는 것을 나타냅니다 (보기: peco da viando = peco da ia viando). 관사 <la>는 우리가 개별적으로 한정된 어떤 사물에 대해 (혹은 같은 종류의 모든 것에 대해) 말하며 그것으로부터 어느 한 부분을 취한다는 걸 나타냅니다 (보기: peco de la viando, kiun mi havas antaŭ mi (내 눈앞에 있는 그 고기의 한 조각)). 그래서 비록 이론적으로는 <da>와 <la>의 조합이 금지된 것은 아니지만, 실제에 있어서는 그러한 조합은 아주 드문 경우에만 사용할 수 있습니다. 그래서 차라리 우리는 <la> 앞에는 절대 <da>를 쓰지 말라고 권고할 수도 있습니다 (물론 의미적으로 이것이 반드시 그리고 의심없이 요구될 때를 제외하고).

Pri «de» post participoj pasivaj
수동 분사 뒤의 <de>에 대하여

Post pasivaj participoj la prepozicio «de» ĉiam montras nur la aganton; ekzemple, en la frazo «la libro estas legata de Adolfo» la prepozicio «de» montras, ke Adolfo estas la aganto, kiu legas. Uzi post pasiva participo simplan prepozicion «de» en ia alia senco ni devas ĉiam eviti. Ekzemple, anstataŭ la frazo: «lia propra poŝhorloĝo estis ŝtelita de la hoko, sur kiu li ordinare *pendigis* ĝin» estus pli bone diri «for de la hoko …». Anstataŭ «ŝi troviĝis ŝirmata *for de* liaj entreprenoj» mi konsilus diri «*kontraŭ* liaj entreprenoj».

Respondo 34, *LaRevuo*, 1908, Majo

/ aganto 행위자 / pendi 매달려 있다; pendigi 매달다 / ŝirmi (덮어서) 보호하다 / *for de* 대신 *kontraŭ*를 쓰기를 자멘호프는 권하고 있다 / entrepreno (일) 시도, 기획, 기업 /

수동 분사 뒤에 쓰이는 전치사 <de>는 항상 그 행위자를 나

타냅니다. 예를 들어 <la libro estas legata de Adolfo>라는 문장에서 전치사 <de>는 Adolfo가 그 읽는 행위의 행위자라는 것을 나타냅니다. 수동 분사 뒤에 보통의 전치사, 즉 다른 의미의 전치사 <de>를 사용하는 것은 항상 피해야 합니다. 예를 들어 <lia propra poŝhorloĝo estis ŝtelita de la hoko, sur kiu li ordinare *pendigis* ĝin>이라는 문장은 <for de la hoko ...>라고 하는 게 더 좋습니다. <ŝi troviĝis ŝirmata *for de* liaj entreprenoj> (그녀는 그의 모든 계획으로부터 보호받고 있었다)라는 문장에서는 <*kontraŭ* liaj entreprenoj>라 하기를 권합니다.

Pri «per» post pasivo
수동태 뒤의 <per>에 대하여

La prepozicion «per» post pasivo ni povas uzi nur en tia okazo, se ĝi troviĝas antaŭ vorto, kiu esprimas ne la aganton mem, sed rimedon, uzitan de iu alia aganto; ekzemple: «la letero estas skribita per blua inko» (ne «blua inko skribis la leteron», sed «iu persono skribis la leteron, uzante por tio bluan inkon kiel rimedon»); sed la esprimo «la tero estas kovrita per neĝo» ne estas bona, ĉar ĉi tie ne iu kovris la teron per neĝo, sed la neĝo mem kovris la teron; sekve la neĝo mem estas la aginto, kaj ĝi devas havi antaŭ si la prepozicion «de».

/ rimedo 수단, 방법 / uzante por tio bluan inkon kiel rimedon 접속사 kiel 다음에 오는 명사는 그 앞에 나온 관련 명사와 격이 같아야 함; *Mi* elektis lin kiel *prezidanto*; Mi elektis *lin* kiel *prezidanton*/

수동태 뒤에 나오는 전치사 <per>는 그것이 행위자가 아니라 그 어느 다른 행위자에 의해 수단으로 사용되는 명사 앞에 올 경우에만 사용해야 합니다. 예를 들어 <la letero estas skribita per blua inko>와 같은 문장입니다. (여기서는 푸른 잉크가 편지를 쓴 게 아니라, 어떤 사람이 푸른 잉크를 수단으로 사용해서 그 편지를 쓴 겁니다.) 그러나 <la tero estas kovrita per neĝo>라는 문장은 좋지 않습니다. 왜냐하면 여기서는 그 어느 누가 눈으로써 땅을 덮은 게 아니라 눈 자체가 땅을 덮었기 때문입니다. 따라서 그 눈 자체가 행위자가 되는 것이며, 그 앞에는 전치사 <de>가 쓰여야 합니다.

La prepozicio «de» post pasivo ĉiam montras, *ke se ni aliformigus la pasivan frazon en aktivan,* la vorto, kiu havas antaŭ si la diritan prepozicion, fariĝus subjekto de la frazo.

Respondo 41 b, *La Revu*o, 1908, Majo

/ *se ni aliformigus la pasivan frazon en aktivan* 만약 우리가 그 수동태 문장을 능동태로 바꾼다면 /

수동태 뒤의 전치사 <de>는 만약 우리가 그 수동태 문장을 능동태로 바꾼다면 그 뒤에 나오는 단어가 언제나 그 능동태 문장의 주어가 된다는 것을 나타냅니다.

Pri la vorto «po»
단어 <po>에 대하여

La vorto «po» antaŭ iu esprimo de mezuro signifas, ke tiu mezuro rilatas ne al ĉiuj personoj aŭ objektoj kune, sed *al ĉiu aparte*; ekzemple: ili ricevis po kvin pomoj = ne ĉiuj kune ricevis 5, sed ĉiu el ili aparte ricevis kvin pomojn; la drapo kostas *po 2 spesmiloj por metro* = ĉiu metro (ne la tuta drapo) kostas 2 spesmilojn; ili *vendas pogrande* = ĉiu aparta porcio, kiun ili vendas, estas granda (t. e. ili vendas nur grandajn porciojn). Oni ne povas diri «je 80 centimoj po funto» aŭ «30 mejlojn po horo», sed oni devas diri «po 80 centimoj por (ĉiu) funto», «po 30 mejloj en horo».

Respondo 42, La Revuo, 1908, Aŭgusto

> / *al ĉiu aparte* 매 개인(사물) 각각에게 / *por metro* 일 미터당
> / *pogrande* 도매로; *pomalgrande* 소매로 /

측량을 나타내는 표현 앞에 쓰이는 <po>는 그 측량이 모든 사람이나 모든 물건에 다 함께 관련이 되는 게 아니라 매 개인이나 매 개체 각각에게 별개로 관련 이 된다는 것을 나타냅니다. 보기: ili ricevis po kvin pomoj = 모두가 다 함께 5개를 받았다는 게 아니라, 매 개인이 각각 사과 5개씩 받았다는 뜻. la drapo kostas *po 2 spesmiloj por metro* = 매 미터당 (그 모든 천이 아님) 2 스페스밀로의 값이 나간다. ili *vendas pogrande* = 그들이 파는 각각의 분량은 많다 (즉, 그들은 오직 큰 분량만을 판다; 도매). <je 80 centimoj po funto>나 <30 mejlojn po horo>라고 말해서는 안 됩니다. <po 80 centimoj por (ĉiu) funto>나 <po 30 mejloj en horo>라 해야 합니다.

Pri la prepozicio post «danki»
<Danki> 뒤에 나오는 전치사에 대하여

En «Pola Antologio» (p. 16) Kabe skribis : «Mi dankas vin, saĝulo, pro via konsilo». D^{ro} Zamenhof korektis : «por via konsilo».

Presprovaĵoj korektitaj de D^{ro} Zamenhof

> / Kabe : Kazimerz Bein (1872~1959, 자멘호프 당시 바르샤바의 안과의사; https://eo.wikipedia.org/wiki/Kazimierz_Bein) / danki 다음에는 "por, pro, pri" 등을 쓸 수 있음 /

<폴란드 문선> (16쪽)에서 Kabe는 <Mi dankas vin, saĝulo, pro via konsilo>라고 썼다. 자멘호프 박사는 그것을 <por via konsilo>라고 고쳤다.

[Ŝanĝoj]
[수정]

Naciaj gustoj
민족적 취향

Tiel same malmulte, kiel per gustoj personaj, ni devas nin ankaŭ gvidi en niaj proponoj per gustoj naciaj, se la proponoj havas nenian alian celon ol nur flati nelerte tiun aŭ alian nacion, alportante per tio ĉi *nenian utilon al la nacio kvazaŭ flatata* kaj grandan malutilon al la afero mem. Tiel ekzemple unu sinjoro, kiu nun apartenas al la plej varmaj amikoj de nia lingvo, en la komenco estis forte kolera kontraŭ ĝi *el la kaŭzo, ke* ĝi «ne estas sufiĉe internacia», ĉar ĝi enhavas preskaŭ nenian vorton rusan.

> / *Tiel same malmulte, kiel* ~에서처럼 그렇게 조금만 / havas nenian alian celon ol ~외에 다른 목적이 없다 / nelerte 어설프게, 서투르게 / *el la kaŭzo, ke* ~라는 이유로 /

수정 제안에 있어서 우리는 개인적인 취향에 따라 해서는 안 되는 것과 마찬가지로 민족적 입맛에 따라 해서도 안 됩니다. 만약 그 제안이 오직 이런저런 민족에 어설프게 아첨하는 듯 한 목적 외에는 다른 목적이 없다면 말입니다. 그런 제안은 오히려 그 아첨하려고 하는 민족에게는 전혀 득이 되지 않고, 오직 이 일에 큰 해만 끼치게 될 것입니다. 그 예로 한 사람 을 들 수 있습니다. 그는 지금 아주 열성적인 에스페란토의 친구가 되었지만, 초기에는 그 안에 러시아어 단어가 거의 포 함되어 있지 않아서 <충분히 국제적이지 않다>라는 이유로 크게 화를 내며 반대했습니다.

Multe ni jam devis suferi de tiu malvasta pseŭdo-patriotismo, kun kiu diversaj personoj renkontis nian aferon, kies devizo estas «frateco de la popoloj». Dum unuj malamike renkontis nian aferon *el la kaŭzo, ke* nia unua debuto, la unua lernolibro de nia lingvo, eliris en lingvo rusa — la supre dirita sinjoro en la unua tempo trovis, ke nia afero estas «malamika al la rusa popolo, ĉar … Volapük havas la rusan vorton «ibo», dum ni donis por ĝi la ŝanĝitan francan vorton «ĉar»!»

/ malvasta 속좁은, 편협한 / renkontis nian aferon 우리의 일을 대했다 / Dum ~하는 반면 / unuj 몇몇(은) / unua debuto 첫 데뷔, 첫 등장 / eliris 나갔다, 출시되었다 /

우리는 그 속좁은 가짜 애국주의로 인해 벌써 많은 피해를 입었습니다. 여러 사람들이 "민족간의 우애"를 주장하는 우리의 일을 그런 식으로 이해했습니다. 어떤 사람들은 우리의 첫 데뷔, 즉, 에스페란토의 첫 학습서가 러시아어로 나왔다는 이유로 우리의 일을 적대시한 반면 — 또 위에서 말한 그 사람은 초기에 "볼라퓌크에는 러시아어 단어 <ibo>가 있는데, 에스페란토에는 그 단어의 프랑스어 형태인 <ĉar>가 있기 때문에 … 러시아 민족에게는 적대적이다"라고 했습니다.

— Unu redaktoro de sveda gazeto trovis, ke nia lingvo havas karakteron tro italan. Kiam ni ne povis akcepti lian proponon kaj *sen ia celo* «malitaligi» nian lingvon, la proponinto *nelonge atendis* kaj provis fari mem lingvan miksaĵon, kiu laŭ lia opinio devus pli plaĉi al la nordaj popoloj.

/ *sen ia celo* 어떤 목적도 없이 / malitaligi 이탈리아어 탈피하기, 이탈리아어의 특성을 벗어버리기 / *nelonge atendis* 조금 기다리지도 않았다 / pli plaĉi al = pli multe plaĉi al ~의 마음에 더 들다, ~에게 더 큰 호감을 주다 /

— 스웨덴의 어느 잡지 편집자는 에스페란토가 너무 이탈리아어적인 성격을 지녔다고 생각했습니다. 우리가 그의 제안을 받아들이지 못하고 또 어떤 목적도 없이 그냥 무조건 에스페란토에서 <이탈리아어 탈피하기>를 할 수는 없었을 때, 그는 좀 기다리지도 않고 바로 그 자신이 언어적인 혼합물을 만들어냈습니다. 그 자신은 그것이 북방 민족들에게는 더 큰 호감을 줄 것이라 생각했던 것이지요.

Ni ne bezonas rakonti, kio fariĝus el nia afero, se ĉiu popolo volus el simpla vanteco doni al ĝi sian propran karakteron. Nia afero fariĝus absolute neebla. Kaj se ĝi eĉ estus ebla, — ĉu la flatita popolo mem ion gajnus dc tio? La dirita sveda sinjoro, kiu en la komenco diris, ke liaj ŝanĝoj estas necesaj, kaj faris provojn en la daŭro de kelka tempo, nun vidas jam, *al kio ĝi lin kondukis*: la lingvo fariĝis malbonsona kaj malregula, kaj el la svedoj mem, por kies nacia flato li volis pereigi nian aferon, neniu akceptis liajn ŝanĝojn, *dum* nia lingvo en ĝia nuna formo, kiu estas tiel «malsveda», havas multajn amikojn inter la svedoj kaj estas al ili multe pli oportuna kaj pli *hejma*, ol la svedigita, kiu mortis, antaŭ ol ĝi akceptis ian difinitan formon.

/ *Ni ne bezonas rakonti*, ~는 말할 필요도 없습니다 / el simpla vanteco 그저 허영심으로 / *al kio ĝi lin kondukis* 그것이 그를 무엇으로(어디로) 이끌었는지 / *hejma* 가정적인, 편안한, famililara /

만약 모든 민족이 다 그저 허영심으로 자기 민족어의 특성을 에스페란토에 도입하려고 한다면 우리의 일이 어떻게 될 것인지는 말씀드릴 필요도 없겠지요. 우리의 일은 절대 불가능합니다. 그리고 설사 가능하다 해도, — 그 민족은 그것으로 인해 무슨 이득을 보겠습니까? 앞에서 말한 그 스웨덴 사람은

처음에는 그가 만든 수정안이 꼭 필요하다고 말하며 조금 시간을 들여 시안을 만들어 보았지만, 그것이 과연 어떻게 되었는지 이제 알게 되었습니다: 그 언어는 소리가 아주 나빠졌고 규칙적이지도 않으며 그리고 우리의 일을 망가뜨리면서까지 좀 아첨하려고 했던 그 스웨덴인들조차 아무도 그의 수정안을 받아들이지 않았습니다. 반면 에스페란토는 그렇게 <반스웨덴어적인> 지금의 형태로 스웨덴인들 사이에 많은 친구를 갖게 되었으며, 또한 그 어떤 확실한 형태를 갖기도 전에 죽어 없어진 그 "스웨덴어처럼 만든 언어"보다 훨씬 더 그들에게 편리하고 쉬운 언어가 되었습니다.

— Unu el niaj slavaj amikoj trovis, ke la lingvo internacia devas havi *tiom* same la slavaj vortoj, *kiel da* romana-germanaj. Li ankaŭ volis krei novan lingvon, kiu enhavus en si multajn vortojn slavajn; sed baldaŭ li konvinkiĝis, ke ne sole al aliaj popoloj, sed al la slavoj mem multe pli oportunaj kaj agrablaj estas niaj vortoj romana-germanaj, ol la vortoj slavaj, kiuj, enmetite en sistemon romana-germanan, *tranĉas la orelon* kaj fariĝas al la slavoj mem multe malpli kompreneblaj, ol la vortoj ne slavaj.

/ *tiom* same la slavaj vortoj, *kiel da* romana-germanaj 로만(라틴)-게르만어 단어들만큼 그렇게 똑같이 슬라브어 단어도 / *tranĉas la orelon* 귀에 거슬린다 / ne slavaj = neslavaj /

— 우리의 슬라브족 친구 중 한 사람은 에스페란토가 로만-게르만어 단어만큼 그렇게 똑같이 슬라브어 단어도 가져야 한다고 생각했습니다. 그 역시 슬라브어 단어를 많이 포함한 새로운 언어를 만들려고 했습니다. 그러나 그는 다른 민족들은 말할 것도 없고 슬라브족에게도 로만-게르만어 단어들이 슬라브어 단어들보다 훨씬 더 편리하고 정겹다는 것을 곧 깨달았습

니다. 그 슬라브어 단어들은 로만-게르만어 체계 안에 들어와서 귀에 거슬리기도 하고 슬라브족에게도 비슬라브어 단어들보다 훨씬 더 이해가 잘 안 되는 것이 되었습니다.

(Se ni bone memoras, la vorto «internacia» *tie* estis tradukata «meĵufoka»; sed ni petas, ke iu slavo diru al ni, kion li pli bone komprenas kaj memoros, la vorton «internacia» aŭ «meĵufoka»? li estos preta serĉi la vorton en ia *ĥina* vortaro, kaj al li eĉ ne venos en la kapon, ke la vorto estas kunmetita el lia propra slava «meĵdu» kaj la germana «Volk», perdinte la «d» kaj la «l», ĉar *ankaŭ 2 konsonantoj* ne devas stari kune!).

/ Se ni bone memoras 우리가 잘 기억한다면, 제 기억으로는 / *tie* 거기서, 즉, 앞에서 말한 새로 만든 언어에서 / *ĥina = ĉina* / al li eĉ ne venos en la kapon, ke 그는 ~ 라는 것은 알 수도 없을 것이다 / *ankaŭ 2 konsonantoj* 여기 왜 ankaŭ가 쓰였는지 잘 모르겠음, 아마도 그가 만든 새로운 언어의 문법과 관련이 있는 듯함 (두 개의 자음이 함께 쓰여서는 안 되기도 하기 때문에) /

(제 기억으로는, <internacia>라는 단어는 거기서 <meĵufoka>라고 번역됩니다. 그러나 청컨대 어느 슬라브인이라도 말해 보십시오. 과연 <internacia>와 <meĵufoka> 가운데 어느 것을 더 잘 이해하고 기억하는지 말입니다. 그는 아마 어떤 중국어 사전에서 그걸 찾아보려고 할지도 모르지요. 그리고 그 단어가 자신의 슬라브어 <meĵdu>와 독일어 <Volk>의 합성어라는 건 알지도 못할 겁니다. 거기서 <d>와 <l>가 빠졌습니다. 왜냐하면 두 개의 자음이 함께 쓰여서는 안 되기도 하니까요!)

Se la amiko, *egale al la aliaj*, farus sian proponon nur teorie, li eble eĉ nun restus ĉe sia opinio kaj eble *kolerus nin*, ke ni estas tiel obstinaj kaj ne volas enkonduki tiun ĉi «necesan» ŝanĝon; sed feliĉe li faris *provon praktikan*, kaj la praktiko lin *la plej bone* konvinkis, kaj nun li denove fariĝis tre varma amiko de nia lingvo en ĝia nuna formo.

/ *egale al la aliaj* 다른 이들과 똑같이, "*kiel la aliaj*"라 해도 됨 / *kolerus nin* = *kolerus kontraŭ ni* = *kolerus al ni* / *la plej bone* 자멘호프는 종종 부사의 최상급에도 관사를 썼음, 안 쓰는 게 옳음 /

만약 그 친구가 다른 사람들과 마찬가지로 그저 이론적인 제안만을 했더라면, 그는 지금도 자신의 생각에 파묻혀서는 우리가 고집스러워 이 "꼭 필요한" 수정안을 도입하지 않으려 한다고 화를 내고 있을 것입니다. 그러나 다행히 그는 실제적인 시도를 해보았으며, 그 시도를 통하여 그는 잘 깨닫게 된 것입니다. 그리고 지금 그는 다시 현재 형태의 에스페란토에 아주 열정적인 친구가 되었습니다.

El la diritaĵo ni povas eltiri la sekvantan regulon: se ni volas proponi aŭ fari ian ŝanĝon, ni devas nin demandi, kian utilon la ŝanĝo alportus al la lingvo mem, kaj ĉu la utilo de la ŝanĝo *kovrus la malutilon*; sed ni neniam devas *obei la senfondajn gustojn* kaj la simplan vantecon de ia aparta nacio, ĉar tiam ni malutilon alportus al nia afero grandan kaj utilon ni alportus al neniu nenian.

/ ĉu la utilo de la ŝanĝo *kovrus la malutilon* 그 수정의 이로움이 해로움을 덮을 것인가? 그 수정이 정말 해로움보다 이로움이 더 클 것인가? / *obei la senfondajn gustojn* 근거(기초) 없는 입맛에 복종하다, 따르다 / utilon ni alportus al neniu nenian 그 어느 누구에게도 아무 유익도 없을 것이다 /

<보충 설명>

자멘호프는 fonda를 이런 식으로 종종 쓰고 있음.

Fond-i 기초를 놓다, 세우다, ~에 근거를 두다; *domo fondita sur roko* [N]; *fondi urbon*; *fondi institucion* [Z], *lernejojn* [Z]; *vi parolas teruran, sur nenio fonditan sensencaĵon* [Z];

Fund-o 밑바닥, 저변, 밑바닥, 입구에서 가장 먼 구석; *la fundo de valo, de la maro* [Z]; *fundo de ĉambro* [B];

/ fond-i는 좀 긍정적, fund-o는 좀 부정적 느낌이 있음 /

위에서 말한 것으로부터 우리는 아래와 같은 규칙을 끄집어낼 수 있겠습니다: 만약 우리가 그 어떤 제안을 하거나 수정을 하려고 한다면 우리는 자신에게 물어봐야 합니다. 그 수정이 과연 에스페란토에 어떤 유익이 되는가? 그리고 그것이 과연 해로움보다 이로움이 더 클 것인가? 우리는 절대 그 어느 민족의 근거 없는 입맛이나 단순한 허영심에 복종해서는 안 됩니다. 왜냐하면 그렇게 되면 우리의 일에 큰 해가 될 것이고, 또 그 어느 누구에게도 아무 유익도 없을 것이기 때문입니다.

En ĉiuj okazoj, kiuj ne estas absolute gravaj per sia enhavo mem, vantaj senkaŭzaj gustoj naciaj devas en afero internacia *tiel same absolute silenti, kiel* la gustoj personaj, se ni ne volas el persona aŭ nacia disputemeco pereigi nian aferon; tiuj ĉi gustoj devis silenti jam en la tempo de la kreado de l' lingvo, kaj *tiom pli* ili sendube devas silenti, se ilia obeado postulas rompadon en nia lingvo.

La Esperantisto, 1891, p. 49-50

/ per sia enhavo mem 그 내용 자체로 / *absolute silenti* 절대적

으로 침묵을 지켜야 한다, 가만있어야 한다, 고려하지 말아야
한다 / el persona aŭ nacia disputemeco 개인적이거나 민족적인
논쟁으로 / *tiom pli* 그만큼 더 /

그 내용 자체로 아주 중요하지 않은 모든 경우에는 개인적인
취향뿐 아니라 근거 없이 허영에 찬 민족적 취향도 국제적인
일에서 절대로 고려해서는 안 됩니다. 만약 우리가 개인적이
거나 민족적인 논쟁이 우리의 일을 망가뜨리는 것을 원하지
않는다면 말입니다. 이런 취향들은 언어의 창안 때에도 물론
고려되지 말았어야 했지만, 만약 그것들이 에스페란토를 파괴
한다면 더더욱 고려 대상에서 제외해야 하는 것입니다.

Danĝereco de plibonigoj
개선의 위험성

Varsovio, la 27-an de Decembro 1903.

Vian ideon pri la aranĝo de internacia kongreso de Esperantistoj
mi trovas tute bona. Sed por ke tia kongreso donu al nia afero
ne malutilon sed nur utilon, ĝi devas esti aranĝita laŭ la
sekvantaj principoj :

/ -on .... mi trovas tute bona 나는 ~을 아주 좋게 생각한다 /
por ke ...-u ~하도록 / sekvantaj = sekvaj 다음과 같은 /

에스페란티스토들의 국제대회를 조직하자는 그대의 생각을 저
는 아주 좋게 봅니다. 그러나 그러한 대회가 에스페란토에 해
가 되지 않고 오직 유익이 되기 위해서는 다음과 같은 원칙에
따라 조직되어야 합니다:

1) Ĝi devas esti bone kaj zorge aranĝita, havi multe da
partoprenantoj kaj havi la karakteron de granda, solena kaj
imponanta festo de internacia frateco, por ke la gazetoj de la tuta

mondo multe parolu pri ĝi kaj por ke ĝi estu plena de entuziasmo kaj veku en la tuta mondo entuziasmon kaj deziron aliĝi al ni. Krom paroloj oni devas aranĝi komunajn kantojn en Esperanto, eble eĉ ian internacian ludon aŭ publikan konkurson; oni devas aranĝi en ia granda teatro prezentadon de dramo en Esperanto. Oni devas antaŭe eksciti la interesiĝon de la tuta urbo, por ke al ĉiuj festoj de la kongreso venu grandega multo da gastoj neesperantistoj; — per unu vorto, oni devas fari grandan impreson kaj devigi la tutan mondon paroli pri la kongreso.

/ devas esti … 뒤에 나오는 두 개의 havi도 devas에 걸림 / parolu … estu … veku … 이 셋 모두 por ke에 걸림 / gastoj neesperantistoj 두 개의 명사가 이렇게 나란히 쓰일 때엔 "손님 이면서 동시에 비에스페란티스토"라는 의미 / per unu vorto 한마디로 /

1) 그 대회는 조심스럽게 잘 조직되어야 하며, 참가자들이 많고 규모가 크며, 엄숙하고 인상적인 국제형제애 잔치의 성격을 가져야 합니다. 전 세계의 언론이 큰 관심과 열정을 가지도록 해야 하며, 세상 사람들이 우리와 함께하려는 열정과 바람을 불러일으킬 수 있어야 합니다. 각종 연설 말고도 에스페란토 합창, 혹은 국제적인 게임이나 공개적인 시합 등도 있어야 할 것입니다. 큰 극장에서 에스페란토 연극도 개최해야 할 것이며 대회 모든 잔치에 비에스페란티스토 손님들이 많이 오도록 사전에 그 도시 전체의 관심을 끌어야만 합니다. — 한마디로 우리는 이 세상이 모두 그 대회에 대해 말을 하게끔 아주 인상적인 대회를 만들어야 합니다.

2) En la kongreso oni devas paroli pri organizado de nia afero, reciproka helpo en la batalado, pri rimedoj de propagando, pri kreado de granda kaj utila literaturo, k. t. p.; sed nenion,

absolute nenion oni devas paroli pri iaj ŝanĝoj aŭ «plibonigoj»! Por ke nia lingvo atingu sian celon kaj ne disfalu kiel Volapük, ĝi devas resti por ni absolute netuŝebla, tiel same kiel ĉiu alia lingvo, en kiu nenia persono ja kuraĝus proponi iajn reformojn, kvankam ĉiu el tiuj lingvoj estas multe malpli perfekta ol nia.

> / paroli 말하다, 여기서는 "다루다"의 의미 / plibonigoj 개선 (안) / nia 우리의 (소유형용사, 소유격), 우리의 것 (소유대명 사) /

2) 그 대회에서 우리는 우리 일의 조직 구성에 대해, 그리고 투쟁 (보급운동)에서의 상호협력, 선전의 수단, 크고도 유익한 문학의 수립 등등에 대해 다루어야 할 겁니다. 그러나 그 어떤 수정이나 "개선"에 대해선 절대로, 절대로 말해서는 안 됩니다! 우리의 에스페란토가 그 목표를 달성하기 위해서 그리고 볼라퓌크처럼 실패하지 않기 위해서는 그것은 절대 건드려서는 안 됩니다. 이건 다른 모든 언어에서도 마찬가지입니다. 거기서는 어느 누구도 감히 그 어떤 개혁안을 내놓지 않습니다. 비록 그 언어가 에스페란토보다 훨씬 더 불완전해도 말입니다.

Nun al la demando pri Akademio. Jam tre longe mi pensas pri aranĝo de ia konstanta «Centra Komitato», kiu prezentus per si la plej altan aŭtoritaton en nia afero kaj kiu sola havus la rajton solvadi ĉiujn dubojn, kiuj aperas en nia afero. Sed tia komitato devos decidadi nur pri demandoj dubaj; fari iajn ŝanĝojn en la lingvo la komitato ne havos la rajton. Kun la aranĝo de tia Centra Komitato oni devas esti tre singarda, por ne fari ian danĝeran paŝon; tial mi nun publike ankoraŭ nenion parolas pri tio ĉi, sed mi konsiliĝados pri ĝi private kun diversaj amikoj. Kiam la plano post matura pripenso montriĝos bona, tiam mi publike proponos al la esperantistoj efektivigi tiun planon.

이제 학술원 문제에 대해서 말하겠습니다. 저는 아주 오래전 부터 에스페란토에서 가장 높은 권위를 가지고 모든 의심스러운 문제에 대해 유일하게 해결할 권한을 가진 그 어떤 상설 <중앙위원회> 같은 조직에 대해 생각해 왔습니다. 그러나 그러한 위원회는 의심스러운 문제에 대해서만 결정을 해야 합니다. 절대 에스페란토를 어떻게 수정할 권한은 없을 것입니다. 그러한 중앙위원회를 설치할 때에 그것이 잘못된 방향으로 나아가지 않도록 우리는 아주 조심해야 합니다. 그래서 저는 아직 공개적으로 이에 관해 아무 말도 하지 않고 있습니다. 그러나 여러 친구들과 함께 사적으로 그것에 관해 의논을 해보겠습니다. 심사숙고 후 계획이 잘 되었다 싶으면 그때 저는 공개적으로 에스페란티스토들에게 그 계획을 실현하도록 제안할 것입니다.

Sed ĉu Centra Komitato estos fondita aŭ ne — tiu ĉi demando tute ne devas maltrankviligi niajn amikojn. Ĉiaj paroloj pri reformoj aŭ plibonigoj tute ne devas Vin maltrankviligi, ĉar ili havas nenian celon nek estontecon. Ĉu Centra Komitato estos fondita aŭ ne — unu principo staras kaj devas stari tute forte, kaj la tuta mondo esperantista en la nuna tempo komprenas ĝin tre bone kaj certe batalos unuanime kontraŭ ĉiu ektuŝo de tiu principo; tiu ĉi principo estas: simile al ĉiu alia lingvo Esperanto devas esti rigardata kiel lingvo FORMITA kaj NETUŜEBLA.

Paroli pri iaj plibonigoj (se ili estos efektive necesaj) ni povos nur tiam, kiam nia lingvo estos jam oficiale akceptita de la tuta mondo. Ĝis tiu tempo la netuŝebleco de la lingvo estas la plej fundamenta kondiĉo por nia progresado.

> / en la nuna tempo 이 시점에, 현재 / FORMITA 만들어진, 형성된, 여기서는 "이미 다 완성된"의 의미로 쓰였음 /

그러나 중앙위원회가 설립되느냐 마느냐 하는 문제로 여러분이 걱정하실 필요는 없습니다. 개혁과 개선의 모든 말들이 여러분을 걱정스럽게 해서는 안 됩니다. 왜냐하면 그것들은 목적도 없고 미래도 없기 때문입니다. 중앙위원회가 설립되느냐 마느냐에는 한 가지 원칙이 서 있습니다. 그리고 이 원칙은 꼭 지켜져야 합니다. 전 세계 모든 에스페란티스토들이 지금 그 원칙을 아주 잘 이해하고 있으며 또 한마음 한뜻이 되어 이 원칙을 건드리는 것에 대해서는 저항할 것입니다. 그 원칙이란: 다른 모든 언어와 마찬가지로 에스페란토 역시 "이미 완성되고 건드릴 수 없는" 언어로 받아들여져야 한다는 것입니다. 그 어떤 개선안이든 (그것이 꼭 필요하다면) 우리는 에스페란토가 세상에 의해 공식적으로 인정이 되었을 때 그때에 가서 말을 할 것입니다. 그때까지는 에스페란토의 불가침성은 에스페란토의 발전을 위한 가장 기본적인 조건입니다.

Mi parolas tion ĉi ne kiel aŭtoro de la lingvo, sed kiel simpla esperantisto, kiu ne deziras, ke nia afero disfalu kiel la afero de Volapük. Kiel aŭtoro de la lingvo, mi pli ol ĉiu alia volus, ke ĝi *estu* kiel eble plej perfekta; por mi la reteniĝado de plibonigoj estas pli malfacila ol por ĉiu alia; kaj mi eĉ konfesas, ke kelkajn fojojn mi jam estis preta proponi al la esperantistoj kelkajn malgrandajn plibonigojn; sed ĝustatempe mi ekmemoradis pri la granda danĝereco de tia paŝo kaj mi forĵetadis mian intencon.

Mia opinio ne estas sekreta. Se Vi deziras, Vi povas publikigi mian leteron.

Letero al Sro Seynaeve. La Belga Sonorilo, 1904, Februaro.

> / disfalu 원망법(명령형), 여기서는 앞에 por ke가 아니고 그냥 ke가 쓰였지만 por ke와 같은 의미로 해석함 / mi pli ol ĉiu alia 다른 그 누구보다도 제 자신이 / *estu* 본래 인쇄된 원문에 는 estus로 쓰였음 / reteniĝado 뒤로 제쳐짐, 미루어짐 / ĝustatempe 바로 그때, 때맞추어, 그때마다 /

저는 이것을 에스페란토의 창안자로서가 아니라 그저 한 명의 에스페란티스토로서 말하는 것입니다. 저는 단지 에스페란토 가 볼라퓌크처럼 그렇게 실패하지 않기를 바랄 뿐입니다. 에 스페란토의 창안자로서는 그 어느 누구보다도 에스페란토가 가장 완벽해지기를 바랄 뿐입니다. 저로서는 개선안을 뒤로 미루는 것이 그 어느 누구보다도 힘든 일입니다. 저는 이미 몇 번 몇몇 조그만 개선안들을 에스페란티스토들에게 제안하 려고도 했습니다. 그러나 그때마다 저는 그것이 위험하다는 것을 깨닫고는 저의 뜻을 접었습니다.

제 의견은 비밀스러운 것이 아닙니다. 만약 그대가 원한다면 제 편지를 공개해도 좋습니다.

Cirkulera letero al ĉiuj Esperantistoj
모든 에스페란티스토들에게 보내는 회람

Varsovio, la 18-an de Januaro 1908.

En la jaro 1900, kiam la esenco de la internacilingva afero estis ankoraŭ tro malmulte konata kaj la mondo pensis, ke ekzistas diversaj lingvoj internaciaj, kiuj inter si batalas, sinjoroj Couturat kaj Leau en Parizo fondis «Delegacion», kies celo estis : peti la

Internacian Ligon de Akademioj, ke ĝi esploru, kiu el la ekzistantaj artefaritaj lingvoj taŭgas plej bone por la rolo de lingvo internacia, aŭ elekti mem komitaton, kiu esploros tiun ĉi demandon. Kvankam, de la jaro 1900 ĝis nun, la vivo jam mem solvis la diritan demandon, tamen, por plenumi sian promeson, la Delegacio, en Oktobro 1907, kunvokis komitaton, kiu devis elekti lingvon internacian.

> / la vivo jam mem solvis la diritan demandon 생명이 그 문제를 이미 해결했다, 실증적으로 증명되었다, 여기서 vivo란 에스페란토가 이제껏 사용되어 온 모든 과정을 말함 /

1900년, 그러니까 아직은 국제어의 본질이 그렇게 많이 알려지지 않았고, 또 사람들은 국제어가 이 세상에 여럿 존재하며 그들끼리 서로 경쟁하고 있다고 생각하던 때에 파리의 Couturat 씨와 Leau 씨가 <대표단>을 조직했습니다. 그 목적은: 국제학술원연맹에 요청하여 현존하는 국제어들 중 어느 것이 정말 국제어로 가장 적합한지를 조사하거나, 아니면 이 문제를 연구할 위원회를 만들어 달라고 하는 것이었습니다. 1900년부터 지금까지 이미 실증적으로 그 문제가 해결되었지만, 자신의 약속을 지키기 위해 그 대표단은 1907년 10월에 국제어를 선택할 위원회를 소집하였습니다.

Sed bedaŭrinde la komitatanoj ne ĝuste komprenis sian taskon, kaj, elektinte Esperanton, ili decidis fari en ĝi reformojn, forgesante, ke tia tasko tute ne estis kaj neniam povis esti komisiita al ili. Tiu ĉi tre bedaŭrinda decido estis kaŭzita de kelkaj tre gravaj malkompreniĝoj :

> / fari en ĝi reformojn 그것을 수정하려고 하다 / forgesante, ke ~을 망각한 채 / 그러나 아주 유감스럽게도 그 위원들은 자신

의 임무를 잘 이해하지 못했습니다. 그들은 에스페란토를 선택하고 나서는 그것을 수정하려고 결정하였습니다. 그러나 그것은 그들에게 전혀 부여되지 않은 그리고 앞으로도 결코 부여될 수 없는 그런 임무였습니다. 이 유감스러운 결정은 몇 가지 아주 중요한 오해로부터 생긴 것입니다:

1. Oni forgesis, ke la afero de lingvo internacia estas nun ankoraŭ en la stato de propagando; ke la mondo ne akceptas lingvon internacian ne pro tiuj aŭ aliaj ĝiaj detaloj, sed nur pro malkonfido al la tuta afero; ke sekve nun ĉiu vera amiko de lingvo internacia devas absolute silenti pri siaj personaj gustoj kaj gustetoj, kaj ni ĉiuj devas antaŭ ĉio labori en plej severa unueco, por ke ni akiru por nia afero la konfidon de la mondo.

/ estas nun ankoraŭ en la stato de propagando 아직은 선전의 단계에 머물러 있다 / ne pro tiuj aŭ aliaj ĝiaj detaloj 그것의 이런저런 세부사항 때문이 아니라 / personaj gustoj kaj gustetoj 개인적 취향, 생각들 / antaŭ ĉio 우선적으로, 무엇보다 먼저 / en plej severa unueco 똘똘 뭉쳐서 /

1. 우리는 국제어 문제(에스페란토)는 아직은 선전의 단계에 머물러 있다는 사실을 잊지 말아야 합니다. 그리고 세상이 에스페란토를 받아들이지 않는 것은 그것의 이런저런 세부사항 때문이 아니라, 그 전체적인 신임의 문제 때문이라는 걸 잊어서도 안 됩니다. 따라서 지금으로서는 에스페란토의 진정한 친구라면 모두 자신의 취향에 대해서는 절대 입을 다물고 무엇보다 먼저 똘똘 뭉쳐서 이 세상의 신임을 얻도록 노력해야 함을 잊어서도 안 됩니다.

Kiam nian aferon prenos en sian manon ia granda forto (ekzemple la registaroj de la ĉefaj landoj), kiu per sia potenco povos doni al ni ne senvalorajn tro memfidajn vortajn promesojn, sed plenan garantion, ke ĝi alkondukos nian aferon al la celo pli certe ol ni kaj ke ĝi ne faros facilanime iajn decidojn, antaŭ ol ili tute mature kaj perfekte estos pripensitaj kaj praktike elprovitaj kaj fiksitaj, *tiam* ni povos konfide transdoni al tiu potenca forto la sorton de nia afero; sed se privataj personoj, kiuj havas nek ian aŭtoritaton, nek ian forton, postulas, ke ni forlasu la vojon, kiun ni pacience kaj sukcese sekvis en la daŭro de multaj jaroj, kaj ni komencu plej danĝerajn rompajn eksperimentojn, ĉiuj veraj esperantistoj energie protestos.

/ *Kiam* ... , *tiam* ... 사이가 많이 떨어져 있음 / preni en sian manon 자신의 일로 여기다, 착수하다 / antaŭ ol ili 여기 ili는 decidoj를 가리킴 / praktike elprovitaj 실제적으로 검증이 된 / en la daŭro de multaj jaroj 여러 해 동안 지속적으로 /

그 어떤 커다란 힘이 (예를 들어 주요 국가 정부들) 우리의 일을 맡아 주고, 그 힘으로 우리에게 그 어떤 가치없고 허풍스러운 그런 약속이 아니라, 정말로 우리의 일을 우리보다 더 분명하게 목표를 향하여 이끌어 주고, 또 그 무엇이라도 신중하고 완벽하게 심사숙고하고 실제적으로 검증하여 확정 짓기 전까지는 절대 마음대로 가볍게 결정을 내리지 않는다고 할 때, 그때 우리는 그 힘있는 기관에 우리 일의 운명을 믿고 맡길 수 있을 겁니다. 그러나 만약 어떤 권위도 없고 힘도 없는 개인이 사적으로 나서서 우리로 하여금 그간 오랫동안 인내하며 성공적으로 이어온 그 길을 버리고 가장 위험하고도 파괴적인 실험을 시작하도록 한다면, 모든 진정한 에스페란티스토들은 가장 극렬하게 저항할 것입니다.

Nun, kiam ni estas ankoraŭ tro malfortaj, ni povas atingi nian celon nur per severa disciplino kaj per absoluta unueco; alie ni pereigos nian tutan aferon por ĉiam, por ĉiam; ĉar kiu scias, kun kia grandega malfacileco kaj per kia superhome pacienca dudekjara laborado de multaj miloj da personoj estas atingita la nuna favora rilato de la mondo al nia afero, tiu komprenas, ke se, pro interna malpaco, Esperanto nun pereus, la mondo jam neniam, neniam volos ion aŭdi pri ia nova lingvo internacia, eĉ se ĝi estus ne senviva teoria produkto de multaj reciproke malproksimaj kapoj, sed la plej genia kreitaĵo!

/ alie 그렇지 않으면 / por ĉiam 영원히, eterne / superhome 초인적으로 / la nuna favora rilato de la mondo al nia afero 현재 세상과 에스페란토와의 우호적 관계 / pro interna malpaco 내부 갈등으로 인하여 /

에스페란토가 아직은 힘이 없는 이때, 우리는 오로지 엄격한 규율과 절대적인 하나됨으로써만 우리의 목표를 달성할 수 있습니다. 그렇지 않으면 우리는 이 일을 영원히, 영원히 잃어버릴 것입니다. 왜냐하면 얼마나 큰 어려움과 또 20년간의 수천 명이나 되는 많은 사람들의 얼마나 초인적인 인내심으로 오늘 우리와 이 세상과의 이 우호적인 관계가 만들어졌는지를 아는 사람이라면, 만약 내부 갈등으로 인하여 에스페란토가 이제 사라진다면, 세상은 결코, 결코 다시는 그 어떤 새로운 국제어라도 거들떠보지 않을 것이라는 걸 잘 알 것이기 때문입니다. 아무리 그것이 그저 멀리 떨어진 여러 사람들이 이론적으로 만들어 낸 생명 없는 것이 아니라 가장 천재적인 것이라 할지라도 말입니다!

Mi ripete memorigas tion ĉi al la reformistoj, mi ripete kaj insiste petas ilin, ke ili pripensu, kion ili faras, ke ili ne ruinigu tiun grandan kaj gravan aferon, por kiu ni ĉiuj laboras kaj por kies ebla pereo la posteuloj iam severe nin juĝus.

저는 수정주의자들에게 반복해서 이 점을 상기시켜 드립니다. 그리고 그들이 과연 무엇을 하고 있는지 잘 생각해 보고, 절대 우리 모두가 열심을 다하고 있는 이 중차대한 일을 망가뜨리지 말기를 다시 한 번 간곡히 부탁 드립니다. 만약 에스페란토가 그렇게 무너지게 된다면 우리의 후배들이 우리를 엄중하게 심판할 것입니다.

2. Oni forgesis, *ke* ne sole eĉ en sia nuna formo Esperanto en la praktiko montriĝis perfekte taŭga por sia rolo kaj *ke* plibonaĵo povas fariĝi danĝera malamiko de bonaĵo, sed *ke* se eĉ efektive aperus la neceseco plibonigi Esperanton, la solan kompetentecon kaj rajton por tio ĉi havas ne flankaj personoj, sed nur la esperantistoj mem. Kaj en ĉiu momento, kiam plibonigoj montriĝos efektive necesaj kaj ĝustatempaj, la esperantistoj tre facile povas ilin efektivigi.

2. 사람들은 에스페란토가 지금의 형태로도 실제적으로 국제어로서 완벽하게 역할을 다할 수 있고, 또 개선이라는 것은 오히려 독이 될 수 있다는 사실을 잊은 것 같습니다. 그러나 혹시 에스페란토를 개선해야 할 필요성이 실제적으로 나타난다 하더라도 그 능력과 권한은 한편으로 치우친 사람들에게가 아니라 에스페란티스토들 모두에게 있다는 사실을 또한 잊은 것 같습니다. 그리고 개선책이 실제로 필요하고 또 시기적으로도 맞다면 그 어느 때에나 에스페란티스토들은 아주 쉽게

그것을 해결해 낼 수 있습니다.

Ĉar ĉiu rakontado pri ia baro, kiun kvazaŭ prezentas la Bulonja Deklaracio, aŭ pri la kvazaŭa senviveco kaj senforteco de nia Lingva Komitato, estas simpla malvero, per kiu oni penas fortimigi de ni tiujn personojn, kiuj ne konas bone la staton de la aferoj.

> / baro 장애물 / kvazaŭ prezentas 마치 표현하는 듯하다 / kvazaŭa 그럴듯한 / fortimigi de ni tiujn personojn 우리한테서 그 사람들을 떼어내 버리다 /

왜냐하면 불로뉴선언에서 표현하고 있는 듯이 오해하는 그 장애물에 대한 모든 이야기와 또 우리의 언어위원회가 죽은 듯이 보이고 무기력해 보인다는 모든 이야기는 단순한 거짓일 뿐입니다. 이것은 오로지 우리한테서 이 일의 형편을 잘 모르는 사람들을 떼어내 버리려는 거짓일 뿐입니다.

Ĉiu, kiu legis la antaŭparolon de la «Fundamento de Esperanto», scias tre bone, ke ĝi ne sole ne prezentas ian baron kontraŭ la evolucio de la lingvo, sed kontraŭe, ĝi donas al la evolucio tian grandegan liberecon, kiun neniu alia lingvo iam posedis eĉ parte. Ĝi donas la eblon, se tio estus necesa, iom post iom eĉ ŝanĝi la tutan lingvon ĝis plena nerekonebleco! La sola celo, kiun la Fundamento havas, estas nur : gardi la lingvon kontraŭ anarĥio, kontraŭ reformoj arbitraj kaj personaj, kontraŭ danĝera rompado, kontraŭ forĵetado de malnovaj formoj antaŭ ol la novaj estos sufiĉe elprovitaj kaj tute definitive kaj sendispute akceptitaj.

> / evolucio = evoluo / ĝis plena nerekonebleco 완전히 못 알아볼 정도로까지 / sendispute 반박의 여지 없이 /

<에스페란토 규범>의 서문을 읽어본 사람은 누구나 잘 알 것입니다. 그것은 절대 그 어떤 언어 발전의 장애물이 아니라 반대로 언어 발전에 아주 커다란 자유로움을 준다는 것을 말이지요. 그런 자유로움은 그 어떤 언어에도 없었습니다. 그것은 만약 필요하다면 조금씩 조금씩 에스페란토를 아예 전혀 못 알아볼 정도로까지 고칠 수 있는 가능성을 주고 있습니다! 그 규범이 추구하는 오직 하나의 목적은: 에스페란토를 무정부주의로부터, 개인적으로 함부로 변경시키는 것으로부터, 그리고 위험한 파괴로부터 지키는 것이며, 또한 어떤 새로운 형태가 나와서 그것이 아직 완전히 확정적으로 반박의 여지 없이 검증도 되기 전에 그 이전의 것을 내던져 버리는 것을 막기 위한 것입니다.

Se la esperantistoj ĝis nun tre malmulte faris uzon de tiu granda libereco, kiun la Fundamento al ili donas, ĝi ne estas kulpo de la Fundamento, sed ĝi venas de tio, ke la esperantistoj komprenas tre bone, ke lingvo, kiu devas trabati al si la vojon ne per ia potenca dekreto, sed per laborado de amasoj, povas disvolviĝi nur per tre singarda vojo de natura evolucio, sed ĝi tuj mortus, se oni volus ĝin disvolvi per kontraŭnatura kaj danĝerega vojo de revolucio.

/ venas de tio, ke ~라는 것으로부터 기인한다 / trabati al si la vojon 자신의 길을 개척해 나가다 / vojo 길, 방법 /

만약 에스페란티스토들이 그 규범이 주는 큰 자유로움을 지금까지 아주 조금만 사용했다면 그것은 그 규범 탓이 아니라 단지 에스페란티스토들이 언어라는 것이 어떠한 것인지를 잘 이해하고 있기 때문일 것입니다. 언어란 어떤 강력한 법령으로써가 아니라 대중의 협력으로써 자신의 길을 개척해 나가야만 하며, 자연적 발전의 아주 조심스러운 방법으로써만 확장되어

나갈 수 있습니다. 그리고 만약 우리가 자연스럽지 않은 어떤 위험하기 짝이 없는 혁명의 방법으로 그것을 키워나가려 한다면 그것은 곧 죽고 말 것입니다.

Cetere, se la Bulonja Deklaracio efektive prezentus ian malbonaĵon aŭ neprecizaĵon, kiu do malpermesas, ke iu proponu ĝian ŝanĝon aŭ eĉ ĝian tutan forigon? Jes, tiuj sinjoroj, kiuj sub la influo de agitantoj diras, ke la «Fundamento» prezentas «eternan baron kontraŭ la evolucio de Esperanto», parolas pri afero, kiun ili tute ne konas!

/ kiu do malpermesas, ke 누가 ~하는 것을 금지하는가? / sub la influo de ~의 영향으로 / parolas pri afero, kiun ili tute ne konas 그들이 전혀 모르는 것을 말한다, 무엇을 전혀 모르고 말한다 /

게다가 만약 불로뉴선언에 실제로 그 어떤 나쁜 것이나 불명확한 것이 있다면, 그것을 고치거나 혹은 완전히 무효로 하자고 제안하는 걸 누가 금지합니까? 그렇습니다. 선동하는 사람들의 영향을 받아 <규범>은 <에스페란토 발전에 영원한 장애물>이라고 말하는 그 사람들은 무엇을 전혀 모르고 말하고 있는 것입니다!

Ĉar la Lingva Komitato ĝis nun faris ankoraŭ neniun rompon en la lingvo, tial la reformistoj ĝin kulpigas, ke ĝi estas senviva, senforta, senaŭtoritata, sentaŭga! Sed se ĝi estas malbona, kiu do malpermesas, ke la esperantistoj mem ĝin reorganizu? Anstataŭ semi malkontentecon, malpacon kaj ribelon, ĉu ne estus pli bone, se iu el la malamikoj de la nuna Lingva Komitato prezentus projekton de reorganizo de tiu ĉi komitato? Se la projekto estos bona, ĝi ja certe estos akceptita; mi povas eĉ sciigi la malkontentulojn, ke la prezidanto de la Komitato mem preparas nun projekton de reorganizo, kiun li intencas prezenti al la plej proksima kongreso. Per vojo de paco kaj harmonio ni ĉion povas krei, per vojo de malpaco kaj ribelo ni ĉion nur detruos.

/ kiu do malpermesas, ke 누가 ~하는 것을 금지하는가? / ĉu ne estus pli bone, se ~한다면 더 좋지 않을까? /

언어위원회가 지금까지 그 어떤 것도 뜯어고치지 않았기에 수정주의자들은 그 위원회가 생명이 없고 무기력하며 권위도 없고 적당치 않다고 비난을 합니다! 그러나 만약 그 위원회가 정말 좋지 않다면, 에스페란티스토들 스스로 그것을 다시 조직하자고 제안하는 것을 누가 금지합니까? 불만과 갈등, 반란의 씨를 뿌리는 대신 지금의 위원회가 싫은 사람들 중 어느 한 사람이라도 그 위원회의 재조직안을 제출하는 것이 더 좋지 않을까요? 만약 그 제안이 좋다면 받아들여질 것입니다. 불만을 가진 분들에게 말씀드리겠습니다. 그 위원회 회장 스스로 지금 재조직안을 준비하고 있으며, 다음 대회에 그것을 제출하려고 하고 있습니다. 평화와 화해의 길로써 우리는 모든 것을 창조할 수 있으나 갈등과 반란의 길로써는 그저 모든 것을 파괴할 뿐입니다.

Por fari reformojn en Esperanto, la «Delegacia Komitato» ricevis komision nek de la esperantistoj, nek de siaj propraj delegintoj (kiuj ne sole ne donis, sed eĉ ne povis doni tian strangan komision); siajn proprajn, de neniu rajtigitajn postulojn de reformoj — kiuj apogis sin sur zorge kolektitaj voĉoj de kelka nombro da malkontentuloj, sed tute ignoris la opinion de multaj dekmiloj da personoj, kiuj estas kontraŭ ĉiuj ŝanĝoj — la Delegacia Komitato prezentis al la esperantistaro en formo tre ofenda, postulante, ke la tuta multemila kaj longe laborinta esperantistaro akceptu la decidojn, kiujn kelkaj flankaj personoj ellaboris en la daŭro de 8-10 tagoj;

/ siajn proprajn 이 목적어는 뒤에 나오는 la Delegacia Komitato prezentis에 이어짐 / de neniu rajtigitajn postulojn de reformoj 어느 누구로부터도 권한을 부여 받지 않은 (위임 받지 않은) 수정의 요구들을 / kiuj apogis sin sur (관계대명사) ~에 의지한 / ofenda 도발적인, 화를 돋우는 / multemila 수천의 /

그 <대표단 위원회>는 에스페란티스토들로부터도 그리고 자신의 파견자들로부터도 (그들은 임무를 주지도 않았고 또 그런 이상한 임무를 줄 수도 없었습니다) 에스페란토에 수정을 가하라는 임무는 받지 않았습니다. 그 누구로부터도 위임받지 않은 자신들의 수정 요구들을 — 다만 의도적으로 모은 몇몇 불만자들의 목소리(표)에 의거할 뿐, 어떠한 수정에도 반대하는 수만의 사람들의 의견은 무시하는 요구들을 — 그 대표단 위원회는 에스페란티스토들에게 아주 도발적인 형태로 제출하였습니다. 오랫동안 일해온 수천의 모든 에스페란티스토들로 하여금 몇몇 편향적인 사람들이 8-10일 동안에 만들어낸 그 결정을 받아들이라고 요구하면서 말입니다.

ili eĉ malhumile postulis, ke tiuj decidoj estu akceptataj tuj, ne atendante la esperantistan Kongreson; tial la sola respondo, kiun ni devis doni al la postulantoj, *estas* simpla kaj tuja rifuzo. Sed ĉar troviĝis personoj, kiuj per ĉiuj eblaj rimedoj komencis grandan kaj lertan agitadon inter ĉiuj esperantistoj, penante per ĉiuj fortoj ruinigi la harmonion, kiu ĝis nun regis inter ni, penante semi malpacon kaj malkontentecon kaj kredigi al ĉiu aparte, ke ĉiuj postulas reformojn, nur la ĉefoj kontraŭstaras;

/ per ĉiuj eblaj rimedoj 가능한 한 모든 수단을 동원하여 /

그들은 에스페란티스토대회를 기다리지도 않고 바로 그 결정들을 받아들이라고 불손하게까지 요구하였습니다. 그래서 우리가 그들에게 줄 수밖에 없었던 단 하나의 대답은 즉각적이고도 단호한 거절이었습니다. 그러나 모든 수단을 동원하여 에스페란티스토들 사이에 거대하고도 능란한 선동을 시작하는 사람들이 있었기에, 모든 힘을 동원하여 지금까지 우리들 사이에 있었던 화해를 깨뜨리고 또 갈등과 불만을 심으며 개개인의 사람들에게 마치 모두가 수정을 원하지만 오로지 지도자들만 반대하는 것처럼 믿게 하는 사람들이 있었기에;

kaj ĉar ni komprenis tre bone, kiel pereiga povas fariĝi por nia tuta afero ĉia publika malpaco kaj skismo, precipe se ĝi al la nenion scianta publiko estas tute malvere prezentata kiel «deziro de multaj societoj»; tial ni en la daŭro de tri monatoj faris ĉion, kion ni povis, por kvietigi la ribelantojn en ia paca maniero.

그리고 모든 공개적인 갈등과 분열이 우리의 일 전반에 얼마나 파괴적인 것이 될지 우리는 너무나도 잘 알았기 때문에 — 특히 그것이 아무것도 모르는 일반 대중에게 마치 <많은 사람들의 요구>처럼 완전히 잘못 알려진다면 말이지요 — 그래서 우리는 3개월에 걸쳐 평화로운 방법으로 그 반대자들을 무마하기 위해 우리가 할 수 있는 모든 일을 다하였습니다.

Ni multe korespondis kun ili, penante klarigi al ili, kiel danĝerega ilia agado estas por tiu afero, *kies amikoj ili sin kredas*; ni prezentis la demandon al la voĉdonado de ĉiuj membroj de la Lingva Komitato; kaj kiam la Lingva Komitato rifuzis akcepti iliajn strangajn kaj tro grandajn postulojn, ni eĉ decidis, ke ni mem en nia propra nomo prezentos al la esperantistoj iliajn plej ĉefajn postulojn, kvankam ni tute ne vidas en ili ian necesaĵon;

/ *kies amikoj ili sin kredas* 이 문장은 좀 이상하다, ili sin이 ilin으로 바뀌어야 함 / en nia propra nomo 우리 자신의 이름으로 /

우리는 그들의 행동이 이 일에 얼마나 위험한지를 설명하면서 그들과 대화를 주고받았습니다. 이 일의 친구들도 그들을 믿고 있는데 말이지요. 우리는 그 문제를 언어위원회 전체 투표에 회부하였고 위원회는 그들의 이상하고도 거창한 요구들을 거절하였습니다. 그리고 우리는 비록 그 요구들에서 그 어떤 필요성도 찾을 수 없었지만, 우리 자신의 이름으로 그들의 요구 중 가장 핵심적인 것들을 에스페란티스토들에게 알릴 것을 결정하기도 하였습니다.

sed ni nur deziris, *ke* ĉio estu farata sen rompado, per vojo laŭleĝa; *ke* ĝis la komuna akcepto la novaj formoj estu rigardataj ne kiel devigaj, sed nur kiel permesataj, kaj ili ricevu forton nur tiam, kiam la Lingva Komitato ilin aprobos kaj Kongreso esperantista donos al ili sian sankcion. Sed ĉiuj niaj penoj de pacigo nenion helpis. La postulantoj respondis, ke por ili ne estas aŭtoritata nia Lingva Komitato, nek nia Kongreso, kaj ili rezervas al si plenan liberecon de agado.

/ per vojo laŭleĝa 합법적인 절차로, 합법적인 방법으로 / nenion helpis 전혀 도움이 되지 못했다 /

그러나 우리는 단지 그 모든 일이 원만하게 합법적인 절차로 잘 처리되기를 바랐고, 또 그 제안된 새로운 형태들이 모든 사람들에 의해 받아들여지기 전까지는 강제적인 것이 아니라 그저 허용적인 것으로 간주되기를 바랐습니다. 그리고 언어위원회가 그것을 인정하고 또 에스페란티스토대회가 그것을 비준할 때에만 유효하게 하자고 했던 것입니다. 그러나 우리의 그 모든 화해의 노력은 아무 도움이 되지 못했습니다. 그 수정 요구자들은 우리의 언어위원회와 대회를 인정하지 못하며 그들에게는 마음대로 할 완전한 자유가 있다고 알려 왔습니다.

Tiam ni estis devigitaj rompi ĉiun intertraktadon kaj sciigi, ke la «Delegacia Komitato» por ni plu ne ekzistas. Laŭ la propra tute preciza programo de la «Delegacio», la Komitato ricevis de siaj delegintoj la komision nur elekti lingvon; de la momento, kiam tiu elekto estis farita, la «Delegacia Komitato» ĉesis *ekzisti* kaj restis nur kelkaj privataj personoj, kiuj — laŭ siaj propraj vortoj — fariĝis nun esperantistoj. Sed kiam tiuj kelkaj novaj esperantistoj, kiuj aliĝis al Esperanto nur antaŭ malmultaj semajnoj, ekdeziris dikti leĝojn al la tuta popolo esperantista, kiu laboras jam pli ol dudek jarojn, kaj ĉiuj niaj admonoj nenion helpis, tiam ni simple lasis ilin flanke.

/ ni estis devigitaj -i 우리는 ~하지 않을 수 없었다 / ĉesis *ekzisti* 더 이상 존재하지 않는다; 원문에는 *eksisti*로 나옴 / nur antaŭ malmultaj semajnoj 겨우 몇 주 전에 / lasis ilin flanke 그들을 제쳐두었다 /

그때 우리는 모든 소통을 끊을 수밖에 없었으며, <대표단 위원회>는 더 이상 우리에게 존재하지 않는다고 알릴 수밖에 없었습니다. <대표단>의 분명한 계획에 따르면 그 위위회는 자신을 파견한 사람들로부터 하나의 국제어를 선택할 임무를 받았을 뿐입니다. 그리고 그 선택이 끝난 순간 그 <대표단 위원회>는 더 이상 존재하지 않으며 다만 몇몇 개인이 남았을 뿐입니다. 그들 스스로의 말마따나 그들은 이제 에스페란티스토가 된 것입니다. 그러나 겨우 몇 주 전에 새 에스페란티스토가 된 그들이 벌써 20년 이상을 일해온 모든 에스페란티스토 전체를 향하여 법령을 선포하려고 했으며, 우리의 모든 권고를 받아들이지 않았기 때문에 우리는 그들을 제쳐둘 수밖에 없었습니다.

Ni estas konvinkitaj, ke tiuj kelkaj scienculoj, kiuj lasis sin entiri en reton, baldaŭ komprenos la craron, kiun ili faris; ili baldaŭ komprenos, ke nia gravega kaj malfacilega afero povas atingi sian celon nur per severa unueco; kaj pro la bono de ilia amata ideo ili baldaŭ discipline aligos siajn fortojn al tiu komuna granda armeo, kiu sen personaj ambicioj, en plena harmonio, kaj kun ĉiam kreskanta sukceso, pacience laboras jam tiom multe da tempo. Kiel ĝis nun, tiel ankaŭ plue, ni, esperantistoj, iros trankvile nian vojon.

> / lasis sin entiri en reton 스스로 올가미에 걸렸다; 여기서 lasi의 용법이 특이함 (보충 설명), entiri는 entirigi의 뜻이 됨 / aligos siajn fortojn al 자신의 힘을 ~에 보태다 / plue 계속적으로 / iros trankvile nian vojon 조용히 우리의 길을 갈 것이다, iri는 본래 지동사이니 여기서처럼 이렇게 타동사로 쓰이기도 함 /

우리는 스스로 올가미에 걸린 그 몇몇의 학자들이 곧 그들이 행한 실수를 깨달을 것이라 믿습니다. 그리고 그들은 우리의 이 중요하고도 힘든 일은 오로지 엄격한 통일성으로써만 목표를 달성할 수 있다는 것도 깨달을 것입니다. 그리고 그들이 진정으로 바라는 그 뜻은 좋은 것이기 때문에 그들은 곧 자신의 힘을 겸허히 우리의 공동의 전선에 보탤 것입니다. 우리는 벌써 오랜 시간 전혀 개인의 야망을 가지지 않고 완전한 화해 아래 그리고 항상 성공적으로 발전하는 가운데 인내심을 가지고 일하고 있습니다. 지금까지도 그랬듯이 앞으로도 계속 에스페란티스토들은 조용히 우리의 길을 갈 것입니다.

<보충 설명: Lasi>

1) 취하지 않고 남겨 두다 *li lasis sian veston ĉe mi k forkuris* [X]; *lasi infanon hejme*;

2) 붙잡지 않고 내버려 두다 *lasu min! ekkriis Marta*; *lasu min for por du monatoj* [X];

3) 건드리지 않고 내버려 두다 *lasu ŝin trankvila!* [Z]; *lasu min sola* [Z];

4) ~로 가도록 내버려 두다, ~를 ~에(로) 이끌다 *lasu lin ĉe lia tasko!*; *ŝteliston neniu lasas en sian domon* [Z];

5) 어떤 일이 발생하도록 내버려 두다 (ke와 함께 쓰여) *vi volas lasi, ke viaj talentoj en vi aerdisiĝu!* [Z];

6) (부정법과 함께 쓰여) ~하도록 내버려 두다 *lasu min dormeti* [Z]; *mi pacience lasis lin paroli* [Z];

(1) 부정법과 함께 쓰일 경우에는 "~하도록 내버려 두다"의 뜻. *lasu min dormeti* [Z]; *li min lasos libere iri* [Z];

(2) 이 경우 만약 목적어를 가진 타동사 부정법을 쓴다면, 그 부정법의 (의미상의) 주어와 lasi의 목적어가 둘 다 목적격이 되므로, 그 둘 사이에 혼동이 있을 수 있다. 그래서 그 부정법의 의미상 주어는 생략하고 속으로만 이해해야 한다. *mi*

preferus lasi derompi al mi la brakojn (나는 차라리 (누군가가) 내 팔을 부수도록 내버려 두고 싶다 = *mi preferus lasi **iun** derompi al mi la brakojn* = *mi preferus lasi, ke **iu** derompu al mi la brakojn*); *mi lasis ilin tute ĉirkaŭfermi* [Z]; (나는 (사람들이) 그들을 완전히 봉쇄하도록 내버려 두었다 = *mi lasis **onin** tute ĉirkaŭfermi ilin* = *mi lasis, ke **oni** tute ĉirkaŭfermu ilin*);

혹은 그 주어를 직접목적어가 아닌 간접적인 형태로 표현한다. *ni lasu al la amasoj taksi la aperojn laŭ ilia ekstera brilo* [Z]. (우리는 대중으로 하여금 외형적인 휘황찬란함으로 그 출현을 평가하도록 내버려 두자)

(3) 그리고 이럴 경우 자멘호프는 lasi와 그에 이어지는 부정법을 마치 하나의 합성어처럼 보았으며, 그에 따라 재귀대명사를 사용했음. 그래서 3인칭일 경우에는 lasi의 주어의 재귀대명사를 썼음. *ĉu mia alte fluganta spirito devas lasi alligi sin per ĉeno?* [Z]; (저 높이 나는 나의 영혼이 스스로를 사슬로 묶도록 허용해야 하는가?) *li ne lasis espon sin* (그는 자신을 연구하도록 그 스스로를 허용하지 않았다 = 그는 스스로를 연구하지 않았다) ; *li ne lasis sin konsoli* (그는 자신을 위로하도록 그 스스로를 내버려 두지 않았다 = 그는 스스로를 위로하지 않았다) / 즉, 각각 하나의 타동사 <lasi-alligi 묶도록 허용하다>, <lasi-espon 연구하도록 허용하다>와 같이 본다는 뜻이다. /

Reformemo kaj tuja kompreneblleco
수정과 이해의 용이성

Al via demando mi povas respondi jenon: En la unuaj jaroj de Esperanto troviĝis diversaj personoj, al kiuj tio aŭ alia en la lingvo ne plaĉis. Ĉiu el tiuj personoj postulis, ke mi nepre faru en Esperanto tiajn aŭ aliajn ŝanĝojn. Sub la konstanta bombardado de tiuj personoj mi fine cedis, kaj en la jaro 1894 mi publikigis en la tiama gazeto Esperantisto projekton de diversaj reformoj en Esperanto. (En tiu projekto mi forigis la supersignojn, la akuzativon, la deklinacion de la adjektivoj, la neromanajn vortojn, k. t. p.).

/ io plaĉi al iu 무엇이 누구에게 마음에 들다 / bombardado 폭격 / cedi (자) 항복하다, 자신을 맡기다; (타) —을 포기하다, 양보하다 /

그대의 질문에 저는 다음과 같이 답을 할 수 있습니다: 에스페란토 초기에 이런저런 것이 마음에 들지 않는 사람들이 여럿 있었습니다. 그들 모두는 제가 에스페란토에 이런저런 수정을 가하도록 요구하였습니다. 그 사람들의 계속적인 폭격 아래 저는 항복을 했고, 1894년에 당시의 잡지 <에스페란티스토>에 여러 가지 에스페란토 수정안을 발표했습니다. (그 수정안에서 저는 윗부호와 목적격어미 그리고 형용사의 어미변화를 없앴고, 비로만어적인 단어 등등을 없앴습니다.)

Sed baldaŭ montriĝis, ke tio, kio en la teorio ŝajnis bona, en la praktiko nenion taŭgis, kaj ĉiuj reformistoj kaj malkontentuloj ekkriis, ke la proponitaj reformoj nur malbonigus la lingvon (ĉar al ĉiu plaĉis nur tio, kion li proponis). Tiam mi aranĝis voĉdonadon inter ĉiuj tiamaj Esperantistoj; kaj ili decidis, ke oni faru en Esperanto neniajn reformojn. De tiu tempo ni jam ne parolas pri reformoj.

/ montriĝis, ke ~라는 것이 밝혀졌다 / nenion taŭgis 전혀 적당하지 않았다 / jam ne 더 이상 ~하지 않다 /

그러나 이론적으로는 괜찮아 보였던 것이 실제에 있어서는 전혀 적당하지 않다는 것이 밝혀졌습니다. 그리고 수정주의자들이나 불만자들 모두 그 수정안이 에스페란토를 망칠 뿐이라고 소리쳤습니다 (왜냐하면 그들 각자는 자신이 제안한 것만 마음에 들었기 때문입니다). 그때 저는 당시의 모든 에스페란티스토들에게 투표를 실시하였고, 그리고 에스페란토에 아무 수정도 가하지 말자고 결정이 났습니다. 그때 이후 우리는 더 이상 수정에 대해 말하지 않습니다.

Via granda batalado kontraŭ la diversaj projektoj de novaj lingvoj ŝajnas al mi tute superflua, ĉar laŭ mia opinio vi batalas kontraŭ fantomoj. Ili dissendas leterojn al diversaj personoj, kiuj komprenas la plej gravajn eŭropajn lingvojn kaj poste ili trumpetas al la mondo, ke tiuj personoj tuj komprenis iliajn leterojn pli ol leterojn en Esperanto.

/ ŝajnas al mi tute superflua ~이 전혀 불필요한 것 같다 / trumpetas 나팔을 분다, 과장되게 말한다, 떠들어댄다 /

새로운 언어를 만들려는 여러 계획에 맞서는 그대의 싸움은 제가 보기에는 전혀 불필요한 것 같습니다. 왜냐하면 제 의견으로는 그대는 지금 유령과 맞서 싸우고 있습니다. 그들은 유럽의 주요 언어들을 이해하는 여러 사람들에게만 편지를 보낸 후 나중에 세상을 향해 떠들기로는 그 사람들이 에스페란토로 쓰인 편지보다는 그들이 보낸 편지를 더 잘 이해한다고 하는 겁니다.

Sed tio ĉi estas ja nur trompa iluzio, kiun multaj personoj bedaŭrinde ne rimarkas, sed kiu tuj aperos, kiam oni volos lerni ilian «lingvon». Poliglotaj personoj facile komprenos ilin ankaŭ se ili skribos angle, france, aŭ latine; sed ĉu kolekto da vortoj kompreneblaj por poliglotuloj estas lingvo kaj povus servi al la tuta mondo? — Pri unu nutraĵo oni diras, ke inter siaj aliaj bonaj ecoj ĝi estas ankaŭ facile digestebla.

/ sed kiu tuj aperos 관계절, 선행사는 앞의 iluzio / servi al ~을 섬기다, ~에 도움이 되다 / nutraĵo 식품, 영양식품 /

그러나 이것은 그저 환상의 속임수일 뿐입니다. 유감스럽게도 많은 사람들이 그것을 제대로 깨닫지 못하지만, 그러나 그들이 그 <언어>를 배우려고 할 때에는 그 환상이 곧 드러날 것입니다. 비록 그들이 영어, 프랑스어 또는 라틴어로 썼다고 해도 다국어사용자들은 쉽게 그들을 이해할 것입니다. 그러나 다국어사용자들이 이해하는 몇몇 단어들의 집합이 과연 언어가 될 수 있을까요? 그리고 그것이 과연 세상에 도움이 될까요? — 어떤 영양식품에 대하여 누가 말하기를, 다른 여러 가지 좋은 특성들이 있지만 그것은 소화도 잘 된다고 말이지요.

Tiam aperis persono, kiu ekkaptis la vorton «digestebla» kaj diris : «mi tuj donos al vi nutraĵon pli bonan.» Li prenis simplan akvon, enmetis en ĝin iom da suko, donis ĝin al diversaj *sataj* personoj kaj demandis ilin : «Ĉu mia nutraĵo ne estas multe pli digestebla ol tiu?» Kaj kiam li recevis la respondon «jes», tiam li trumpetis al la mondo, ke lia nutraĵo estas la plej bona. Sed baldaŭ venis infano *malsata* kaj provis tiun nutraĵon, kaj tiam ĝi kun kolero ekkriis: «Jes, via nutraĵo estas digestebla, sed ĝi ja tute ne estas nutraĵo!» Nur tiam la homoj rimarkis, ke por ke ia miksaĵo estu nutraĵo, ne sufiĉas, ke ĝi estu nur digestebla por satuloj, — ĝi devas antaŭ ĉio esti nutra.

International Language, 1928, Aprilo.

/ ekkaptis la vorton ~라는 단어를 취했다 / suko 과일의 즙 / sataj 여기서는 영양분이 충분한 사람들을 뜻함 / ne sufiĉas, ke

그때 <소화가 잘 된다>는 말에 착안한 어떤 사람이 나타나서 말하기를: "제가 당신에게 더 좋은 영양식품을 드리겠습니다" 라고 말합니다. 그는 그저 물에다 주스를 조금 넣어 여러 배 부른(영양분이 충분한) 사람들에게 주고는 물었습니다: "제가 만든 영양식품이 그것보다 더 좋지 않나요?" 그리고 "네"라는 답을 듣고는 세상을 향해 떠벌리기를 그가 만든 영양식품이 가장 좋다고 말하는 것입니다. 그러나 한 배고픈(영양분이 필요한) 아이가 나타나서 그 식품을 먹어보고는 화를 내며 말합니다: "그래요, 당신의 영양식품은 소화는 잘 됩니다. 그러나 영양식품은 전혀 이니에요!" 그때에야 사람들은 깨닫습니다. 그 어떤 혼합물이 영양식품이 되기 위해서는 그것이 그저 영양분이 충분한 사람들에게 소화가 잘 된다는 것만으로는 충분하지 않다는 것을 말이지요. — 그것은 무엇보다 우선적으로 영양분이 있어야만 합니다.

[Stilo]
[문체]

Pri idiotismoj en Esperanto
에스페란토의 관용적 표현에 대하여

Mi esperas, ke iom post iom ĉiuj idiotismoj malaperos kaj *cedos sian lokon al* esprimoj tute logikaj kaj internaciaj. Tamen laŭ mia opinio ni devas fari tian anstataŭigadon nur en tia okazo, se ni povas tion ĉi fari tute oportune; *sed en okazo*, se ni por ia idiotismo ne trovos pli bonan esprimon pure logikan, *tio ĉi ne devas nin ĉagreni*; kaj la idiotismo povas tute oportune resti kiel «esperantismo», se ĝi nur estos komune akceptata.

Lingvo Internacia, 1905, p. 545

/ idiotismo 말이 안 되는 것 같지만 그래도 필요해서 쓰는 말이나 말투들 / *cedos sian lokon al* ~에게 자리를 내놓을 것이다 / *tio ĉi ne devas nin ĉagreni* 이건 신경쓸 필요 없다 / esperantismo 에스페란토의 고유한, 특색의 말, 표현 들, 관용적 표현 /

모든 (비정상적인) 관용적 표현들이 차츰차츰 아주 논리적이고 국제적인 표현들로 바뀌어 나가길 바랍니다. 그러나 우리가 이것을 아무 불편 없이 잘 처리할 수 있을 때에만 그렇게 대체해야 한다고 저는 생각합니다. 그러나 만약 그 관용적 표현 대신에 아주 논리적이면서도 더 나은 표현을 우리가 찾지 못한다면 우린 그것을 너무 신경쓸 필요가 없습니다. 그리고 우리 모두가 그것을 받아들인다면 그 관용적 표현들은 "에스페란토 관용구"로 불편 없이 그대로 남을 수 있을 것입니다.

Pri la Esperanta stilo

에스페란토 문체에 대하여

En mia traduko de «*La Revizoro*» troviĝas iafoje frazoj ne tuj kompreneblaj; precipe ofte vi trovos tiajn frazojn en la paroloj de Osip. Tamen ne ĝusta estas via supozo, ke tiuj frazoj estas laŭvorta traduko de la rusa stilo. Osip parolas ne per stilo tute logika kaj literatura, sed per stilo de malklera rusa servisto, kaj mi devis almenaŭ iom konservi tiun stilon, por ne forpreni de liaj paroloj ilian *tutan karakterecon*. Li ofte simple *kripligas* la vortojn.

/ ne ĝusta estas via supozo, ke ~라는 그대의 추측은 옳지 않습니다 / malklera 불분명한, 교육을 제대로 받지 못한 / ilian *tutan karaterecon* 그것들의 전체적인 특성을 / *kripligas* 불구로 만들다, 틀리게 만들다, 짧게 하다, 빼먹다 /

저의 번역 <감찰관>에 바로 이해하기 어려운 문장이 몇몇 발견됩니다. 특히 Osip의 말에서 그대는 그런 문장들을 종종 발견할 것입니다. 그러나 그것이 러시아어 문체로부터 직역을 해서 그럴 것이라는 그대의 추측은 옳지 않습니다. Osip은 아주 논리적이고 문학적인 (문법적인) 문체로 말을 하지 않고 교육을 제대로 받지 못한 러시아 하인의 문체로 말을 합니다. 그리고 저는 그의 말투에서 그 전체적인 특성을 살리기 위해 그 문체를 어느 정도 유지하여야만 했습니다. 그는 종종 단어들을 비틀어 놓습니다.

Mi penis tion ĉi eviti, ĉar, *se* por la leganto oni povus doni klarigojn en la malsupro de la paĝo, al la aŭdanto en la teatro oni tion ĉi ne povas fari. Nur en unu loko mi devis uzi «registreto» anstataŭ «kolegia registratoro» (malalta ofica rango en Rusujo), kaj, anstataŭ doni enuigajn klarigojn, mi simple donis al la vorto signetojn de citado, por montri, ke la vorto estas ne normala. En aliaj lokoj mi uzis esprimojn ne ĝustajn, tamen ne kripligitajn (ekzemple mi intence uzis «kartetoj» anstataŭ «kartoj» (ludaj), «publikaĵo» anstataŭ «publikeco» k.t.p.) Mi esperas, ke la leganto aŭ aŭdanto facile komprenos, ke tio ĉi estas ne stilo de bona Esperanto, sed stilo de malklera homo, aŭ speciala stilo de tiu aŭ alia *prezentata persono*.

/ *se* 여기서는 eĉ se의 뜻 / en la malsupro de la paĝo 페이지 아랫부분에서, 즉, 각주로 처리하여 / registratoro (사어) 기록 관, 서기 / signetoj de citado 따옴표, 인용부호 / ne ĝustajn, tamen ne kripligitajn 정확하지는 않지만 틀리지는 않은 것들을 / *prezentata persono* 극중 인물, 캐릭터 /

저는 이것을 피하려고 노력을 하였습니다. 왜냐하면 책을 읽는 독자들을 위해서는 페이지 아랫부분에 설명을 해 놓을 수 있겠지만, 연극을 보는 관객에게는 이렇게 할 수는 없기 때문이지요. 오직 한 군데에서 저는 <kolegia registratoro> (러시아의 하급 공무원) 대신 <registreto>라고 써야만 했습니다. 그리고 지루한 설명을 덧붙이는 대신 저는 그 단어가 정상적인 것이 아니라는 걸 알리기 위해 그저 따옴표를 사용했습니다. 다른 경우에는 정확하지는 않지만 틀리지는 않은 그런 표현들을 사용했습니다. (보기를 들면, 저는 의도적으로 <kartoj> (게임용 카드)나 <publikeco> 대신 <kartetoj>나 <publikaĵo>를 사용했습니다.) 바라건대 독자들이나 관객들이 이것이 에스페란토의 좋은 문체가 아니라 교육을 제대로 받지 못한 사람의 문체 또는 이런저런 극중 인물의 문체라는 걸 쉽게 이해해 주었으면 합니다.

Kelkaj esperantistoj pensas, ke mi uzas en miaj verkoj stilon slavan. Tia opinio estas tute erara. Estas vero, ke slavoj ofte posedas en Esperanto pli bonan stilon, ol germanoj aŭ romanoj; sed tio ĉi venas ne de tio, ke la stilo en Esperanto estas slava, sed nur de tio, ke la slavaj lingvoj havas vortordon pli simplan kaj sekve ankaŭ pli proksiman al la vortordo en Esperanto. La vera stilo Esperanta estas nek slava, nek germana, nek romana, ĝi estas — aŭ almenaŭ devas esti — *nur stilo simpla kaj logika.*

/ slavoj ofte posedas en Esperanto pli bonan stilon 슬라브인들이 종종 에스페란토에서 더 나은 문체를 사용합니다; posedi 언어를 장악하다, 잘 사용하다 등의 뜻 / germanoj 독일인들, 게르만인들, 게르만어 계통의 말을 사용하는 사람들 (ĝermanoj), 유럽 동북부 사람들 / romanoj 로마인들, 로만어(라틴어) 계통의 말을 사용하는 사람들, 주로 유럽 남서부 지역 사람들 /

몇몇 에스페란티스토들은 제가 작품에서 슬라브어적인 문체를 사용한다고 생각합니다만, 그것은 전혀 그렇지 않습니다. 슬라브인들이 종종 게르만어 계통이나 로만어 계통의 말을 하는 사람들보다 에스페란토에서 더 좋은 문체를 사용하는 것은 사실입니다. 그러나 이것은 에스페란토의 문체가 슬라브어적이라서가 아니라, 단지 여러 슬라브어들이 더 간단한 어순, 즉, 에스페란토의 어순과 더 가까운 어순을 가지고 있기 때문입니다. 에스페란토의 진정한 문체란 슬라브어적이지도 게르만어적이지도 로만어적이지도 않으며, 단지 간단하고 논리적인 문체입니다. 적어도 그렇게 되어야만 합니다.

Tamen ĉio devas esti *en ĝusta mezuro.* Ankaŭ en Esperanto troviĝas diversaj (ne multaj) idiotismoj, kaj tute malprave kelkaj esperantistoj ilin kontraŭbatalas, ĉar lingvo absolute logika kaj tute sen idiotismoj estus lingvo senviva kaj tro peza; sed kvankam kelkaj el la Esperantaj idiotismoj estas prenitaj ankaŭ el la lingvoj slavaj (dum aliaj estas prenitaj el aliaj lingvoj), ili tamen estas ne slavismoj, sed esperantismoj, ĉar ili fariĝis parto de la lingvo.

/ devas esti *en ĝusta mezuro* 적당해야 한다 / ilin kontraŭbatalas 그것들에 대항해 싸운다 / peza 무거운, 여기서는 "융통성이 없는, 불편한" 정도 / slavismo 슬라브어 특색의 표현들 /

그러나 모든 것은 적당히 해야 합니다. 에스페란토에도 여러 가지 (많지는 않지만) 관용적 표현들이 있습니다. 몇몇 에스페란티스토들은 이것에 대항하여 싸우고 있는데, 그건 옳지 않습니다. 왜냐하면 절대적으로 논리적이고 관용적 표현이 전혀 없는 언어는 죽은 것이며 너무 불편하기 때문입니다. 비록 에스페란토의 몇몇 관용적 표현이 슬라브어에서 나왔다 해도 (다른 것들은 또 여러 다른 언어에서 나왔습니다) 그것이 곧 슬라브어적 표현은 아닙니다. 에스페란토의 관용적 표현입니다. 왜냐하면 그것은 이미 에스페란토의 한 부분이 되었기 때문이지요.

La stilo Esperanta ne imitas blinde la stilojn de aliaj lingvoj, sed havas sian karakteron tute specialan kaj memstaran, kiu ellaboriĝis en la daŭro de longa praktika uzado de la lingvo kaj pensado en tiu ĉi lingvo antaŭ ol la lingvo estis publikigita.

/ blinde 눈멀게, 맹목적으로 / ellaboriĝis 만들어졌다, 생겨났다, 도출되었다 / antaŭ ol ~하기 전에, 이 종속절은 앞의 "longa praktika uzado de la lingvo"와 "pensado en tiu ĉi lingvo" 둘 다에 걸림 /

에스페란토 문체란 그저 맹목적으로 다른 언어의 문체를 모방하는 것이 아닙니다. 그것은 자신만의 독특한 그리고 독자적인 성격을 가지고 있습니다. 그것은 그 언어가 발표되기 이전부터 있었던 오랜 시간의 실제적인 사용 경험과 또한 그 언어

로 직접 생각해 보는 가운데에서 생겨난 것입니다.

Se iu slavo ne havas ankoraŭ sufiĉe da sperto en la lingvo kaj volos traduki en Esperanton laŭvorte el sia nacia lingvo, lia stilo estos *tiel* same malbona kaj sensenca, *kiel* la Esperanta stilo de nesperta romano aŭ germano. Por ekzemplo mi citos al vi pecon de unu el tiuj leteroj, kiujn mi ofte ricevas de rusoj, kiam ili ellernis la gramatikon kaj vortojn de Esperanto, sed ne konas ankoraŭ ĝian stilon kaj tradukas laŭvorte el sia nacia lingvo.

> / laŭvorte 직역으로 / *tiel* … , *kiel* ~처럼 그렇게 / ellernis 다 배웠다 /

만약 어느 슬라브인이 에스페란토의 경험이 충분하지 못하면서 자신의 언어에서 에스페란토로 직역을 해보려고 한다면, 그의 문체는 경험이 부족한 로만어 사용자나 게르만어 사용자들의 문체와 마찬가지로 그렇게 좋지 않으며 엉망일 것입니다. 보기로서 제가 종종 받는 러시아인들의 편지 가운데 한 부분을 소개하겠습니다. 그들은 에스페란토의 문법과 단어들을 다 배우긴 했어도 그 문체는 아직 모르고 그저 자신의 모국어에서 직역을 할 뿐입니다.

Komparu la stilon de tiu ĉi peco (gramatike kaj vortare senerara!) kun la stilo Esperanta, kaj tiam vi tuj vidos, kiel erara estas la opinio de kelkaj personoj pri la «slaveco» de la Esperanta stilo: «Favora Regnestro! Honoro havas alkuŝigi, kio laŭ kaŭzo de antaŭskribita al mi kun kuracisto kuraco mi en efektiva tempo ne en stato elpleni de donita kun mi al vi promeso; apud kio postaperigas, ke mi turnos sin al domo tra du monatoj, ne pli frue de fino de Aŭgusto».

> / gramatike kaj vortare senerara 문법과 단어는 틀리지 않았다 /

이 부분의 문체를 (문법과 단어는 틀리지 않았습니다) 에스페
란토 문체와 비교해 보시기 바랍니다. 그러면 그대는 곧바로
에스페란토 문체의 슬라브어적 경향에 대한 몇몇 사람들의 의
견이 얼마나 잘못되었는지를 알게 될 것입니다: <...........>.

Tiu ĉi sama peco en stilo Esperanta sonus tiamaniere: «Estimata
sinjoro! Mi havas la honoron raporti al vi, ke kaŭze de kuracado,
rekomendita al mi de la kuracisto, mi en la nuna tempo ne
povas plenumi la promeson, kiun mi donis al vi; mi ankaŭ
sciigas vin, ke mi revenos hejmen post du monatoj, ne pli frue
ol en la fino de Aŭgusto.»

Respondo 1, La Revuo, 1906, Decembro

이 부분은 에스페란토 문체로 하면 이렇습니다: <존경하는 선
생님! 선생님께 알려 드립니다. 저는 의사의 권유에 따른 치
료 때문에 지금은 제가 드린 그 약속을 지킬 수가 없습니다.
그리고 또한 알려 드리는데, 저는 2개월 후, 8월 말쯤에야 겨
우 집으로 돌아오게 될 것 같습니다.>

Pri la stilo en miaj lastaj verkoj
저의 최근의 작품 문체에 대하여

Vi skribas, ke en miaj lastaj tradukitaj verkoj iufoje troviĝas
frazoj malfacile kompreneblaj. Vi volis konvinki iun

ne-esperantiston pri la bonega komprenebleco de Esperanto, vi komencis traduki antaŭ li unu lokon el «La Rabistoj» kaj kun granda ĉagreno vi trovis frazon, kiun vi mem ne bone komprenis, kaj kiun kelkaj invititaj de vi esperantistoj *aŭ* ankaŭ ne bone komprenis, *aŭ* tradukis malsame!

> / iufoje 어느 때에는, 가끔 / kelkaj invititaj de vi esperantistoj = kelkaj esperantistoj invititaj de vi 그대가 초대한 몇몇 에스페란티스토들 /

그대는 저의 최근의 번역작품에서 가끔 쉽게 이해할 수 없는 문장들이 있다고 말합니다. 그대는 어느 비에스페란티스토에게 에스페란토의 놀라운 독해성을 알려주려고 <강도들>의 한 부분을 그 사람 앞에서 번역을 시작했지만 잘 이해할 수 없는 문장을 발견하고는 굉장히 곤란했지요. 그리고 그대가 불러온 몇몇 에스페란티스토들도 그걸 잘 이해하지 못하거나 또는 다르게 번역을 했지요!

Mi komprenas vian ĉagrenon, kaj, se ĝi estis kaŭzita de mia malbona traduko, mi petas vian pardonon; sed … *permesu al mi diri, ke* parte vi ankaŭ mem estis kulpa. Por fari nepreparite eksperimenton antaŭ ne-esperantisto, vi devis elekti ne verkon klasikan kaj seriozan, sed ian verkon pli simplan. Se tiu aŭ alia frazo en verko de antaŭ longe mortinta klasikulo estas ne klare komprenebla, ĝi estas plej ofte *ne la kulpo de* la traduka lingvo, *sed la kulpo de* la aŭtoro mem.

> / *permesu al mi diri, ke* ~을 말하는 것을 허락해 주세요, 감히 ~라고 말씀드리고 싶군요 / parte 부분적으로는 / nepreparite 준비 없이 / verko de antaŭ longe mortinta klasikulo 오래전에 죽은 고전 작가의 작품 / *la kulpo de* ~의 잘못 /

그대가 곤란했음을 이해합니다. 그리고 그것이 만약 저의 좋지 않은 번역 때문이었다면 그대의 용서를 바랍니다. 그러나 감히 말씀드리건대, 부분적으로는 그대에게도 좀 잘못이 있었습니다. 비에스페란티스토 앞에서 준비되지 않은 실험을 하려고 했다면 그대는 어려운 고전작품보다는 좀 더 쉬운 작품을 선택했어야만 했습니다. 오래전에 죽은 고전 작가의 작품에 들어 있는 이런저런 문장들이 잘 이해되지 않는다면, 그것은 주로 번역어의 잘못이라기보다는 그 작가 자체의 잘못일 경우가 많습니다.

Vi ja scias, ke la grandaj verkistoj, kiuj pli zorgas pri la enhavo de siaj verkoj, ol pri plena populareco de ilia formo, ofte bezonas komentariojn, ĉar eĉ membroj de ilia propra nacio ne ĉiam tute bone komprenas tiun aŭ alian frazon el iliaj verkoj. Tial ne miru, ke en miaj tradukoj de la klasikaj verkoj vi trovos iufoje lokon, kiu en la unua momento ŝajnos al vi ne tute klara.

/ komentario 주석, 각주(piednoto) / ne miru, ke ~인 것을 놀라지 말라, ~인 것은 놀라운 일이 아니다, ~일 수도 있다 / en la unua momento 처음에는, 언뜻 보아서는 /

작품의 형식적 보편성보다는 작품의 내용에 대해 더 많은 신경을 쓰는 위대한 작가들은 종종 주석을 달기도 한다는 것을 그대는 알 것입니다. 왜냐하면 그 자신과 같은 민족의 사람들조차 그들의 작품 가운데 있는 이런저런 문장들을 항상 완전히 잘 이해하지는 못하기 때문이지요. 그래서 고전작품을 번역한 제 번역작품들 안에서 때때로 언뜻 보아서는 잘 이해가 되지 않는 곳이 있다 해도 그리 놀라운 일은 아닙니다.

Se mi volus doni nur tradukojn kun tute populara stilo, tiam mi devus: a) elekti por traduko nur verkojn popularajn; b) ĉiujn ne perfekte kompreneblajn aŭ ne facile tradukeblajn frazojn tute elĵeti, aŭ traduki ilin libere laŭ mia plaĉo. Tia maniero de agado estus por mi tre oportuna kaj *postulus de mi multe malpli da tempo*, ol mia nuna maniero de tradukado, kiu ofte devigas min longe mediti pri tiu aŭ alia esprimo aŭ frazo.

/ populara stilo 평범한 문체, 일반적인 문체 / Tia maniero de agado 그러한 행동 방식 / *postulus de mi multe malpli da tempo* 나의 시간을 훨씬 더 적게 뺏을 것이다 / mediti 명상하다, 심사숙고하다 /

만약 제가 오로지 평범한 문체로만 번역하려고 한다면 그때에는 저는 이렇게 해야 할 것입니다: a) 오로지 평범한 작품만을 번역한다. b) 잘 이해할 수 없고 번역이 쉽지 않은 문장들은 빼버리거나 아니면 그것들을 내 식으로 자유롭게 번역한다. 그러한 행동 방식은 지금의 번역 방식보다는 저로서는 아주 쉽고 또 제 시간도 많이 뺏지 않을 것입니다. 지금의 이런 번역 방식은 종종 저로 하여금 이런저런 표현이나 문장에 대해 아주 오래 심사숙고하게 만듭니다.

Sed kvankam la ŝajna valoro de miaj tradukoj tiam multe pligrandiĝus, ilia efektiva valoro multe malgrandiĝus, ĉar: 1) nia literaturo *konsistus* tiam nur *el* verkoj malgravaj; 2) la tradukoj estus ne fidindaj kaj donus malĝustan kopion de la tradukita verko; 3) nia lingvo ne riĉiĝus kaj ne disvolviĝus. Precipe pri tiu ĉi tria punkto mi volus atentigi niajn verkistojn: estas tre dezirinde, ke ni ne evitu malfacilajn tradukojn, sed kontraŭe, ke ni ilin serĉu kaj venku, ĉar nur tiamaniere nia lingvo *plene ellaboriĝos*.

/ ŝajna valoro 외형적인 표면적인 가치 / efektiva valoro 실제적

인 가치 / *konsisti el* ~로써 구성되다 / *malĝustan kopion de la tradukita verko* 잘못된 번역본을, kopio가 ekzemplero의 뜻으로 쓰이기도 함 / *estas tre dezirinde, ke* ~하는 것이 바람직합니다, ke가 두 번 나옴 / *plene ellaboriĝos* 완전하게 만들어질 (될) 것이다 /

그러나 그때 제 번역의 외형적 가치는 훨씬 더 커지겠지만 그 실제적 가치는 훨씬 더 작아질 것입니다. 왜냐하면: 1) 우리의 문학은 그저 별 볼일 없는 작품들로만 채워질 것이고, 2) 번역은 믿을만하지 못하고 잘못된 번역작품만 내놓을 것이며, 3) 우리의 언어는 더 풍부해지지도 못하고 발전하지도 못할 것이기 때문입니다. 특히 그 셋째 이유에 대해 저는 에스페란토 작가 여러분에게 주의를 당부 드립니다. 우리가 어려운 번역을 피하지 말고 오히려 더 찾아 그것을 이겨내기를 부탁 드립니다. 왜냐하면 그렇게 해야만 에스페란토가 완전해질 것이니까요.

Naciajn idiotismojn, kiuj ne prezentas necesaĵon, ni devas komprenEble eviti kaj ni devas peni traduki ilian sencon en maniero plej logika kaj internacia; sed tiajn esprimojn, kiujn ĉiu lingvo nepre devas posedi, ni devas peni en tiu aŭ alia maniero nepre traduki, sed ne simple eviti ilin, *pro timo, ke* nia esprimo eble ne plaĉos al la legantoj aŭ ne ĉiuj ĝin tuj bone komprenos.

/ Naciaj idiotismoj 민족어에 있는 관용적 표현들 / en maniero plej logika kaj internacia 가장 논리적이고 국제적인(에스페란토적인?) 방법으로 / en tiu aŭ alia maniero 이런저런 방식으로 / *pro timo, ke* ~하는 것이 두려워서 / plaĉi al ~의 마음에 들다, 주어는 마음에 드는 대상, *Ĝi plaĉas al mi* 그게 내 마음에 든다 /

꼭 필요하지 않은 각 민족어의 관용적 표현은 물론 피하고, 그것들을 가장 논리적이고 국제적인 (에스페란토적인) 방식으로 번역하려고 노력해야 하겠지요. 그러나 모든 언어에 꼭 있어야 할 그런 표현들은 어떻게든 반드시 번역을 해내어야지, 행여 우리의 표현이 독자들의 마음에 들지 않을까 봐 또는 사람들이 그걸 금방 이해하지 못할까 봐 두려워서 그걸 회피해서는 안 됩니다.

Unu el la plej ĉefaj taskoj de niaj verkistoj devas esti la *ellaborado de la lingvo*; tial, se ia esprimo, kiun ne ĉiuj tuj komprenas (ekzemple «elrigardi», «subaĉeti» k.t.p.), ŝajnas al ili nebona, ili devas peni anstataŭigi ĝin per esprimo pli bona: sed se ili, por ne malbeligi sian stilon, simple evitos tiajn frazojn, ili faros al nia lingvo tre malbonan servon.

> / *ellaborado de la lingvo* 언어의 완성 / «elrigardi» 밖으로 내다보다, «subaĉeti» (뇌물로) 매수하다 / ili faros al nia lingvo tre malbonan servon 그들은 에스페란토에 아주 나쁜 일을 하는 겁니다 /

우리 에스페란토 작가들의 주요 임무 중 하나는 언어를 완성시켜 나가는 일입니다. 그래서 만약 모든 사람들이 금방 이해하지 못하는 어떤 표현이 (예를 들어 «elrigardi», «subaĉeti» 등) 좋지 않다고 생각이 든다면, 그들은 그것을 대체할 만한 더 좋은 표현을 찾아내야만 합니다. 그러나 만약 그들이 자신의 문체를 망가뜨리지 않기 위하여 그런 문장들을 그저 회피만 한다면, 그들은 우리 에스페란토에 아주 나쁜 일을 하고 있는 것입니다.

Kompreneble, *en ĉi tio, kiel en ĉio alia*, devas esti observata la *deca mezuro*. Ne tro krude, ne tro multe per unu fojo! Novaj esprimoj devas esti enkondukataj nur iom post iom, nerimarkeble. Krom tio ni devas memori, ke nia lingvo devas servi *ne sole* por dokumentoj kaj kontraktoj, *sed ankaŭ* por la vivo; tial ofte (precipe en vivaj dramaj dialogoj) pli bona estas frazo ne tute logika kaj ne perfekte preciza, *sed mallonga kaj viva*, ol frazo perfekte preciza, sed enuige peza kaj tro *kabineta*.

Respondo 25, La Revuo, 1907, Oktobro

/ *en ĉi tio, kiel en ĉio alia* 다른 모든 것에서와 같이 여기서도 / *deca mezuro* 적당함의 원칙 / nerimarkeble 눈에 띄지 않게 / en vivaj dramaj dialogoj 생동감 넘치는 연극 대사에서 / *mallonga kaj viva* 짧고 생동감 있는 / enuige 지겹게 = tede / *kabineta* 탁상공론적인 /

물론 다른 모든 것에서와 마찬가지로 여기서도 적당함의 원칙이 지켜져야 합니다. 너무 거칠게 해서도 안 되고, 또 한 번에 너무 많이 해서도 안 됩니다! 새로운 표현들은 조금씩 조금씩 눈에 띄지 않게 도입이 되어야 합니다. 그 외에도 우리는 에스페란토가 단순히 서류나 조약을 위해서만 쓰이는 게 아니라 인간의 삶 자체를 위해서 쓰여야 한다는 걸 잊어서는 안 됩니다. 그래서 종종 (특히 생동감 넘치는 연극 대사에서) 아주 완벽하게 정확하긴 하지만 지루하게 무겁고 탁상공론적인 문장보다는 좀 덜 논리적이고 덜 완벽하더라도 짧고 생동감 있는 문장이 더 좋은 것입니다.

[Pri diversaj demandoj]
[여러 질문에 대하여]

Artikoloj en la <Fundamenta Krestomatio> verkitaj de D^{ro} Zamenhof mem

<규범 문선>에 나오는 자멘호프 박사의 글들

Ekzercoj. — La novaj vestoj de la reĝo. — La virineto de maro. — Anekdotoj (*pliparte de mi*). — La hejmo de la metiisto. — La karaj braceletoj. — Bagateloj (*pliparte de mi*). — Fingra kalendaro. — El la poŝto. — La loĝejoj de la termitoj. — Kronika katara konjunktivito. — El la unua libro de la lingvo Esperanto. — Plena gramatiko de Esperanto. — Al la historio de la provoj de lingvoj tutmondaj de Leibnitz ĝis la nuna tempo. — Esenco kaj estonteco de la ideo de lingvo internacia.

Letero al D^{ro} Corret, Decembro 1906.

> / *pliparte* 대부분, plejparte라고 해도 될 듯 / termitoj 흰개미 / Kronika katara konjunktivito 만성 카타르성 결막염; katara 점액이 분비되는 /

연습문 모음 — 임금님의 새 옷 — 인어공주 — 일화들 (대부분 제가 쓴 것) — 수공업자의 집 — 비싼 팔찌 — 잡다한 이야기들 (대부분 제가 쓴 것) — 손가락 달력 — 우편 제도 — 흰개미의 집 — 만성 카타르성 결막염 — 에스페란토 제1서에서 — 에스페란토 완전 문법 — 라이프니츠에서 오늘에 이르기까지 국제어의 역사 — 국제어 사상의 본질과 미래.

Pri propaganda artikolo
홍보 기사에 대하여

La zorge ellaborita granda artikolo «Esenco kaj estonteco de la ideo de lingvo internacia» (presita en la «Fundamenta Krestomatio» paĝo 268) estas verkita ne de S-ro L. de Beaufront, sed de alia persono, kiu deziras *resti anonima*. S-ro de Beaufront nur legis *eltiron* el tiu ĉi artikolo, (tradukitan de li en lingvon francan) en la kongreso de l' «Association Française pour l'Avancement des Sciences» en 1900.

/ deziras *resti anonima* 익명으로 남고 싶어한다 / *eltiron* el tiu ĉi artikolo 이 글(논문)에서 인용한 한 부분을 /

아주 조심스럽게 만들어진 큰 논문 <국제어 사상의 본질과 미래> ("규범 문선" 268쪽에 인쇄되어 있음)는 L. de Beaufront 씨가 쓴 게 아니라, 익명으로 남고 싶어 하는 어느 다른 사람에 의해 쓰인 것입니다. L. de Beaufront 씨는 단지 이 글에서 인용한 한 부분 (그 자신이 프랑스어로 번역한 것)을 1900년에 <프랑스과학진보협회>에서 읽었습니다.

Li diris tion ĉi ankaŭ siatempe en la gazeto «L'Espérantiste», kiam li represis tie diversajn partojn de tiu artikolo. Sekve se vi diras, ke al la esperantismo konvertis vin nur tiu artikolo, dum ĉiuj aliaj ĝistiamaj propagandaj artikoloj vin ne povis konvinki, vi ŝuldas vian *konverton* al la dirita persono anonima. Atentan legadon de tiu artikolo ni varmege rekomendas al ĉiu esperantisto, kiu havas iajn dubojn pri la certa estonteco de nia afero aŭ kiu timas iajn venontajn konkurantojn de Esperanto.

Respondo 5, *La Revuo*, 1906, Decembro

/ siatempe 당시, 그 당시 / konverti 회개시키다, 개종시키다, 개심시키다, 전환하다 ŝuldi ion al io/iu 무엇/누구에게 무엇을 빚지다, 무엇은 무엇/누구의 덕분이다 / *konverton* 여기선 konvertiĝon이 옳다 /

그는 당시에 그 논문의 여러 부분을 <L'Espérantiste>지에 재인쇄 할 때에도 이것을 말했습니다. 따라서 만약 누군가가 그동안 다른 어느 홍보 기사도 당신의 마음을 바꾸어 놓지 못했는데, 오직 그 논문만이 당신의 마음을 에스페란토주의로 바꾸어 놓았다면 그건 오로지 그 익명의 사람 덕분입니다. 에스페란토의 확실한 미래에 대해 어떤 의심이 가거나 또는 에스페란토의 경쟁자가 미래에 나타날 것을 두려워하는 모든 에스페란티스토들에게 우리는 그 논문을 자세히 읽어 보시길 강력히 추천하는 바입니다.

Pri la lingvaj demandoj en «La Revuo»
<La Revuo>에 실린 언어문제에 대한 질문들에 대하여

La anonco de «La Revuo», ke «D-ro L. L. Zamenhof sola povas verki artikolojn pri la lingvo», tute malĝuste naskis ĉe kelkaj legantoj la opinion, ke mi aŭ la redakcio de «La Revuo» volas malpermesi al iu la paroladon pri diversaj demandoj tuŝantaj la lingvon! *Nek mi, nek* «La Revuo» havis iam tian intencon. Se la redakcio decidis akcepti lingvajn artikolojn, venantajn nur de mi, tio ĉi estas privata afero de la redakcio, kaj ĝi faris tiun ĉi decidon ne laŭ interkonsento kun mi, sed simple laŭ sia propra deziro (kredeble por eviti polemikon kaj disputojn, aŭ eble por eviti konfuzon kaj malĝustajn lingvajn regulojn, kiujn ofte alportas artikoloj, verkitaj de ne sufiĉe spertaj aŭtoroj).

Respondo 9, *La Revuo*, 1907, Februaro

/ malĝuste naskis ĉe kelkaj legantoj la opinion, ke 몇몇 독자들에게 ~라는 잘못된 생각을 가지게 했다 / lingvajn artikolojn, venantajn nur de mi 내가 보낸 언어문제에 대한 기사들만을 /

polemikon kaj disputojn 필전과 논쟁들을; 초창기에는 disputo가 diskuto(논의)의 뜻으로도 쓰였음 /

언어문제에 대한 기사는 자멘호프 박사만이 쓸 수 있다는 <La Revuo>의 알림은 몇몇 독자들로 하여금 마치 그 편집부가 다른 사람에게는 언어문제에 대해 말도 못하게 하려고 한다는 잘못된 생각을 가지게 하였습니다! 저도 그렇고 <La Revuo>도 그렇고 절대 그런 의도는 없었습니다. 만약 편집부가 언어문제에 대해서는 제가 쓴 기사만을 받기로 했다면, 그것은 그 편집부의 사적인 문제입니다. 그리고 그 편집부는 단순히 자신들만의 의지로 저와의 동의 없이 그렇게 결정을 한 것입니다. (분명히 필전이나 논쟁을 피하기 위해, 또는 가끔 초보자들이 보내는 기사에 들어 있는 잘못된 언어적 규칙과 혼란을 피하기 위해서일 것입니다.)

Pri miaj respondoj
저의 답변들에 대하여

Multaj personoj *turnas sin al mi* kun diversaj demandoj. Respondi al ĉiu aparte estas por mi fizike ne eble. Tial mi petas, ke ĉiu, kiu opinias, ke respondo pri *lia* demando povus havi *kelkan intereson* ankaŭ por aliaj personoj, volu sendi *sian* demandon ne al mi, sed al la redakcio de «La Revuo». La redakcio elektos tiujn demandojn, kiujn ĝi opinios pli interesaj, kaj sendos ilin al mi, kaj tiam mi en iu el la venontaj numeroj respondos ilin en «La Revuo».

Respondo 10, *La Revuo*, 1907, Februaro

/ *turnas sin al mi* kun diversaj demandoj 제게 여러 가지의 질문을 보냅니다 / respondo pri *lia* demando 자신의 질문에 대한 답변이; 여기서 sia가 쓰이지 않고 lia가 쓰인 것에 유의, 이

문장의 주어는 respondo; 아래의 sian demandon에서는 *sia*가 쓰였음 / *kelkan intereson* 약간의 흥미를; **kelka**는 수나 양에 모두 쓰이며, 그 수량을 정확하게 나타낼 수 없다는 뜻을 가짐; *antaŭ, post kelka tempo* [Z]; *doni kelkan klarigon* [Z]; *falis kelka nombro el la soldatoj* [Z]; *mi prenos nur simple kelkajn ekzemplojn* [Z]; / **iom**은 좀 "적다"는 의미가 강함; *donu al mi iom da teo, iom da pano*; *preni iom el la sango* [Z]; *post du horoj la forno estis nur iom varmeta* [Z]; /

많은 분들이 제게 여러 가지의 질문을 보냅니다. 그분들께 일일이 별도로 답변을 하는 것이 사실 제게는 물리적으로 불가능합니다. 그래서 청컨대, 자신의 질문에 대한 답변이 다른 사람들에게도 흥미로울 것이라고 생각하시는 분은 그 (자신의) 질문을 제게 보내지 마시고 <La Revuo> 편집부에 보내 주시기 바랍니다. 편집부는 흥미로울 것이라 판단되는 질문들을 선택해서 제게 보낼 것이며, 저는 <La Revuo> 후속 호에서 답변을 드릴 것입니다.

[Letero pri la deveno de Esperanto]
[에스페란토의 기원에 대한 편지]

...Vi demandas min, kiel aperis ĉe mi la ideo krei lingvon internacian kaj kia estis la historio de la lingvo Esperanto de la momento de ĝia naskiĝo ĝis tiu ĉi tago? La tuta publika historio de la lingvo, t. e. komencante de la tago, kiam *mi malkaŝe eliris kun ĝi*, estas al vi pli-malpli konata; cetere tiun ĉi periodon de la lingvo estas nun, pro multaj kaŭzoj, ankoraŭ neoportune tuŝadi; mi rakontos al vi tial *en komunaj trajtoj sole* la historion de la naskiĝo de la lingvo.

/ *mi malkaŝe eliris kun ĝi* 그것을 공개적으로 발표했다 / pli-malpli 다소, 약간, 어느 정도; 가운데 streketo 없이 두 단어를 띄워 써도 됨 / cetere tiun ĉi periodon de la lingvo estas nun, pro multaj kaŭzoj, *ankoraŭ neoportune tuŝadi*; 주어는 tuŝadi, 목적어는 tiun ĉi periodon, 동사는 estas, 주격보어는 neoportune; 이 기간을 건드리는 것은 여러 이유로 아직은 좀 불편합니다 / *en komunaj trajtoj sole* 오로지 평범한 모양으로 (평범하게); *komuna* 공동의, 공통의, 보통의, 평범한 /

... 그대는 제가 어떻게 해서 국제어를 창안해야겠다는 생각을 하게 되었는지, 또 에스페란토의 최초 탄생의 순간부터 오늘까지의 역사가 어떠했는지를 묻습니다. 에스페란토의 공개적인 전체역사는, 즉, 제가 공개적으로 그것을 발표한 날로부터의 역사는 이미 어느 정도 알고 계실 것입니다. 그리고 (그대가 질문한) 이 기간 동안의 역사는 여러 가지 이유로 아직은 건드리기가 좀 불편하네요. 그래서 저는 에스페란토 탄생의 역사를 단지 평범하게 그대에서 말씀드릴 수밖에 없습니다.

Estos por mi malfacile rakonti al vi *ĉion tion ĉi* detale, ĉar multon mi mem jam forgesis: la ideo, al kies efektivigo mi dediĉis tutan mian vivon, aperis ĉe mi — estas ridinde ĝin diri — *en la plej frua infaneco* kaj de tiu ĉi tempo neniam min forlasadis; mi vivis kun ĝi kaj eĉ ne povas *imagi min sen ĝi.* Tiu ĉi cirkonstanco parte klarigos al vi, kial mi *kun tiom da obstineco* laboris super ĝi kaj kial mi, malgraŭ ĉiuj malfacilaĵoj kaj maldolĉaĵoj, ne forlasadis tiun ĉi ideon, kiel ĝin faris multaj aliaj, laborintaj sur la sama kampo.

/ estas ridinde ĝin diri 말씀드리기가 좀 우스꽝스럽습니다만, 부끄럽습니다만 / *en la plej frua infaneco* 아주 어렸을 때 / *imagi min sen gı* 그것 없는 지를 상상하다, 그것을 빼놓고 저를 상상하다 / *kun tiom da obstineco* 그렇게 고집스럽게 / ĝin faris 여기 쓰인 ĝin은 "그렇게 한 행위"를 나타냄, 이것 대신 tion이나 tiel을 써도 되겠음 / *multaj aliaj, laborintaj sur la sama kampo* 동일한 분야에서 일해 온 다른 많은 분들 /

그대에게 이 모든 것을 자세히 이야기해 드리기는 좀 어려울 것 같네요. 왜냐하면 저는 이미 많은 것을 잊어버렸기 때문입니다. 제 인생의 모든 것을 바쳐 이루어 온 그 생각은 — 말씀드리기가 좀 민망합니다만 — 저의 가장 어린 시절에 시작되었고, 그때부터 저를 한 번도 떠난 적이 없습니다. 저는 그것과 함께 성장했고 그것을 제외한 저 자신은 상상할 수도 없습니다. 그대는 이로써 제가 왜 그토록 고집스럽게 그 일에 매달렸는지, 그리고 또 왜 제가 그 모든 어려움과 괴로움에도 불구하고 이 분야에서 일해 온 다른 많은 사람들이 그랬듯이 이 생각을 버리지 않았는지를 조금은 이해하게 되었으리라 생각합니다.

Mi naskiĝis en Bjelostoko, gubernio de Grodno. Tiu ĉi loko de mia naskiĝo kaj de miaj infanaj jaroj *donis la direkton al ĉiuj miaj estontaj celadoj.* En Bjelostoko la loĝantaro konsistas el kvar diversaj elementoj: rusoj, poloj, germanoj kaj hebreoj; ĉiu el tiuj ĉi elementoj parolas apartan lingvon kaj neamike rilatas la aliajn elementojn.

/ Bjelostoko = Bjalistoko 비아위스토크 / *donis la direkton al ~* 에(게) 방향을 제시하였다 / konsistas el ~로 구성되어 있다 / neamike 비우호적으로, 반감을 가지고 /

저는 그로드노 지방의 비아위스토크에서 태어났습니다. 제가 태어나 어린 시절을 보낸 이곳은 미래의 제 모든 인생 목표의 방향을 제시해 주었습니다. 비아위스토크에는 네 부류의 거주민들이 있습니다: 러시아인, 폴란드인, 독일인, 히브리인. 그들은 모두 서로 다른 언어를 사용하며 비우호적으로 서로를 대합니다.

En tia urbo *pli ol ie* la *impresema naturo* sentas la multepezan malfeliĉon de diverslingveco kaj konvinkiĝas ĉe ĉiu paŝo, ke la diverseco de lingvoj estas la sola, aŭ almenaŭ la ĉefa kaŭzo, kiu disigas la homan familion kaj dividas ĝin en malamikaj partoj. Oni edukadis min kiel idealiston; oni min instruis, ke ĉiuj homoj estas fratoj, kaj *dume* sur la strato kaj sur la korto, ĉio ĉe ĉiu paŝo igis min *senti, ke homoj ne ekzistas*: ekzistas sole rusoj, poloj, germanoj, hebreoj k.t.p. Tio ĉi ĉiam forte turmentis mian infanan animon, kvankam multaj eble ridetos pri tiu ĉi "doloro pro la mondo" ĉe la infano. Ĉar al mi tiam ŝajnis, ke la "*grandaĝaj*" posedas ian ĉiopovan forton, mi ripetadis al mi, ke kiam mi estos grandaĝa, mi nepre forigos tiun ĉi malbonon.

/ *pli ol ie* 어디보다도 더 / *impresema naturo* 예민한 천성 / ĉe ĉiu paŝo 어디에서나 / edukadis min kiel idealiston 나를 이상주

의자로 키웠다, kiel 다음에 목적격이 쓰였음에 유의 / *dume*
반면에 / *korto* 마당, 집 앞의 놀이터 / *grandaĝaj* 나이 든 사
람들 / mi ripetadis al mi 나 자신에게 반복적으로 말했다, 되
뇌었다 /

그 어디보다도 바로 그 도시에서 예민한 천성의 저는 언어의
다양성으로 인해 아주 큰 불행을 느꼈으며, 언어의 다양성이
바로 인류 가족을 적대적인 분파들로 가르는 유일한, 아니면
적어도 가장 중요한 원인이라는 것을 깨닫게 되었습니다. 저
는 이상주의자로 교육을 받았으며, 모든 사람은 형제라고 교
육을 받았습니다. 그러나 길거리에서 심지어 집 앞의 놀이터
에서도, 어디에도 사람은 존재하지 않는 것처럼 느껴졌습니다.
오직 러시아인, 폴란드인, 독일인, 히브리인 들만이 있을 뿐입
니다. 바로 이것이 어린 저의 영혼을 아주 심하게 괴롭혔습니
다. 많은 사람들은 아마도 어린아이의 이런 "세상에 대한 아
픔"에 대해 우습게 생각하겠지요. 그때 제게는 어른들은 아주
전지전능한 힘을 가지고 있는 듯이 보였기 때문에, 저는 제가
어른이 되면 이런 악을 반드시 몰아내겠다고 되뇌이곤 했습니
다.

Iom post iom mi konvinkiĝis, kompreneble, ke ne ĉio fariĝas tiel
facile, kiel ĝi prezentiĝas al la infano; unu post la alia mi
forĵetadis diversajn infanajn utopiojn, kaj nur la revon pri unu
homa lingvo mi neniam povis forĵeti. Malklare *mi iel min tiris al*
ĝi, kvankam, kompreneble, sen iaj difinitaj planoj. Mi ne
memoras kiam, sed *en ĉia okazo* sufiĉe frue, ĉe mi formiĝis la
konscio, ke la sola lingvo *internacia* povas esti nur ia neŭtrala,
apartenanta al neniu el la nun vivantaj nacioj.

/ ne ĉio 모든 것이 ~은 아니다, nenio와 다름 / unu *homa*
lingvo 모든 인류를 위한 하나의 언어, 자멘호프는 초기에 자

신이 구상하는 언어를 이렇게 불렀음 / Malklare 분명치 않게, 막연히 / *mi iel min tiris al ĝi* 어쨌거나 저는 그것에 매달렸습니다 / *en ĉia okazo* sufiĉe frue 아무튼 (어쨌거나) 아주 이른 시기에 /

물론 모든 것이 어린아이에게 보이듯이 그렇게 쉽게 이루어지지는 않는다는 것을 조금씩 깨닫게 되었습니다. 저는 하나둘 유아적 환상들을 내던져 버렸습니다. 그러나 전 인류를 위한 하나의 언어에 대한 꿈만은 포기할 수 없었습니다. 물론 그 어떤 구체적인 계획은 없었지만 어쨌거나 저는 막연히 그것에 매달렸습니다. 언제인지는 모르지만 어쨌거나 아주 이른 시기에 저는 현존하는 그 어느 민족에게도 속하지 않는 중립적인 언어라야만 국제어가 될 수 있다는 깨달음이 생겼습니다.

Kiam el la Bjelostoka *reala lernejo* (tiam ĝi estis ankoraŭ gimnazio) mi transiris en la Varsovian duan klasikan gimnazion, mi dum kelka tempo *estis forlogata de* lingvoj antikvaj kaj revis pri tio, ke mi iam veturados en la tuta mondo kaj per flamaj paroloj *inklinados* la homojn revivigi unu el tiuj ĉi lingvoj por komuna uzado. Poste, mi ne memoras jam kiamaniere, mi venis al firma konvinko, ke tio ĉi estas neebla, kaj mi komencis malklare revi pri nova, arta lingvo.

/ dum kelka tempo 한동안 / *estis forlogata de* ~에 유혹을 받았다, ~에 빠져 있었다; forlogi ~를 유혹 해내다 / revis pri tio, ke ~하기를 꿈꿨다 / *inklinados* 여기는 inklinigos가 옳다, inklini는 자동사임; *mi inklinas akcepti*; *oni tro inklinas forgesi*; *mi inklinas al la opinio, ke* […] / mi ne memoras jam kiamaniere 어떻게 그렇게 되었는지는 모르겠지만 /

비아위스토크 실업학교 (당시에는 여전히 김나지오였습니다)

에서 바르샤바 제2고전김나지오로 옮겼을 때, 저는 한동안 고어들에 유혹을 받아 언젠가는 세계를 두루 여행하면서 사람들을 열심히 설득하여 그 고어들을 되살려 공동의 언어로 사용하게끔 하겠다는 꿈을 꾸었습니다. 나중에 저는, 어떻게 그렇게 되었는지는 잘 모르겠습니다만, 이것은 불가능하다는 것을 분명히 깨달았습니다. 그리고 막연하나마 새로운 인공어에 대해 꿈을 꾸기 시작했습니다.

Mi ofte tiam komencadis iajn provojn, elpensadis artifikajn riĉegajn deklinaciojn kaj konjugaciojn, k.t.p. Sed *homa lingvo* kun ĝia, *kiel ŝajnis al mi*, senfina amaso da gramatikaj formoj, kun ĝiaj centoj da miloj de vortoj, per kiuj min timigis la dikaj vortaroj, ŝajnis al mi *tia* artifika kaj kolosa maŝino, *ke mi ne unufoje* diradis al mi: "for la revojn! tiu ĉi laboro ne estas laŭ homaj fortoj", — kaj tamen mi ĉiam revenadis al mia revo.

/ *artifikajn* 인위적인, 인공적인 / *deklinacioj kaj konjugacioj* 명사변화와 동사변화 / *homa lingvo* kun ĝia ~을 가진 국제어(?), kun이 두 번 나옴 / *kiel ŝajnis al mi* 제가 보기에는 / *centoj da miloj de vortoj* 뒤의 de는 da로 써도 될 듯 / *tia* artifika kaj kolosa maŝino, *ke* 너무 인위적이고 거대한 기계와 같아서 ~하다 / *ne unufoje* diradis al mi: 나 스스로에게 ~라고 말한 적이 한두 번이 아니었다 /

당시 저는 종종 이런저런 시도들을 해보고 인위적인 많은 명사변화와 동사변화들을 고안해보기도 하였습니다. 그러나 제가 보기에 끝도 없는 그러한 문법 형태들과 또 보기만 해도 겁이 나는 그런 두꺼운 사전들에 들어 있는 수십만의 단어들을 가진 그런 *국제어*라면, 이건 아주 인위적이며 또 거대한 기계와 같을 수밖에 없었습니다. 그래서 저는 "꿈을 깨라! 이건 사람의 힘으로 될 일이 아니야!"라고 외친 적이 한두 번이 아니었습니다. 그렇지만 저는 언제나 다시 그 꿈으로 돌아와 있었습니다.

Germanan kaj francan lingvojn mi ellernadis en infaneco, kiam oni ne povas ankoraŭ kompari kaj fari konkludojn; sed kiam, estante en la 5-a klaso de gimnazio, mi komencis ellernadi lingvon anglan, la simpleco de la angla gramatiko *ĵetiĝis en miajn okulojn*, precipe dank'al la *kruta* transiro al ĝi de la gramatikoj latina kaj greka. Mi rimarkis tiam, ke la riĉeco de gramatikaj formoj estas nur blinda historia okazo, sed ne estas necesa por la lingvo.

> / *ĵetiĝis en miajn okulojn* 내 눈에 확 들어왔다 / precipe dank'al 특히 ~덕분으로 / *kruta* transiro 급격한 이전 / rimarkis 깨달았다 / blinda historia okazo 우연히 생긴 맹목적의 역사적 산물 /

저는 어렸을 때, 보통은 아직 그 무슨 비교도 하지 못하고 결론이라는 것도 내리지 못할 시기에, 독일어와 프랑스어를 마스터했습니다. 그리고 김나지오 5학년을 다니며 영어를 배우기 시작했을 때, 영어문법의 간결함이 제 눈에 확 들어왔습니다. 특히나 라틴어와 그리스어 문법에서 바로 넘어왔기 때문이었지요. 저는 그때 그 수많은 문법 형태들이 언어에 필요해서가 아니라 그저 우연히 생긴 맹목적의 역사적 산물이었음을 깨달았습니다.

Sub tia influo mi komencis serĉi en la lingvo kaj forĵetadi la senbezonajn formojn, kaj mi rimarkis, ke la gramatiko ĉiam pli kaj pli degelas en miaj manoj, kaj baldaŭ mi venis al la gramatiko plej malgranda, kiu okupis *sen malutilo* por la lingvo ne pli ol kelkajn paĝojn. Tiam mi komencis pli serioze *fordoniĝi al* mia revo. Sed la grandegulaj vortaroj ĉiam ankoraŭ ne lasadis min trankvila.

/ Sub tia influo 그러한 영향으로, 그래서 / pli kaj pli degelas en miaj manoj 나의 손안에서 차츰차츰 녹아내렸다 / *sen malutilo* por la lingvo 언어에는 해가 되지 않게 / ne pli ol ~이 하로 / *fordoniĝi al* ~에 몰두하다; fordoni 완전히 주어버리다, 바치다 / grandegulaj vortaroj 거인과도 같은 어휘들, 자멘호프 는 vortaro를 "어휘"라는 뜻으로 종종 사용함 /

그래서 저는 불필요한 문법형태들을 찾아 없애기 시작했습니다. 그리고 문법이 제 손안에서 차츰차츰 녹아내리는 것을 깨닫게 되었습니다. 이윽고 언어 자체는 조금도 손상시키지 않으면서도 겨우 몇 쪽으로 충분한 아주 작은 문법에 도달했습니다. 그때 저는 더 열심히 저의 꿈에 몰두하기 시작했습니다. 그러나 마치 거인과도 같은 어휘들은 여전히 저를 괴롭히고 있었습니다.

Unu fojon, kiam mi estis en la 6-a aŭ 7-a klaso de la gimnazio, mi *okaze* turnis la atenton al la *surskribo* "Ŝvejcarskaja"*, kiun mi jam multajn fojojn vidis, kaj poste al la *elpendaĵo* "Konditorskaja".** Tiu ĉi "skaja" ekinteresis min kaj montris al mi, ke la sufiksoj donas la eblon el unu vorto fari aliajn vortojn, kiujn oni ne devas aparte ellernadi. Tiu ĉi penso *ekposedis min tute*, kaj mi subite *eksentis la teron sub la piedoj*. Sur la terurajn grandegulajn vortarojn *falis radio de lumo*, kaj ili komencıs rapide malgrandiĝi antaŭ miaj okuloj.

(*drinkejo **sukeraĵejo)

/ *okaze* 한번은, 어떤 경우에 / *surskribo* 간판, ŝildo / multajn fojojn 여러 번 = multfoje / *elpendaĵo* 튀어나오거나 매달린 간

- 293 -

제가 김나지오 6, 7학년 때쯤 한번은 우연히 길거리에서 "Ŝvejcarskaja"(술집)라는 간판이 눈에 띄었습니다. 그건 이미 여러 차례 본 바가 있는 것이었지요. 그리고 그 후에 "Konditorskaja"(제과점)라는 간판도 보았습니다. 이 "skaja"가 저의 흥미를 끌었으며, 또 접미사들이 하나의 낱말에서 따로 배우지 않아도 되는 여러 다른 낱말들을 만들어낼 수 있는 가능성을 준다는 것을 제게 일깨워 주었습니다. 이 생각이 저를 완전히 사로잡았으며 저는 갑자기 큰 자신감을 얻게 되었습니다. 그 무시무시한 거인과도 같은 어휘들에 서광이 비치기 시작했습니다. 그리고 그것들은 빠른 속도로 제 눈앞에서 축소되기 시작했습니다.

"La problemo estas solvita!" — diris mi tiam. Mi kaptis la ideon pri sufiksoj kaj komencis multe labori en tiu ĉi direkto. Mi komprenis, kian grandan signifon povas havi por *la lingvo konscie kreata* la plena uzado de tiu forto, kiu en lingvoj naturaj efikis nur parte, blinde, neregule kaj neplene. Mi komencis kompari vortojn, serĉi inter ili konstantajn, difinitajn rilatojn kaj ĉiutage mi forĵetadis el la vortaro novan grandegan *serion da* vortoj, anstataŭigante tiun ĉi grandegon per unu sufikso, kiu signifis *certan* rilaton.

"이 문제는 해결되었다!" — 저는 그때 소리쳤습니다. 저는 접미사라는 아이디어에 착안했고 이 방향으로 많은 일을 시작했습니다. 자연어에서는 그렇게 충분히 활용되지 못하고 그저 부분적으로, 맹목적적으로 그리고 불규칙적으로 쓰였던 그 힘을 제대로 활용하는 것이 의식적으로 창안되는 인공어에서는 얼마나 큰 의미를 가지는지를 이해하였습니다. 저는 단어들을 비교하여 그들 사이에 존재하는 일정한 항구적 관계들을 찾았으며 날마다 총 어휘목록에서 일련의 단어들을 내버리기 시작했습니다. 일정한 관계를 의미하는 접미사 하나를 사용하여 이 무수한 단어들을 내버릴 수 있었던 것입니다.

Mi rimarkis tiam, ke tre granda amaso da *vortoj pure radikaj* (ekz. "patrino", "mallarĝa", "trancîlo" k.t.p.) povas esti facile transformitaj en *vortojn formitajn* kaj malaperi el la vortaro. La meĥaniko de la lingvo estis antaŭ mi *kvazaŭ sur la manplato*, kaj mi nun komencis jam labori regule, kun amo kaj espero. Baldaŭ post tio mi jam havis skribitan la tutan gramatikon kaj malgrandan vortaron.

/ *vortoj formitaj* 조어법으로 만들어진 단어들 / *kvazaŭ sur la manplato* 마치 손바닥 위에 있는 것 같은, 마치 손안에 든 듯이 / Baldaŭ post tio 그 후 곧이어 / jam havis skribitan la tutan gramatikon kaj malgrandan vortaron 관사 la가 skribitan 앞에 쓰여도 될 듯, 그러나 skribitan이 gramatikon과 malgrandan vortaron 둘 모두에 걸린다는 설 분명히 해주려고 이렇게 쓴 것 같음, 그리고 복수가 아닌 단수로 쓰인 것에 유의 /

그때 저는 깨달았습니다. 많은 수의 어근어들이 아주 쉽게 복합어로 바뀔 수 있으며 (보기: "어머니", "좁은", "가위" 등) 그렇게 해서 어휘목록에서 없어질 수 있다는 것을 말입니다. 드디어 언어의 구조가 마치 제 손안에 든 것만 같았으며, 저는 열정과 희망을 가지고 규칙적으로 일을 할 수 있었습니다. 그 후 얼마 지나지 않아 전체 문법과 조그만 사전을 모두 만들어낼 수 있었습니다.

Tie ĉi mi diros ĝustatempe kelkajn vortojn pri la materialo por la vortaro. Multe pli frue, kiam mi serĉis kaj elĵetadis ĉion senbezonan el la gramatiko, mi deziris uzi la principojn de la ekonomio ankaŭ por la vortoj kaj, konvinkita, ke estas tute egale, kian formon havos tiu aŭ alia vorto, se ni nur konsentos ke ĝi esprimas la donitan ideon, mi simple elpensadis vortojn, penante, ke ili estu kiel eble pli mallongaj kaj ne havu senbezonan nombron da literoj.

> / ĝustatempe 적당한 때에, 더 늦지 않게 / Multe pli frue, kiam 더 오래전 ~했을 때 / principoj de la ekonomio 경제성의 원칙 / estas tute egale 똑같다 / konvinkita ...... ideon 하나의 삽입구 / elpensi 고안해 내다 /

더 늦지 않게 여기서 사전의 자료들에 대해 말을 좀 하겠습니다. 오래전 제가 문법의 불필요한 부분들을 찾아서 모두 내버리던 그때에 저는 단어에 대해서도 경제성의 원칙을 따르기로 했습니다. 그리고 만약 우리가 그 어떤 단어든지 부여된 뜻을 표현하기만 하면 된다는 데에 합의한다면, 이런저런 단어들이 그 어떤 형태를 가지든 마찬가지라는 확신을 가지게 되었습니다. 그래서 저는 가능한 한 단어들이 적은 수의 글자들로 이루어져 짧은 형태가 되도록 애쓰면서 그저 단어들을 머리에서 고안해 내었던 것입니다.

Mi diris al mi, ke anstataŭ ia 11-litera "interparoli" ni tute bone povas esprimi la saman ideon per ia ekz. 2-litera "pa". Tial mi simple skribis la matematikan serion da plej mallongaj, sed facile elparoleblaj kunigoj de literoj kaj al ĉiu el ili mi donis la signifon de difinita vorto (ekz. a, ab, ac, ad, ... ba, ca, da, ... e, eb, ec, ... be, ce, ... aba, aca, ... k.t.p.) Sed tiun ĉi penson mi tuj forĵetis, ĉar la provoj kun mi mem montris al mi, ke tiaj elpensitaj vortoj estas tre malfacile ellerneblaj kaj ankoraŭ pli malfacile memoreblaj.

/ 11-litera 11개의 글자로 된 / *matematikan serion da plej mallongaj* 가장 짧은 수학적인 시리즈 (단어들) / la provoj kun mi mem 나 자신의 실험(시도) / tiaj elpensitaj vortoj 그러한 고안된 (머리에서 짜낸) 단어들 /

저는 저 자신에게 말을 했습니다. "11글자로 된 "interparoli" 대신 예를 들어 2글자로 된 "pa"로써 우리는 똑같은 의미를 표현할 수 있다"라고 말입니다. 그래서 저는 가장 짧지만 쉽게 발음할 수 있는 글자의 조합들을 수학적인 시리즈로 써 보았습니다. 그리고 그들 각각에 일정한 단어의 뜻을 부여했습니다. (보기: a, ab, ac, ad, ... ba, ca, da, ... e, eb, ec, ... be, ce, ... aba, aca, ... 등) 그러나 이 생각을 저는 곧바로 내던져 버렸습니다. 왜냐하면 제가 직접 실험해 본 바에 의하면 그러한 고안된 단어들은 배우기도 아주 어렵고 기억하기는 더더욱 어렵다는 걸 알았기 때문입니다.

Jam tiam mi konvinkiĝis, ke la materialo por la vortaro devas esti romana-germana, ŝanĝita nur tiom, kiom ĝin postulas la reguleco kaj aliaj gravaj kondiĉoj de la lingvo. *Estante jam sur tiu ĉi tero*, mi baldaŭ rimarkis, ke la nunaj lingvoj posedas grandegan provizon da *pretaj jam vortoj internaciaj*, kiuj estas konataj al ĉiuj popoloj kaj faras trezoron por estonta lingvo internacia, — kaj mi kompreneble utiligis tiun ĉi trezoron.

그때 사전의 자료는 로만-게르만어가 되어야 한다는 걸 저는 벌써 깨달았습니다. 그리고 에스페란토의 규칙성이나 기타 중요한 조건들로 인한 수정만큼만 그 단어들에 수정을 가해야 한다는 것을 말입니다. 이 바탕 위에서 저는 곧 지금의 여러 언어들이 이미 모든 민족에게 잘 알려져 있고 또 미래 국제어의 보물이 될 수 있는, 아주 많은 양의 단어들을 가지고 있다는 것을 알게 되었습니다. — 그리고 물론 저는 이 보물을 활용하였던 것입니다.

En la jaro 1878 la lingvo estis jam pli-malpli preta, kvankam inter la tiama "lingwe uniwersala" kaj la nuna Esperanto estis ankoraŭ granda diferenco. Mi komunikis pri ĝi al miaj kolegoj (mi estis tiam en 8-a klaso de la gimnazio). La plimulto da ili estis forlogitaj de la ideo kaj de *la frapinta ilin neordinara facileco de la lingvo,* kaj komencis ĝin ellernadi. La 5-an de decembro 1878 ni ĉiuj kune solene festis la sanktigon de la lingvo.

1878년에 그 언어는 이미 어느 정도 완성이 되었습니다. 물론 그때의 "lingwe uniwersala"와 지금의 에스페란토 사이에 큰 차이가 있긴 하지만 말입니다. 저는 친구들에게 그것에 대해 알렸습니다 (그때 저는 김나지오 8학년이었습니다). 그들 대부분은 그 사상과 또 그 언어의 특별한 용이성에 크게 끌렸으며 그것을 배우기 시작했습니다. 1878년 12월 5일 우리 모두는 그 언어의 탄생을 축하하는 잔치를 했습니다.

Dum tiu ĉi festo estis paroloj en la nova lingvo, kaj ni entuziasme kantis la himnon, kies komencaj vortoj estis la sekvantaj:

> Malamikete de las nacjes
> Kadó, kadó, jam temp' está!
> La tot' homoze in familje
> Konunigare so debá.

(En la nuna Esperanto tio ĉi signifas: "Malamikeco de la nacioj falu, falu, jam tempo estas! La tuta homaro en familion unuiĝi devas").

Sur la tablo, krom la gramatiko kaj vortaro, kuŝis kelkaj tradukoj en la nova lingvo.

/ estis paroloj en la nova lingvo 그 새 언어로 연설이 있었다 / estis la sekvantaj 아래와 같았다 = estis la sekva / jam tempo estas 벌써 시간이 되었다 /

이 잔치에는 그 새로운 언어로 된 몇몇 연설이 있었고 또 우리는 열정적으로 아래와 같은 찬가를 불렀습니다:

[…………]

(지금의 에스페란토로는 이런 뜻입니다: "민족들 간의 적대감은 사라져라, 사라져라, 벌써 때가 되었다! 모든 인류는 하나의 가족으로 뭉쳐야 한다").

책상 위에는 문법서와 사전 외에도 그 새로운 언어로 된 몇 가지 번역작들이 있었습니다.

Tiel finiĝis la unua periodo de la lingvo. Mi estis tiam ankoraŭ tro juna por *eliri publike kun mia laboro*, kaj mi decidis atendi ankoraŭ 5 – 6 jarojn kaj dum tiu ĉi tempo zorgeme elprovi la lingvon kaj plene prilabori ĝin praktike. Post duonjaro post la festo de 5-a de decembro ni finis la gimnazian kurson kaj disiris. La estontaj apostoloj de la lingvo provis paroleti pri "nova lingvo" kaj, renkontinte la mokojn de homoj maturaj, ili *tuj rapidis malkonfesi la lingvon*, kaj mi restis tute sola. Antaŭvidante nur mokojn kaj persekutojn, *mi decidis kaŝi antaŭ ĉiuj mian laboron.*

> / elprovi 시도해보다, el-은 어떤 결과를 내는 것에 초점을 맞춤 / prilabori 갈고 다듬다, 작업하다 / paroleti 조금 말을 해보다, 조심스럽게 말을 시도해보는 것을 뜻함 / *malkonfesi* 번복하다, 부인하다 / *kaŝi antaŭ ĉiuj mian laboron* 모든 사람들 앞에서 나의 일(작품)을 숨기다, 어순에 유의 /

그렇게 그 언어의 첫째 시기는 끝이 났습니다. 그때 저는 제 작품을 공개적으로 세상에 내어놓기에는 아직 너무 어렸습니다. 그래서 저는 5, 6년을 더 기다리기로 했으며, 그동안 그 언어를 더 조심스럽게 실험해보고 또 그것을 실용적으로 충분히 갈고 다듬기로 했습니다. 12월 5일의 그 잔치 후 반년이 지나 우리는 김나지오를 졸업했고 헤어졌습니다. 그 언어의 미래의 사도들은 "새로운 언어"에 대해 조금씩 말을 해보기 시작했으나 어른들의 조롱을 받고서는 서둘러 그 언어를 부인하고 떠났습니다. 그리고 저는 홀로 외로이 남았습니다. 조롱과 핍박만을 예견한 저는 모두들 앞에서 저의 작품을 숨기기로 작정했습니다.

Dum 5 1/2 jaroj de mia estado en universitato, mi neniam parolis kun iu pri mia afero. Tiu ĉi tempo estis por mi tre malfacila. La kaŝeco turmentis min; devigita zorgeme kaŝadi miajn pensojn kaj planojn *mi preskaŭ nenie estadis*, en nenio partoprenadis, kaj la plej bela tempo de la vivo — la jaroj de studento — pasis por mi plej malgaje.

/ devigita –i 강제로(억지로) ~을 해야만 하는 / kaŝeco 숨김, 숨겨야만 한다는 것 / *mi preskaŭ nenie estadis* 거의 아무데도 가지 않았다, esti가 완전자동사로 쓰임 /

대학 5년 반 동안 저는 그 어느 누구와도 저의 일에 대해서 말하지 않았습니다. 이때가 저로서는 참 어려운 시기였습니다. 숨겨야만 한다는 것이 저를 괴롭혔습니다. 저의 생각과 계획을 조심스럽게 숨겨야만 했기에 저는 그 어디에도 가지 않았으며, 그 어느 모임에도 참가하지 않았습니다. 그리고 제 인생의 가장 아름다운 시절이 — 학창시절이 — 그렇게 가장 우울하게 지나갔습니다.

Mi provis iafoje min distri en la societo, sed sentis min ia fremdulo, sopiris kaj foriradis, kaj de tempo al tempo *faciligadis mian koron per* ia versaĵo en la lingvo, prilaborata de mi. Unu el tiuj ĉi versaĵoj ("Mia penso") mi metis poste *en la unuan eldonitan de mi broŝuron*; sed al la legantoj, kiuj ne sciis, ĉe kiaj cirkonstancoj tiu ĉi versaĵo estis skribita, ĝi ekŝajnis, komprenele, stranga kaj nekomprenebla.

/ societo 사교모임, 친목단체 등 / sentis min ia fremdulo 나 스스로가 어떤 이방인처럼 느껴졌다 / *faciligadis mian koron per* ~로써 내 마음을 달랬다 / *en la unuan eldonitan de mi broŝuron* 제가 펴낸 첫 번째 소책자에 = en la unuan broŝuron eldonitan de mi; <제1서> /

<보충 설명>

Distri 정신을 흩뜨려 놓다, 가볍게 건전하게 즐기다 ; *la urba bruo tro distras min*; *malstreĉi, malenuigi* /

Diboĉi 과도하고 난잡하게 먹고 마시고 놀다 (주로 성적으로); *petolu, diboĉu, sed poste sorton ne riproĉu* [z]; *orgio, ĝuego, volupti* /

몇 차례 사교모임에서 좀 즐겨 보려고도 했지만, 왠지 저 자신이 어떤 이방인처럼 느껴졌습니다. 그리곤 저의 그 일이 그리워 그 자리를 떠나곤 했답니다. 가끔은 그 언어로 시를 지음으로써 저 자신의 마음을 달래곤 했지요. 그 시들 가운데 하나를 ("나의 생각") 저는 나중에 제가 펴낸 첫 번째 소책자에 실었습니다. 그러나 어떤 환경 가운데에서 이 시가 쓰였는지를 잘 모르는 독자들에게는 그것은 그저 이상하고 난해한 시로 보였을 뿐입니다.

Dum ses jaroj mi laboris perfektigante kaj provante la lingvon, — kaj mi havis sufiĉe da laboro, kvankam en la jaro 1878 al mi ŝajnis, ke la lingvo jam estas tute preta. Mi multe tradukadis en mian lingvon, skribis en ĝi verkojn originalajn, kaj vastaj provoj montris al mi, ke tio, kio ŝajnis al mi tute preta teorie, *estas ankoraŭ ne preta praktike*. Multon mi devis ĉirkaŭhaki, anstataŭigi, korekti kaj radike transformi.

6년 동안 저는 그 언어를 완벽하게 다듬는 일을 하며 또 실험을 하기도 했습니다. 그리고 비록 1878년에 그 언어가 이미 완전히 준비된 것처럼 보였지만 사실 저는 무척 많은 일을 해야만 했습니다. 새 언어로 번역도 많이 했고 원작 작품도 썼습니다. 그랬더니 이론적으로는 제게 완벽하게 보였던 것들이 실제에 있어서는 아직 그렇지 못하다는 걸 알게 되었습니다. 저는 많은 것을 다듬어야 했고 대체해야 했으며 또 근본적으로 변형시켜야 했습니다.

Vortoj kaj formoj, principoj kaj postuloj *puŝis kaj malhelpis unu la alian*, dume en la teorio, ĉio aparte kaj en mallongaj provoj, ili ŝajnis al mi tute bonaj. Tiaj objektoj, kiel ekz. la universala prepozicio "je", la *elasta* verbo "meti", la neŭtrala, sed difinita finiĝo "*aŭ*" k.t.p. kredeble neniam enfalus en mian kapon teorie. Kelkaj formoj, kiuj ŝajnis al mi riĉaĵo, montriĝis nun en la praktiko senbezona balasto; tiel ekz. mi devis forĵeti kelkajn nebezonajn sufiksojn.

단어와 형태들, 그리고 규칙과 요구들이 서로 충돌되었고 방해가 되었습니다. 반면 이론적으로는 그 모든 것이 각각 아주 좋은 듯이 보였고, 또 짧은 문장에서는 괜찮은 듯이 보였습니다. 또 이론적으로는 만능전치사 "je", 두루 쓰이는 동사 "meti", 그리고 중립적이며 한정적인 어미 "*aŭ*" 등은 분명 제 머리에 떠오르지 못했을 겁니다. 제게는 풍부함으로 보였던 몇 가지 형태는 실제에 있어서는 불필요한 잉여물로 밝혀졌고, 그래서 저는 그러한 필요없는 접미사들은 내버려야만 했습니다.

En la jaro 1878 al mi ŝajnis, ke estas al la lingvo sufiĉe havi gramatikon kaj vortaron ; la multpezecon kaj malgraciecon de la lingvo *mi alskribadis nur al tio, ke* mi ankoraŭ ne sufiĉe bone ĝin posedas; la praktiko do ĉiam pli kaj pli konvinkadis min, ke la lingvo bezonas ankoraŭ *ian nekapteblan ion*, la kunligantan elementon, donantan al la lingvo vivon kaj difinitan, tute formitan spiriton.

> / estas al la lingvo sufiĉe havi 언어는 ~만 가지면 충분하다 / *mi alskribadis nur al tio, ke* 저는 ~ 라고만 생각했습니다, ~의 탓이라고 생각했습니다 / *ian nekapteblan ion* 그 어떤 콕 짚어 말할 수 없는 그 무엇을 /

1878년에는 언어란 문법과 사전만 갖추면 충분하리라고 저는 생각했었습니다. 그리고 언어가 무겁게 느껴지고 우아하지 않은 것은 모두 내가 아직 그 언어를 완전히 장악하지 못했기 때문에 그런 것이라고만 생각했었습니다. 그러나 실제적으로 실험을 해본 결과 언어는 콕 짚어 말할 수 없는 그 무엇인가가 꼭 필요하다는 것을 깨닫게 되었습니다. 언어에 생명을 불어넣고 그 어떤 분명한 정신을 불어넣어 주는 그런 연결적인 요소 말입니다.

(La nesciado de la spirito de la lingvo estas la kaŭzo, kial kelkaj Esperantistoj, tre malmulte legintaj en la lingvo Esperanto, skribas senerare, sed en multepeza, malagrabla stilo, — dume la Esperantistoj pli spertaj skribas en la stilo bona kaj tute *egala*, al kiu ajn nacio ili apartenas. La spirito de la lingvo sendube kun la tempo multe, kvankam iom post iom kaj nerimarkite, ŝanĝiĝos; sed se la unuaj Esperantistoj, homoj de diversaj nacioj, ne renkontus en la lingvo tute difinitan *fundamentan* spiriton, ĉiu komencus tiri en sian flankon kaj la lingvo restus eterne, aŭ almenaŭ dum tre longa tempo, malgracia kaj senviva kolekto da vortoj.)

/ estas la kaŭzo, kial 왜 ~인지 그 이유이다 / tute *egala*, al kiu ajn nacio ili apartenas 그 어느 민족에 그들이 속하든지 완전히 똑같은 / ĉiu komencus tiri en sian flankon 모두가 자기 좋은 식으로 (그것을) 끌기 시작할 것이다, 목적어가 생략되었음 /

(몇몇 에스페란티스토들은 에스페란토로 쓰인 글을 많이 읽지도 않고서 글을 쓰는데, 그 글은 틀리지는 않았지만 무거우며 아름답지 못한 문체입니다. 그 원인이 바로 이 언어의 정신을 몰라서 그런 것입니다. 반면 경험이 많은 에스페란티스토들은, 그들이 어느 민족에 속해 있든 간에 똑같이 좋은 문체로 글을 씁니다. 언어의 정신은 시간이 흐름에 따라, 비록 조금씩 눈에 띄지는 않겠지만, 분명 변할 것입니다. 그러나 여러 민족 출신의 초기 에스페란티스토들이 이 언어에서 그 어떤 분명한 기본적인 정신을 만나지 못한다면, 모두는 각자 자기 좋은 식으로 이 언어를 쓰기 시작할 것이며 에스페란토는 영원히, 아니면 적어도 아주 긴 시간 동안, 우아하지도 못하고 생명력도 없는 그저 낱말의 집합체에 지나지 않게 될 것입니다.)

— Mi komencis tiam evitadi laŭvortajn tradukojn el tiu aŭ alia lingvo kaj penis rekte *pensi* en la lingvo neŭtrala. Poste mi rimarkis, ke la lingvo en miaj manoj ĉesas jam esti senfundamenta ombro de tiu aŭ alia lingvo, kun kiu mi *havas la aferon* en tiu aŭ alia minuto, kaj ricevas sian propran spiriton, sian propran vivon, la propran *difinitan* kaj klare esprimitan fizionomion, ne dependantan jam de iaj influoj. La parolo fluis jam mem, flekseble, gracie kaj tute libere, kiel la viva patra lingvo.

/ la lingvo neŭtrala 에스페란토 / ĉesas jam esti 더 이상 ~가 아니다 / senfundamenta 근거 없는, 피상적인 / kun kiu mi *havas la aferon* en tiu aŭ alia minuto 이런저런 때에 내가 관계했던 (번역하려고 했던?) / *difinitan* 한정된, 부여된; 에스페란토 초기에는 difini가 determini(결정하다)와 destini(지정하다, 부여하다)의 뜻도 포함했음 / fizionomio 인상, 특징적인 모습 / ne dependantan jam de 더 이상 ~에 좌우되지 않는, ~로부터 자유로운 /

— 그때 저는 이런저런 언어에서의 직역을 피하고 에스페란토로 바로 생각하려고 애썼습니다. 그리고 이윽고 깨달았습니다. 이제 그것은 제 손안에서 더 이상 제가 순간순간 번역하려고 했던 이런저런 언어의 피상적인 그림자가 아니라 그 자신의 고유한 정신을, 고유한 생명을, 그리고 분명히 표현되고 부여된 자신의 인상을 가지기 시작했던 것입니다. 그것은 이미 그 어떤 영향력으로부터도 자유로운 것이 되었으며, 살아 있는 모국어처럼 유연하고 우아하며 아주 자유롭게 그렇게 말이 흘러나오게 되었습니다.

Ankoraŭ unu cirkonstanco igis min por longa tempo prokrasti mian publikan eliron kun la lingvo: dum longa tempo restis nesolvita unu problemo, kiu havas grandegan signifon por neŭtrala lingvo. Mi sciis, ke ĉiu diros al mi: "via lingvo estos por mi utila nur tiam, kiam la tuta mondo ĝin akceptos; tial mi ne povas ĝin akcepti ĝis tiam, kiam ĝin akceptos la tuta mondo". Sed ĉar la "mondo" ne estas ebla sen antaŭaj apartaj "unuoj", la neŭtrala lingvo ne povis havi estontecon ĝis tiam, kiam *ĝia utileco fariĝos* (= *prosperos fari ĝian utilon*) por ĉiu aparta persono sendependa de tio, ĉu jam estas la lingvo akceptita de la mondo aŭ ne.

/ por longa tempo 오랫동안 = dum longa tempo / publikan eliron 공개적인 출발, 발표 / ĝis tiam, kiam ĝia utileco fariĝos por ĉiu aparta persono sendependa de tio, ĉu 그것의 유용성이 ~에 상관없는 것이 될 때까지 / <참고> "*ĝia utileco fariĝos*"가 "prosperos fari ĝian utilon"으로 나오는 책도 있음 / 이럴 경우 **prosperi**의 뜻은 좀 특별함 : 그 뒤에 동사원형이 오면, "~하는 것이 번성하다, ~하는 것이 만족스럽게 되다, 충분히 ~하는 일이 발생하다"의 뜻; *dume la «Bibliotekon» jam prosperis al ni ekzistigi* [Z]; *ĉu prosperos al la homoj veni al interkonsento pri tiu ĉi elekto?* [Z]; *al li sola prosperis atingi tiun krutan montopinton.* /

그러나 아직도 한 가지 문제로 인하여 저는 이 언어를 공개적으로 발표하는 것을 미루어야만 했습니다. 중립어 (국제어, 에스페란토)에 있어서는 아주 큰 의미가 있는 한 가지 문제가 오랜 시간 해결되지 못하고 남아 있었습니다. 많은 사람들은 "당신의 언어는 온 세상이 그것을 받아들일 때에만 내게 유용할 것입니다. 그래서 나는 온 세상이 그것을 받아들일 때까지는 그것을 받아들일 수 없습니다"라고 말할 것이라는 걸 저는 잘 알았습니다. 그러나 "하나하나"가 먼저 없이 "온 세상"이란 것은 불가능하기 때문에, 에스페란토에는 미래가 없을 것 같은 생각이 들었습니다. 이 세상이 그것을 받아들이든 받아들이지 않든 상관없이 각각의 모든 사람에게 유용성이 있다는

- 307 -

것을 증명하기 전까지는 말이지요.

Pri tiu ĉi problemo mi longe pensis. Fine la tiel nomataj sekretaj alfabetoj, kiuj ne postulas, ke la mondo antaŭe ilin akceptu, kaj donas al tute nedediĉita adresato la eblon kompreni ĉion skribitan de vi, se vi nur transdonas al la adresato la ŝlosilon, — alkondukis min al la penso aranĝi ankaŭ la lingvon en la maniero de tia "ŝlosilo", kiu, enhavante en si ne sole la tutan vortaron, sed ankaŭ la tutan gramatikon en la formo de apartaj, tute memstaraj kaj alfabete orditaj elementoj, donus la eblon al la tute nedediĉita adresato de kia ajn nacio tuj kompreni vian leteron.

> / nedediĉita adresato 불명의 수취인, (무슨 일에) 헌신되지 않은 수취인(?) / kiu, enhavante … 관계대명사 kiu의 동사는 아래의 donus / donus la eblon al la tute nedediĉita adresato de kia ajn nacio tuj kompreni 어떤 민족의 불명 수취인이든 상관없이 곧 이해할 수 있는 가능성을 줄 것이다 /

이 문제에 대하여 저는 오랫동안 생각을 하였습니다. 결국 소위 "비밀알파벳"이라는 아이디어를 생각해 냈습니다. 이것은 이 세상이 그것을 받아들이든 받아들이지 않든 상관없이 만약 그대가 "열쇠"만 그 불명의 수취인에게 건네준다면, 그것은 그대가 쓴 모든 것을 그 사람이 이해할 수 있도록 해주는 것입니다. — 바로 이 아이디어로 저는 에스페란토도 이 "열쇠"의 방식으로 만들어야겠다는 생각을 하게 되었습니다. 그리고 사전뿐만 아니라 독립적이며 알파벳순으로 잘 정리된 모든 문법을 포함하고 있는 그런 열쇠야말로 모든 불명의 수취인들에게 그가 어떤 민족의 사람이든 상관없이 곧 그대의 편지를 이해할 수 있도록 해줄 것입니다.

Mi finis la universitaton kaj komencis mian medicinan praktikon. Nun mi komencis jam pensi pri la publika eliro kun mia laboro. Mi pretigis la manuskripton de mia unua broŝuro ("D-ro Esperanto. Lingvo internacia. Antaŭparolo kaj plena lernolibro") kaj komencis serĉi eldonanton. Sed tie ĉi mi la unuan fojon renkontis la maldolĉan praktikon de la vivo, la financan demandon, kun kiu mi poste ankoraŭ multe devis kaj devas forte batali.

> / la unuan fojon 처음으로 / maldolĉan praktikon de la vivo 인생의 쓰라린 현실을 / la financan demandon 재정적인 문제를 /

저는 대학을 마치고 의사로서의 실제적인 일을 시작했습니다. 이제 저는 제 일을 공개적으로 발표하는 것에 대하여 생각하기 시작했습니다. 제 첫 번째 소책자의 (제1서의) 원고를 준비했으며 ("에스페란토 박사. 국제어. 서문과 완전 학습서") 출판자를 찾기 시작했습니다. 그러나 바로 여기서 저는 처음으로 인생의 쓰라린 현실을 만났습니다. 재정문제였습니다. 그리고 이 문제와 함께 저는 그동안 힘들게 싸워 왔고 아직도 여전히 싸우고 있습니다.

Dum du jaroj mi vane serĉis eldonanton. Kiam mi jam trovis unu, li dum duonjaro pretigis mian broŝuron por eldono kaj fine rifuzis. Fine, post longaj klopodoj, mi prosperis mem eldoni mian unuan broŝuron en julio de la jaro 1887. Mi estis tre ekscitita antaŭ tio ĉi; mi sentis, ke mi staras antaŭ Rubikono kaj ke de la tago, kiam aperos mia broŝuro, mi jam ne havos la eblon reiri;

> / vane 헛되게 / mi prosperis mem eldoni 스스로 출판할 정도가 되었다, 돈을 모았다 / mi jam ne havos la eblon reiri 나는 이제 돌아갈 가능성이 없을 것이다 /

2년 동안 저는 출판자를 찾았으나 찾지 못했습니다. 마침내 한 사람을 만났고 그 사람이 반년 동안 제 소책자 출판을 준비했으나 끝내는 거절하였습니다. 드디어 오랜 노력 끝에 저는 제 스스로 출판을 감당할 만큼 돈을 모았고, 1887년 7월에 출판을 하게 되었습니다. 저는 아주 흥분되었습니다. 저는 제가 루비콘강 앞에 서 있다는 것을 느꼈습니다. 그리고 제 책이 출판되는 그날부터 저는 이제 더 이상 돌아갈 수 없다는 것도 느꼈습니다.

mi sciis, kia sorto atendas kuraciston, kiu dependas de la publiko, se tiu ĉi publiko vidas en li fantaziulon, homon, kiu sin okupas je "flankaj aferoj"; mi sentis, ke mi metas sur la karton tutan estontan trankvilecon kaj ekzistadon mian kaj de mia familio; sed mi ne povis forlasi la ideon, kiu *eniris* mian korpon kaj sangon kaj ... mi transiris Rubikonon.

Lazaro Ludoviko Zamenhof.

(Eltiro el privata letero al N. Borovko. Tradukita de V. G. el la lingvo rusa. Lingvo Internacia, 1896, no 6-7.)

[Korektita de D-roZamenhof kaj poste de S-ro de Beaufront]

/ vidas en li fantaziulon 그에게서 환상가를 본다, 그를 환상가로 본다 / metas sur la karton tutan 모든 ~을 건다, 모든 ~을 걸고 모험을 한다 / *eniris* 들어왔다; veni와 iri의 쓰임이 한국어에서와는 다름, 대체적으로 veni는 도착에 초점을 맞추고, iri는 출발에 초점을 맞춤 /

저는 알았습니다. 대중에 의해 좌우되는 의사에게, 만약 대중이 저를 환상가로, 비전문적인 곁다리 일을 하는 사람으로 본다면, 그 어떤 운명이 기다리는지를 말이지요. 저는 저와 제 가족의 모든 미래의 안녕과 존재 자체를 거는 모험을 하고 있

다는 것을 느꼈습니다. 그러나 저는 제 몸과 피에 들어온 그 꿈을 버릴 순 없었습니다. 그리고 저는 ... 루비콘강을 건넜습니다.

(N. Borovko에게 보낸 개인 편지로 V. G.가 러시아어에서
번역함. Lingvo Internacia, 1896, no 6-7.)
[자멘호프 박사에 의해, 또 나중에 de Beaufront 씨에 의해
교정됨]

편집자의 말

코로나19이후 세계 각 나라의 에스페란토대회를 비롯한 행사들이 대면으로 열리면서 우리 언어도 제자리를 찾아갑니다.

에스페란토 홍보와 문화 사업을 위해 2020년 세운 진달래 출판사가 벌써 5년째를 맞았습니다. 100권이 넘는 많은 책을 만들면서 에스페란토 저변 확대를 위해 힘을 쏟았습니다.

또한 많은 사람들의 버킷리스트인 책 출간의 기쁨을 함께 누리면서 행복한 시절을 보냈습니다.

율리안 모데스트 작가와 장정렬 번역가님, 이낙기 선생님의 역작을 책으로 내면서 행복한 책읽기와 유익한 글쓰기의 시간을 가졌습니다. 많이 팔리지는 않더라도 후손을 위해 필요한 책을 만든다는 사명감, 힘써 번역한 작가들의 작품을 그냥 묵히지 않겠다는 각오로 시작한 책중에서는 좋은 결과를 내기도 해서 보람을 느꼈습니다.

특별히 에스페란토 연구로 박사학위를 받으시고 수십년간 에스페란토를 가르치신 박기완 박사님이 수년간 힘들게 번역한 『처음 에스페란토』를 우리 출판사에서 책으로 내고, 후속작으로 자멘호프 박사가 직접 쓴 에스페란토의 영원한 교과서, 불변의 규칙을 정리한 『에스페란토 규범』을 2023년에 출간했습니다. 그리고 에스페란토를 둘러싼 세계 여러나라의 질문에 창안자 자멘호프 선생님이 직접 대답한 내용을 모은 『에스페란토 문답집』을 새해들어 출판하면서 박사님께 감사드리며 아무쪼록 많은 이들이 읽고 평등한 언어의 기쁨을 서로 나누기를 바랍니다.

- 진달래 출판사 대표 오태영

〖 진달래 출판사 간행목록 〗

율리안 모데스트의 에스페란토 원작 소설
- 에한대역본
『바다별』(단편 소설집, 오태영 옮김)
『사랑과 증오』(추리 소설, 오태영 옮김)
『꿈의 사냥꾼』(단편 소설집, 오태영 옮김)
『내 목소리를 잊지 마세요』(애정 소설, 오태영 옮김)
『살인경고』(추리소설, 오태영 옮김)
『상어와 함께 춤을』(단편 소설집, 오태영 옮김)
『수수께끼의 보물』(청소년 모험소설, 오태영 옮김)
『고요한 아침』(추리소설, 오태영 옮김)
『공원에서의 살인』(추리소설, 오태영 옮김)
『철(鐵) 새』(단편 소설집, 오태영 옮김)
『인생의 오솔길을 지나』(장편소설, 오태영 옮김)
『5월 비』(장편소설, 오태영 옮김)
『브라운 박사는 우리 안에 산다』(희곡집, 오태영 옮김)
『신비로운 빛』(단편 소설집, 오태영 옮김)
『살인자를 찾지 마라』(추리소설, 오태영 옮김)
『황금의 포세이돈』(장편 소설집, 오태영 옮김)
『세기의 발명』(희곡집, 오태영 옮김)
『꿈속에서 헤매기』(단편 소설집, 오태영 옮김)
『욤보르와 미키의 모험』(동화책, 장정렬 옮김)

- 한글본
『상어와 함께 춤을 추는 철새』(단편소설집, 오태영 옮김)
『바다별에서 꿈의 사냥꾼을 만나다』(단편집, 오태영 옮김)
『바다별』(단편소설집, 오태영 옮김)
『꿈의 사냥꾼』(단편소설집, 오태영 옮김)

클로드 피롱의 에스페란토 원작 소설
- 에한대역본
『게르다가 사라졌다』(추리소설, 오태영 옮김)
『백작 부인의 납치』(추리소설, 오태영 옮김)

장정렬 번역가의 에스페란토 번역서
- 에한대역본
『파드마, 갠지스 강가의 어린 무용수』(Tibor Sekelj 지음)
『테무친 대초원의 아들』(Tibor Sekelj 지음)
『대통령의 방문』(예지 자비에이스키 지음)
『국제어 에스페란토』(D-ro Esperanto 지음, 이영구. 장정렬 공역, 진달래 출판사, 2021년)
『황금 화살』(ELEK BENEDEK 지음)
『알기쉽도록 〈육조단경〉 에스페란토-한글풀이로 읽다』(혜능 지음, 왕숭방 에스페란토 옮김, 장정렬 에스페란토에서 옮김)
『침실에서 들려주는 이야기』(Antoaneta Klobuĉar 지음, Davor Klobuĉar 에스페란토 역)
『공포의 삼 남매』(Antoaneta Klobuĉar 지음, Davor Klobuĉar 에스페란토 역)
『우리 할머니의 동화』(Hasan Jakub Hasan 지음)
『얌부르그에는 총성이 울리지 않는다』(Mikaelo Brostejn 지음)
『청년운동의 전설』(Mikaelo Brostejn 지음)
『푸른 가슴에 희망을』(Julio Baghy 지음)
『반려 고양이 플로로』(크리스티나 코즈로브스카 지음, 페트로 팔리보다 에스페란토 옮김)
『민영화도시 고블린스크』(Mikaelo Brostejn 지음)
『마술사』(크리스티나 코즈로브스카 지음, 페트로 팔리보다 에스페란토 옮김)

『세계인과 함께 읽는 님의 침묵』(한용운 지음)
『세계인과 함께 읽는 윤동주시집』(윤동주 지음)

- 한글본
『크로아티아 전쟁체험기』(Spomenka Ŝtimec 지음)
『희생자』(Julio Baghy 지음)
『피어린 땅에서』(Julio Baghy 지음)
『사랑과 죽음의 마지막 다리에 선 유럽 배우 틸라』
　(Spomenka Ŝtimec 지음)
『상징주의 화가 호들러를 찾아서』(Spomenka Ŝtimec 지음)
『무엇때문에』(Friedrich Wilhelm ELLERSIE 지음)
『밤은 천천히 흐른다』(이스트반 네메레 지음)
『살모사들의 둥지』(이스트반 네메레 지음)
『메타 스텔라에서 테라를 찾아 항해하다』(이스트반 네메레)
『파드마, 갠지스 강의 무용수』(Tibor Sekelj 지음)
『대초원의 황제 테무친』(Tibor Sekelj 지음)

이낙기 번역가의 에스페란토 번역서
- 에한대역본
『오가이 단편선집』(모리 오가이 지음, 데루오 미카미 외 3인
에스페란토 옮김)
『체르노빌1, 2』(유리 셰르바크 지음)

기타 에스페란토 관련 책
- 에한대역본
『에스페란토 직독직해 어린 왕자』(생 텍쥐페리 지음, 피에르
들레르 에스페란토 옮김, 오태영 옮김)
『에스페란토와 함께 읽는 이방인』(알베르 카뮈 지음, 미셸 뒤
고니나즈 에스페란토 옮김, 오태영 옮김)

『자멘호프 연설문집』(자멘호프 지음, 이현희 옮김)
『에스페란토와 함께 읽는 논어』(공자 지음, 왕숭방 에스페란토 옮김, 오태영 에스페란토에서 옮김)
『우리 주 예수의 삶』(찰스 디킨스 지음, 몬태규 버틀러 에스페란토 옮김, 오태영 에스페란토에서 옮김)
『진실의 힘』(아디 지음, 오태영 옮김)

- 한글본
『안서 김억과 함께하는 에스페란토 수업』(오태영 지음)
『인생2막 가치와 보람을 찾아』(수필집, 오태영 지음)
『에스페란토의 아버지 자멘호프』(이토 사부로, 장인자 옮김)
『사는 것은 위험하다』(이스트반 네메레 지음, 박미홍 옮김)
『자멘호프의 삶』(에드몽 쁘리바 지음, 정종휴 옮김)

- 에스페란토본
『Pro kio』(Friedrich Wilhelm ELLERSIE 지음)
『Enteru sopirantan kanton al la koro』(오태영 지음)
『Kumeŭaŭa, la filo de la ĝangalo』(Tibor Sekelj 지음)

- 박기완 박사가 번역하고 해설한 에스페란토의 고전
『처음 에스페란토』(루도비코 라자로 자멘호프 지음)
『에스페란토 규범』(루도비코 라자로 자멘호프 지음)